文史哲學集成

閻崇年著

努尔哈赤傳

文史哲出版社印行

國立中央圖書館出版品預行編目資料

努爾哈赤傳 / 閻崇年著. -- 修訂初版. -- 臺北市 : 文史哲, 民81
面 ; 公分. -- (文史哲學集成 ; 264)
ISBN 957-547-163-6(平裝)

1.（清）努爾哈赤 - 傳記 2. 中國 - 歷史 - 清(1644-1912)

782.87 81004274

文史哲學集成 264

努爾哈赤傳

著者：閻崇年
出版者：文史哲出版社
登記證字號：行政院新聞局局版臺業字五三三七號
發行人：彭正雄
發行所：文史哲出版社
印刷者：文史哲出版社
台北市羅斯福路一段七十二巷四號
郵撥〇五一二八八一二彭正雄帳戶
電話：三五一一〇二八

實價新台幣五二〇元

中華民國八十一年八月修訂初版

ISBN 957-547-163-6

努爾哈赤像

努爾哈赤傳目次

前言

愛新覺羅・努爾哈赤是我國歷史上傑出的政治家和軍事家，是滿族的民族英雄。

努爾哈赤，滿文《玉牒》（註一）寫作　　。其羅馬字母轉寫體爲 nurgaci，一般寫作 nurhaci。本書援引滿文，除個別幾處外，均以羅馬字母轉寫。nurgaci 或 nurhaci 一詞，不見於《滿文老檔》。在滿文體《滿洲實錄》（註二）中，清太祖的名字爲貼籤。經我查驗，貼籤之下爲空白。清史界有人認爲，清太祖起名時尚無滿文，而用蒙古文，其名字或爲蒙古文。據查，在蒙古文中找不到它的含義。也有的學者鑒於蒙古文是在回鶻字母的基礎上創制的，因之試圖從回鶻文去探求其語義。在回鶻文中，nur（努爾）是「光明」的意思；haji（哈吉）是「朝聖」的意思。清太祖的名字 nurhaci，如由維吾爾語經蒙古語而被滿語所吸收，那麼在滿語中應當出現這一詞滙。但是，在女眞文和滿文中，均未見 nurgaci 或 nurhaci 一詞。可見上述詮釋似不可通。另有一說認爲努爾哈赤意爲「野豬皮」，據金啓孮先生箋示：

唯幼時曾聞滿文專家舍親松賢前輩說過，努爾哈齊係「野豬皮」之義，舒爾哈齊爲「小野豬皮」，雅爾哈齊爲「豹皮」。其說必有根據。後閱西伯利亞通古斯各族民俗，小兒多喜以所穿之某種獸皮之衣，以爲乳名，可反證松賢之說確實無誤矣。

羅曰褧《咸賓錄》載，女眞之俗，「好養豕，食肉衣皮」（註三），與上述民俗相通。滿語 nuheci（奴可齊），意爲野豬皮。surha（舒爾哈〔齊〕），意爲小野豬皮。yarha（雅爾哈〔齊〕），意爲豹皮。努爾哈赤的第十四子多爾袞，即 dorgon，意爲獾。上述努爾哈赤兄弟、父子的名字，都同動物有關。朝鮮史籍記載清太祖的名字爲「乙可赤」、「奴可赤」，似即 nuheci 的對音。在《明神宗實錄》中，稱其爲「奴兒哈赤」。「奴可赤」似爲「奴兒哈赤」之急讀。在滿文創制以後，人們遂將「努爾哈赤」對音寫成滿文體 nurhaci。於是 nurhaci 之意便費解。總之，nurhaci 即努爾哈赤，按滿文的本意，是野豬皮的意思。後來這一名字在滿族中不被使用。在《滿文老檔》中，尊稱其爲 amba genggiyen han，即音譯爲「安巴庚寅汗」，意譯爲「大聰睿汗」。崇德元年（一六三六年），謚尊其爲清太祖武皇帝；康熙元年（一六六二年），則謚尊其爲清太祖高皇帝。上述陋釋，或有疑詞，但不妨仁者見仁，智者見智。同時，在我國東北方言中，「齊」與「赤」音同，滿文體 nurhaci 應音譯作努爾哈齊，現從習慣，仍稱努爾哈赤。

「木有根而枝杈附，水有源而流派出。」記得白壽彝先生說過：「研究學問要尋根溯源。」我學習和研究清代的歷史，遇到諸如官莊旗地、八旗制度、清室先世、滿族語文等問題，需到清軍入關前去尋溯其根源。於是，我從一九六三年起始，隨曾在光緒時任過佐領的那壽山老先生，學習滿族語文，並鑽研清朝前史。在研究清入關前的歷史時，努爾哈赤像一塊巨大的磁石，吸引著我研究的興趣。我把研究之淺得寫成拙文《論努爾哈赤》。（註四）文章發表後，蒙楊向奎先生函囑寫一本《努爾哈赤傳》。由是前後斷斷續續地歷時六年，三易書稿，不揣譾陋，濫竽纂述。對努爾哈赤時期歷史的初步研究表明，努爾哈赤建立的後金，實際上成了清朝的雛形。後金汗努爾哈赤制定的章法，成爲清朝制度的基石。後來清朝的重大治策，多能在這裏找到它的影子。同樣清朝的重大弊政，其受生之初胚胎裏已蘊含死亡的基因。從而得到一點啓示：努爾哈赤是一把歷史的鑰匙，它可以打開清朝堂奧宮殿之門。

我國滿族傑出的政治家努爾哈赤，藉明朝後期東北地區做歷史政治舞臺，演出一幕又一幕的歷史活劇，長達四十四年。努爾哈赤果敢而巧妙地利用當時階級、民族、黨爭的錯綜形勢，明朝、蒙古、朝鮮的複雜關係，憑藉人民群衆的力量，結束元明三百年女眞諸部分裂局面，完成女眞統一大業；推動女眞社會生產力發展，頒布女眞社會改革措施，促進滿族社會由奴隸制向封建制過渡；通過創建八旗與制定滿文，以物質和精神的紐帶，密切其內部聯繫，促使滿族形成爲一個新的穩定民族共同體；反抗明朝封建統治者的奴役，建立後金政權，規定各種治策，奠下後來建立清朝的基礎；重新統一中國東北地區，爲清朝前期抵禦外來侵略，劃定中國東北版圖，提供了歷史條件。因此，努爾哈赤爲我們統一而多民族國家的發展，作出了重要的貢獻。當然，像其他傑出歷史人物一樣，努爾哈赤也有其歷史、階級與民族的局限，但不可苛求。既然傑出人物是歷史的，便應對其功過給予歷史的說明。

對努爾哈赤的歷史評價，歷來衆說紛紜，譽毀互異。明朝政府官員罵他爲「奴賊」，清朝御用史家則奉他爲「聖賢」。他們出於民族偏見、唯心史觀，自然不能對努爾哈赤作出公允的評價。在評論努爾哈赤時，他們各執一端，或爲了反題而捨棄正題，或爲了正題而捨棄反題。在把正題與反題中所含的眞理要素統一成一個合題，進而找到比較正確的觀點時，辛亥革命之後至拙著問世之前，却沒有見到記述努爾哈赤的學術傳記和評價努爾哈赤的專題論文。這個學術上的空白，留待當代的史學工作者去塡補。

本世紀下半葉以來，我國史學工作者力求在掌握全面而系統、翔實而考辨的史料之基礎上，運用科學的觀點，進行深層的分析，來研究淸太祖努爾哈赤。近年來對努爾哈赤的研究，主要有兩種見解：一種見解認爲他是奴隸主階級的政治家，另一種見解認爲他是封建主階級的政治家。同時，對其功過與是非論評，也褒貶與揚抑不一。筆者認爲努爾哈赤是我國滿族封建主階級的政治家，並充分肯定其歷史功業。但在記述努爾哈赤歷史活動時，對上述角立見解，兼存或說之長。

本書主要依據《滿文老檔》、《淸太祖武皇帝實錄》、《明實錄》和朝鮮《李朝實錄》中的有關史料，參酌官私記載、檔册牓文、金石譜乘、文集圖錄，進行左右採獲，分類排比，錯綜銓次，去蕪存精，試以年爲經，以事爲緯，將淸太祖努爾哈赤一生主要的言論與活動、事功與錯失，作一個概略的敍述，力求復原其本來面貌。但本書不是研究努爾哈赤的終結，恰恰相反，它只是研究努爾哈赤的開始。

【附註】

註一　《玉牒》（滿文），康熙三十六年修，中國第一歷史檔案館藏。
註二　《滿洲實錄》（滿文），中國第一歷史檔案館藏。
註三　羅曰褧：《咸賓錄》不分卷。
註四　《論努爾哈赤》，載《中央民族學院學報》，一九七七年第四期。

第一章　先世與青少年時期

一、猛哥帖木兒的後裔

在女眞各部互爭雄長、社會激蕩的戰爭歲月裏，一五五九年（明世宗嘉靖三十八年），塔克世和喜塔拉氏的長子努爾哈赤，在明建州左衞蘇克素滸河部費阿拉誕生了。（註一）

在敍述努爾哈赤的先世與其青少年時期的生活之前，如果先從女眞人中廣泛流傳著的一個優美動人的神話故事說起，事情就不僅會更清楚些，而且會更饒有興味。

中國東北最高山脈長白山，它的主峯白頭山（註二），插入天際，時而隱沒入茫茫的林海，時而顯露出潔白的峰巓。從長白山發源的圖們江、鴨綠江和松花江三條大河，圖們江往東流入日本海，鴨綠江往南流進西朝鮮灣，第二松花江往西、牡丹江往北分別滙入松花江，松花江又與黑龍江合流注入鄂霍次克海。長白山有許多的溫泉和巨大的火山口，形成火山口湖，碧波粼粼，景色迷人。長白山以它奇偉的秀麗姿色和神話般的崢嶸魅力，吸引著千千萬萬的女眞人，在女眞人中流傳著一個神話故事。

《清太祖武皇帝實錄》記載：

滿洲原起於長白山之東北布庫里山下，一泊名布爾湖裏。初，天降三仙女，浴於泊。長名恩古倫，次名正古倫，三名佛古佛。浴畢上岸，有神鵲銜一朱果，置佛古倫衣上，色甚鮮妍。佛古倫愛之，不忍釋手，遂銜口中。甫着衣，其果入腹中，即感而成孕。告二姊曰：「吾覺腹重，不能同升，奈何？」二姊曰：「吾等曾服丹藥，諒無死理；此乃天意，俟你身輕，上升未晚。」遂別去。（註三）

後來佛古倫生下一個男孩，姓愛新覺羅，名布庫里雍順。布庫里雍順長大成人，舉止非凡，相貌奇偉。佛古倫給他一條船，讓他乘船順牡丹江而下，穿過叢林峽谷，到了牡丹江與松花江滙流處的斡朶里（今黑龍江省依蘭南）地方。以後佛古倫升天去了。這個仙女所生的布庫里雍順，就成爲滿洲的始祖。

神話故事是「通過人民的幻想用一種不自覺的藝術方式加工過的自然和社會形式本身」。（註四）自然界現象常不免和社會現象發生聯繫，因此在神話裏常常是表現了加工過的自然界，也表現了加工過的社會現象。佛古倫吞朱果的滿族神話和簡狄吞玄鳥卵（註五）的漢族神話極爲相似——既有奇異多彩的幻想，又有歷史事實的影子。它除了反映滿族先世同樣地經過了只知其母、不知其父和以鵲爲神、圖騰崇拜的原始社會歷史以外，還表明了滿族人民對他們共同祖先的崇敬心情。這個神話故事蘊含著一個啓示：長白山和黑龍江一帶的廣濶地域，是努爾哈赤先世氣勢磅礴的歷史活動舞臺。

努爾哈赤的直系祖先，史料最早記載是他的六世祖猛哥帖木兒。猛哥帖木兒曾是元末的萬戶。（

註六）據朝鮮《龍飛御天歌》記載：「如女眞，則斡朶里、豆漫、夾溫・猛哥帖木兒，火兒阿、豆漫、古論・阿哈出，托溫、豆漫、高・卜兒閼」。（註七）這裏的斡朶里、火兒阿、托溫爲三城，豆漫爲元代官職萬戶，夾溫、古論、高爲姓，猛哥帖木兒、阿哈出、卜兒閼爲名。猛哥帖木兒駐牧的斡朶里城，曾是遼、金、元三朝的北方重鎭。（註八）這個地區環居著女眞三部：猛哥帖木兒的斡朶里部、阿哈出的胡里改部和卜兒閼的托溫部。這三部習稱「移蘭豆漫」。「移蘭」爲滿語 ilan 的對音，意爲三；「豆漫」爲滿語 tumen 的對音，意爲萬，引申爲萬戶。「移蘭豆漫」即三個萬戶府。萬戶的官職是世代相襲的。斡朶里部猛哥帖木兒的祖輩世襲爲斡朶里萬戶府的萬戶，統領所屬女眞軍，爲元朝鎭撫北邊。

一三六八年（洪武元年），朱元璋推翻元朝，建立明朝，年號洪武。東北地區歸明朝管轄。猛哥帖木兒仍任斡朶里萬戶府的萬戶。但明初故元勢力的掠擾，部族之間的紛爭，使東北地區呈現動盪混亂的局面。洪武年間，猛哥帖木兒率斡朶里女眞部衆，溯牡丹江避亂流徙，移居圖們江下游斡木河（今會寧）一帶。（註九）斡木河谷左臨下門嶺，右靠玉峰山，旣適農耕，又宜牧獵。猛哥帖木兒在這裏從事耕農植穀，也進行打圍放牧。時朱元璋的兒子燕王朱棣，曾北征故元勢力到斡朶里城以北。據朝鮮史書記載，朱棣「爲燕王時，納于虛出女」。（註一〇）于虛出即阿哈出，後率胡里改部遷至松花江支游輝發河的鳳州地區。一四〇三年（永樂元年），在朱棣「靖難之役」奪取皇位後不久，阿哈出到南京「朝貢」。明廷設「建州衞軍民指揮使司」（註一一），任命阿哈出爲建州衞指揮使（註一二），並繼續招撫女眞各部。明成祖朱棣在敕諭中說：

今朕即大位，天下太平，四海內外，皆同一家。恐爾等不知，不相統屬，強凌弱，衆暴寡，何有寧息之時？今聽朕言，給與印信，自相統屬，打圍放牧，各安生業，經商買賣，從便往來，共享太平之福。（註一三）

明成祖派欽差千戶王教化等持諭前往斡木河，招撫猛哥帖木兒，並表彰他「能恭敬朕命，歸心朝廷，朕甚嘉之」。（註一四）猛哥帖木兒隨王教化在一四〇五年（永樂三年）底到南京入朝。明成祖「授猛哥帖木〔兒〕建州衞都指揮使，賜印信、鈒花金帶，賜其妻幞卓、衣服、金銀、綺帛」。（註一五）猛哥帖木兒受明廷招撫後，於一四一一年（永樂九年）四月，率部由斡木河移住鳳州。（註一六）猛哥帖木兒遷到鳳州後，更加密切了同明廷的關係。明成祖在一四一二年（永樂十年）猛哥帖木兒來朝時，增置建州左衞，並封他爲建州左衞指揮使。（註一七）

朝鮮《李朝實錄》記載，猛哥帖木兒是明成祖的親戚。（註一八）猛哥帖木兒以皇妃「骨肉之親」和建州左衞指揮使的雙重身份，在一四二二年（永樂二十年），被徵調率領部屬隨從明成祖爲反擊韃靼部阿魯臺縱兵「刼掠」（註一九）的漠北親征。戰爭結束後，猛哥帖木兒到了北京。時遼東地區屢受韃靼和兀良哈鐵騎的蹂躪，猛哥帖木兒擔心再罹騷擾，請求遷回斡木河，得到明成祖朱棣的賜准。（註二〇）一四二三年（永樂二十一年），猛哥帖木兒「率正軍一千名，婦人小兒共六千二百五十名」，分批返回斡木河「舊居耕農」。（註二一）他遷住斡木河之後，和明廷的關係不僅沒有疏遠，反而更加密切。如在十年之間，猛哥帖木兒曾三次到北京「朝貢」，在一四二六年（宣德元年）正月「朝貢」時，被封爲都督僉事（註二二）；一四三三年（宣德八年）二月「朝貢」時，又被封爲右都督僉事。（註二三）在這次「朝貢」之後，猛哥帖木兒和弟凡察、長子權豆（阿古），並隨同明遼東都指揮同知裴俊一起返回斡木河，協助明庭管束楊木答兀的人馬。

楊木答兀爲遼東女眞豪族，在開原任千戶。（註二四）他屠城剽掠後，「挈家逃竄」至斡木河。（註二五）明廷派裴俊同猛哥帖木兒回斡木河招撫楊木答兀時，發生了「斡木河之變」。他們遭到楊木答兀的襲擊。猛哥帖木兒及其長子權豆（阿古）被楊木答兀等殺死，次子董山（童倉）被擄走，弟凡察負傷出逃。（註二六）建州左衛遭受空前重創。建州左衛指揮使猛哥帖木兒，生前曾受明廷封賜的印信、衣襲、鈒花冠帶，並曾先後十次（註二七）到京「朝貢」。猛哥帖木兒「歸心朝廷」的耿耿忠心，對他的包括努爾哈赤在內的後裔們，發生了深遠的影響。

二、建州左衛指揮使世家

努爾哈赤的五世祖是董山（童倉）。在猛哥帖木兒及權豆（阿古）被殺，董山被擄，柵舍被焚的翌年，凡察到北京「朝貢」。明宣宗「升建州左衛都指揮僉事凡察爲都督僉事，仍掌衛事」。（註二八）因舊印「失落」，又重頒新印。不久，董山得到「毛憐衛指揮哈兒禿等贖回」。（註二九）董山因在斡木河不得安穩，十分艱難，奏請遷往遼東，與「李滿住（阿哈出之孫）一處住坐」。一四四〇年（正統五年）六月，董山和凡察經明廷允准（註三〇），率所部三百餘戶，歷盡曲折，衝破阻撓，遷到渾河支流蘇子河一帶，與李滿住合住在一起。（註三一）建州女眞經過半個世紀的離合輾轉，又重新聚集在一起。這片群山環繞的蘇子河谷，後來成爲努爾哈赤崛起的基地。

董山（童倉）是猛哥帖木兒的次子。他遷往蘇子河時，年二十二歲（註三二），長得體格魁偉，儀表威嚴，所屬部衆，心多傾附。因董山藏有明廷給其父猛哥帖木兒的賜印，就和他的叔父凡察爭襲建州左衞指揮使的官職。一衞新舊兩印，叔侄紛爭不已。《明英宗實錄》記載：「往聞，猛哥帖木兒爲七姓野人戕害，掠去原降印信。宣德年間又復頒降，令凡察掌之。前董山來朝云，舊印已獲。近凡察來朝，又奏欲留新印。一衞二印，於法非宜。（註三三）一四四二年（正統七年），明廷分建州左衞，析置建州右衞。《明英宗實錄》記載：

分建州左衞，設建州右衞。升都督僉事董山爲都督同知，掌左衞事；都督僉事凡察爲都督同知，掌右衞事。董山收掌舊印，凡察給新印收掌。（註三四）

從此，建州女眞就分爲建州衞、建州左衞和建州右衞，合稱「建州三衞」。時掌建州衞印的李滿住，娶權豆（董山之兄）的孀婦爲妻；掌建州左衞印的董山，又求娶李滿住之女爲妻（註三五）；而建州右衞印信，則歸董山之叔凡察收掌。因此，雖有建州三衞之名，實際上他們却居住一處，同族聯姻，都是明政府轄治下的建州女眞部，也就是後來滿族形成的主體部份。

建州女眞隸屬於明朝奴兒干都指揮使司。在這裏把奴兒干都司的設置及其轄下的女眞三大部，作一個簡要的插敍。明初，女眞分爲三大部，這就是建州女眞、海西女眞和黑龍江女眞（註三六）（又叫「野人」女眞）。明廷爲了統治女眞等族人民，一三七五年（洪武八年）設置遼東都指揮使司（註三七），總轄東北地區的軍政。到一四〇九年（永樂七年），又設置奴兒干都指揮使司（註三八），治所在遼代奴兒干城舊址，即黑龍江下游亨滾河口對岸附近特林地方。它是明朝的地方軍政機構，其轄境東起鄂霍次克海，西迄鄂嫩河，南瀕日本海，北達外興安嶺。奴兒干都司的設置，加強了明廷對黑龍江和烏蘇里江流域三大部女眞以及吉烈迷、達斡爾、蒙古等族人民的統治。後來猛哥帖木兒的六世孫努爾哈赤興起，統一女眞各部，就囊括了奴兒干都司轄下的建州女眞、海西女眞和「野人」女眞。下面再回過來敍述努爾哈赤的五世祖董山。

董山（童倉）遷住蘇克素滸河三衞合住後，官至右都督，勢力復大振。他乘建州衞指揮使李滿住年邁之機，起而兼管三衞，頗有統一建州女眞之勢。但明朝中期國力強盛，明廷在加強對女眞等族地區管轄的同時，又實行民族分裂和民族歧視政策。「分其枝，離其勢，互令爭長仇殺，以貽中國之安（註三九），是明朝統治者對女眞族的傳統政策。明邊官濫殺貢使冒功，成化時「遼東鎭守太監韋朗、總兵官緱謙、舊巡撫都御史陳鉞等啓釁冒功」。（註四〇）但是，董山等女眞貴族藉口反對明朝政府的壓迫，不時出兵遼東地區「犯搶」，掠奪耕牛、馬匹、衣物和人口，給遼東人民帶來災難。明廷的一份咨文中稱：「建州三衞女直（即女眞），結構諸夷，悖逆天道，累犯遼東邊境，致廑聖慮，特命當職等統調大軍，搗其巢穴，絕其種類」。（註四一）一四六七年（成化三年），明廷藉故將董山殺死（

註四二），並派李秉、趙輔統兵，分路並進，血洗烟突山下董山屯寨，共斬擒俘一千一百五十七人，並「焚其巢寨房屋一空」。（註四三）同時，朝鮮國王李瑈受明脅迫派康純領兵助攻建州。同年九月，康純等率兵攻入婆豬江兀彌府諸寨，焚燒柵舍，斬殺李滿住及其子古納哈等三百八十六人（註四四），並析白木書云：「朝鮮大將康純領精兵一萬攻建州」！（註四五）建州女眞焚蕩殆盡，部落殘破（註四六），無法實現統一。

努爾哈赤的四世祖爲錫寶齊篇古。董山（童倉）有三子：長妥羅，次妥義謨，三錫寶齊篇古。董山死後，妥羅繼董山爲建州左衞指揮使。（註四七）弘治中又晉爲一品都督。（註四八）終孝宗之世，妥羅曾五次入朝。（註四九）妥羅執掌建州左衞時，因其部曾受明軍「搗其巢穴」的重創，元氣一時難以恢復。他又軟弱無能，建州女眞仍處於分裂狀態。妥羅在一五〇六年（正德元年）死去。明廷以妥羅子脫原保襲其父原職。建州左衞指揮使脫原保，在明武宗時曾五次入京「朝貢」（註五〇），仍同明朝保持密切關係。妥羅的三弟錫寶齊篇古，其事迹不見於文字記載。錫寶齊篇古只有一子，名叫福滿。

努爾哈赤的曾祖是福滿，後來清朝尊他爲興祖直皇帝。福滿有六子：長德世庫，次劉闡，三索長阿，四覺昌安（叫場），五包朗阿，六寶實。後稱覺昌安六兄弟爲寧古塔貝勒。「寧古塔」是滿語 ninguta 的對音，意爲六；「貝勒」是滿語 beile的對音。貝勒原爲女眞貴族之稱號，初意爲「大人」、「酋長」。一六三六年（崇德元年）定封爵，貝勒在親王、郡王之下。他們兄弟六人分住六城，環衞而居，相距近者五里，遠者不過二十里。

努爾哈赤的祖父是覺昌安，後被清朝尊爲景祖翼皇帝。覺昌安繼承先業，居赫圖阿拉。「赫圖」是滿語 he tu 的對音，意爲橫；「阿拉」是滿語 a la 的對音，意爲崗。赫圖阿拉意爲橫崗，在今遼寧省新賓縣境，後清定名爲興京。覺昌安「素多才智」（註五一），長子禮敦英勇善射，又與明遼東總兵官李成梁關係密切。他率領兄弟子侄等戰敗鄰近強悍寨主碩色納和加虎等，收服五嶺迤東、蘇克素滸河迤西二百里內的諸部，勢力日漸強盛。覺昌安有五子：長禮敦，次額爾袞，三界堪，四塔克世（他失），五塔察篇古。覺昌安的第四子塔克世，是努爾哈赤之父，後被清朝尊爲顯祖宣皇帝。

努爾哈赤的先世，從猛哥帖木兒至塔克世，凡六代，歷時二百年，由斡朵里經斡木河到鳳州，再由鳳州經斡木河到蘇克素滸河谷，幾經周折，數盛數衰，最後定居在赫圖阿拉。這裏的自然條件和地理位置，比海西女眞和黑龍江女眞居住的地區更爲優越。因此，建州女眞在女眞三大部中「居中雄長，地最要害」。（註五二）它比鄰撫順，接近漢族聚居地區，便於和漢族互市通商，輸進鐵製農具、耕牛和先進生產技術，加快了本部經濟發展的步伐。（註五三）女眞奴隸制經濟的發展，「馬市」貿易的擴大，各部經濟聯繫的加強，以及奴隸鬥爭的推動，到十六世紀末和十七世紀上半葉，出現各部統一與社會變革的趨勢。建州女眞由於歷史與地理、經濟與文化、軍事與政治、社會與民族的原因，就成爲女眞各部統一與社會改革的核心。這種女眞各部統一與社會改革的歷史趨勢，使得建州左衞指揮使世家出身的努爾哈赤，利用人民的力量，跨入由可能進到現實的門檻。

女眞社會的統一趨勢，是努爾哈赤後來統一女眞各部的內在因素；明朝統治的衰落腐朽，則是其

努爾哈赤家世表

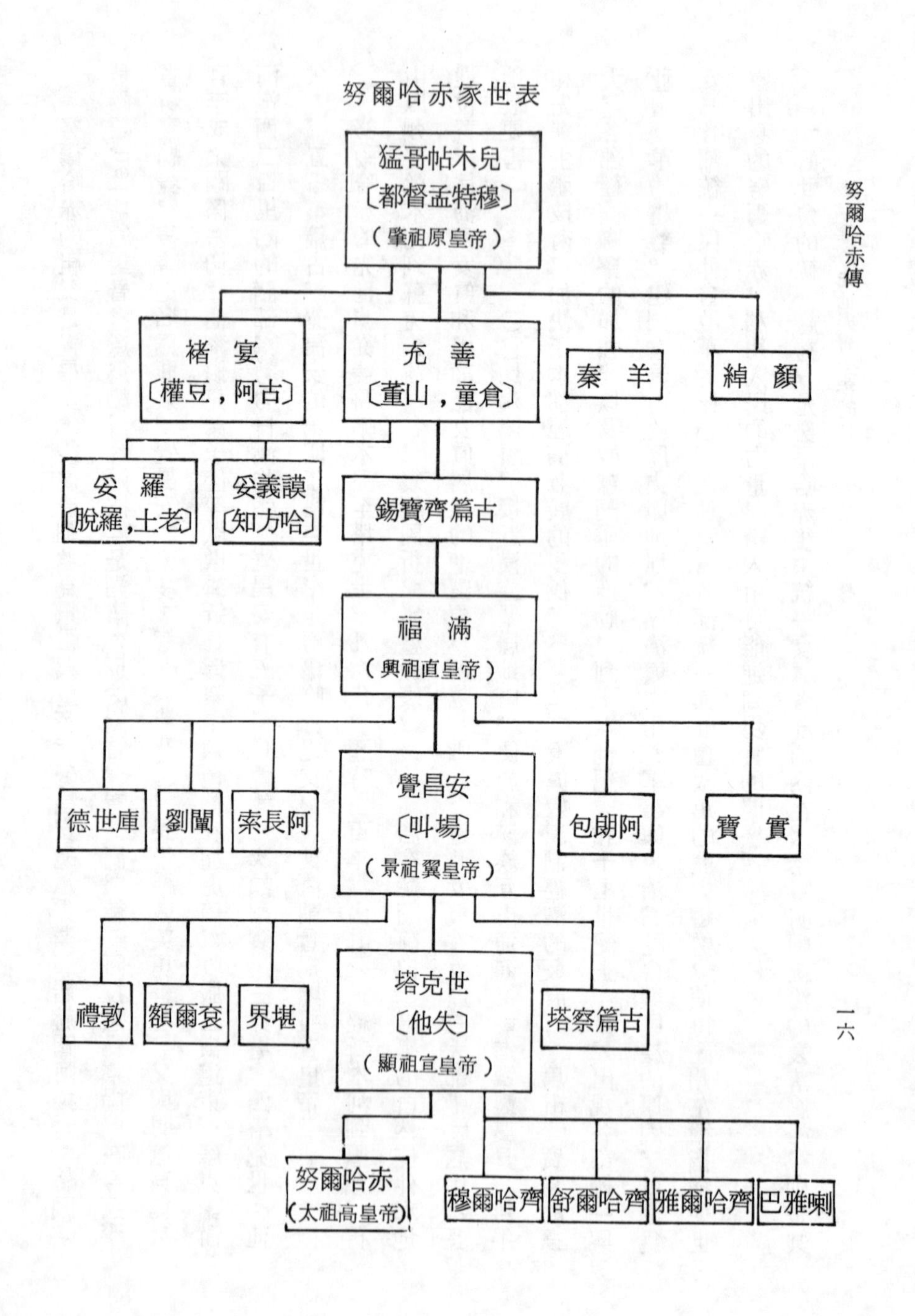
猛哥帖木兒
〔都督孟特穆〕
（肇祖原皇帝）
褚宴
〔權豆，阿古〕
充善
〔董山，童倉〕
秦羊
綽顏
妥羅
〔脫羅，土老〕
妥義謨
〔知方哈〕
錫寶齊篇古
福滿
（興祖直皇帝）
德世庫
劉闡
索長阿
覺昌安
〔叫場〕
（景祖翼皇帝）
包朗阿
寶實
禮敦
額爾袞
界堪
塔克世
〔他失〕
（顯祖宣皇帝）
塔察篇古
努爾哈赤
（太祖高皇帝）
穆爾哈齊
舒爾哈齊
雅爾哈齊
巴雅喇

統一女眞各部的外在因素。因爲建州女眞畢竟是當時明朝政治棋盤上的一枚棋子，它的左右進退，要受明朝總政治形勢的制約和影響。到努爾哈赤降生的時候，明王朝已經像一座柱樑傾斜的大廈，岌岌乎將要倒塌。其突出表現，略舉二例：

第一，「南倭」與「北虜」拖得明朝兵民疲弊，府藏匱竭。倭患自明初（註五四）以來，日甚一日。到嘉靖年間，千里濱海，同時告警，倭寇闖入，燒殺搶掠，許多城鄉受到兵火的焚劫。明朝長期進行禦倭戰爭，歲無寧日，虛耗庫藏。明朝不僅南有倭患，而且北有蒙古貴族的騷擾。「嘉靖之季，騷擾益甚」。（註五五）時在「宣、大、山西有俺答諸部，陝西三邊有吉能諸部，薊、遼有土蠻及黃臺吉支黨」（註五六），其中俺答成爲嘉靖朝肘腋之患。僅在努爾哈赤出生的前後十餘年間，蒙古貴族騎兵屢犯京畿，京師五次戒嚴。（註五七）宣大總督方逢時疏言：

俺答益稱雄傑，攻克諸部，虎踞朔庭，東連察罕，西脅番回，五十餘年以攻我，中土之民，困於征輸，邊鄙之民，死於鋒鏑。……致我三軍戰鬥，暴骨滿野，萬姓流離，橫屍載道，城廓丘墟，芻糧耗竭，外罹慘禍，內虞他梗，邊臣首領不保，朝廷爲之旰食。（註五八）

明廷爲抵禦俺答汗騎兵南犯，「增兵增餉，選衞修垣，萬姓疲勞，海內虛耗」。（註五九）一五五〇年（嘉靖二十九年）「庚戌之變」後，僅嘉靖三十年至三十六年，所發京邊用銀共三千一百七十一萬餘兩；其時「浙直以被倭，川貴以採木，山陝宣大以兵荒，不惟諸軍興征發停格，即歲入兩百萬之額且虧其三分之一」。（註六〇）即每年實際歲入不過一百三十餘萬兩，而支出却達四百五十餘萬兩。儘管後來俺答納款貢市，如一五九三年（萬曆二十一年）「天下財賦歲入不過四百萬，北虜款貢侵淫至今歲費三百六十萬，罄天下之財，僅足以當虜貢」。（註六一）「南倭」與「北虜」之患，連年不斷，使得明朝兵馬疲憊，帑藏匱竭，「百姓嗷嗷，海內騷動」。（註六二）可以說明朝之被拖垮，「南倭」與「北虜」起了十分重要的作用。正因爲如此，萬曆時努爾哈赤崛起遼東，明廷已無力制服。

第二，明廷政治衰敗，遼東軍事廢弛。那個「面瘦頤尖，顴高鼻長，眼尾上斜，殊無風采」的嘉靖帝，荒淫迷信，日夜宴游（註六三），聽任權臣肆虐。他崇道齋醮，不理朝政，採女煉丹，大興土木。如朝鮮進香使鄭百朋在京所見云：

方大興土木之役，其於闕門之內，土木瓦石等物積如山丘，千官由其罅隙出入，而禮部尚書夏言董其役事。又於闕內，方造延禧、敬聖二宮，此爲皇帝祈禱之所，皆窮極奢侈云。九廟之櫟，別作於他處。而至於迎櫟之日，閣老及千官，皇帝落點隨衞，而皆插花於頭，肩荷紅袱。櫟之數七，而皆以金爲飾。擔一櫟之人，厥數百餘。……又聞赴役之人，一日三萬餘人，而皆償民傭之。故匠人則日給銀七分，軍人則日給銀三分，耗費極矣云。（註六四）

嘉靖帝生活糜爛（註六五）、政治潰敗的突出一例，是他曾被宮女縊弒，至鼻孔流血，氣息已絕。經御醫「急調峻藥下之，辰時下藥，未時忽作聲，去紫血數升，遂能言」。（註六六）這就是明史上的所謂「壬寅宮變」。（註六七）

明廷政治衰敗的一個表現，是遼東軍事廢弛。明中葉以後，遼東軍備日漸鬆弛。內臣貪黷，邊將驕縱，牧地侵占，苑馬倒失，屯制瓦解，軍伍逃亡。遼東明初實行軍屯制，「軍士守城十二，屯田十八」（註六八），但至嘉靖朝，軍屯制逐漸破壞：名雖在册，軍已逃亡，屯田半廢，行伍空虛。（註六九）

總之，明朝到嘉靖年間，已經由強盛走向衰落。如《明史・世宗本紀》論曰：

> 將疲於邊，賊訌於內，而崇尚道教，享祀弗經，營建繁興，府藏告匱。百餘年富庶治平之業，因以漸替。（註七〇）

「因以漸替」，即是說明朝至嘉靖已由盛轉衰。明朝的衰落，這就爲滿族的興起提供了客觀條件。至於由什麼人利用這個客觀條件，登上歷史舞臺，演出有聲有色的活劇，還需要有其主觀條件。努爾哈赤的前述家世及其青少年時期的經歷，是他個人諸方面條件中的一個基本因素。

三、青少年時期的生活

努爾哈赤出生在建州女眞赫圖阿拉城一個奴隸主的家庭裏。赫圖阿拉是滿語 hetu ala 的對音。滿語 hetu 意爲橫，ala意爲崗。赫圖阿拉意爲橫崗。赫圖阿拉是一座山城。蘇克素滸河（蘇子河）流經山下。蘇克素滸河發源於長白山西麓，流到今撫順東營盤地方與渾河滙合後，南注遼河，瀉入遼東灣。蘇克素滸河穿過千溝萬壑與茂密叢林，到赫圖阿拉附近形成一片寬敞的平原。蘇克素滸河平原土層深厚，土壤肥沃，雨量充沛，氣候宜農。河的兩岸大野，谷地丘陵，都被墾殖。春日融融的季節，耕牛布散，禾穀豐茂。

在赫圖阿拉居住的塔克世，有五子一女。他的正妻是阿古都督的女兒，姓喜塔拉氏，名額穆齊。喜塔拉氏誕育三子一女：長子努爾哈赤，三子舒爾哈齊，四子雅爾哈齊和一個女兒。後來清朝尊喜塔拉氏爲宣皇后。塔克世的繼妻納喇氏，名肯姐，是哈達貝勒萬所養的族女，爲人刻薄，只生育一個兒子，即第五子巴雅喇。塔克氏的另一個妻子李佳氏，爲古魯禮女，也養育一個兒子，即第二子穆爾哈齊。

塔克世的家庭在當時女眞族中是一個中產之家。家裏蓄養著一些阿哈。「阿哈」是滿文 aha 的對音。有時也叫包衣阿哈或包衣，其滿文體爲 booi aha 或 booi 。阿哈、包衣阿哈或包衣就是奴隸。奴隸在家裏擔水、砍柴、舂米、燒飯，並在田地裏春耕植穀，秋成刈獲，農作之外，還進行採集放牧，捕魚打獵。

像其他女眞人家一樣，塔克世家住的是泥草房，房子外面圍有木柵。住室內南西北用土坯砌有火炕（俗稱「轉圍坑」），窗從外關，窗紙糊窗外，烟筒叫呼蘭（註七一），用中空的圓木製作，設在後面。室內的配置，後來楊賓有記載：「開戶多東南，土炕高尺五寸，周南西北三面，空其東。就南北炕頭作灶，上下男女各據炕一面。夜臥，南爲尊，西次之，北爲卑」。（註七二）西炕牆上供祭祖的「板子」，並設香盤，祭祀祖先。院落的東南角，立一根一丈多高的木杆，俗稱「索羅杆子」，供祭神之用。這種習俗，影響到清軍入關後，如北京紫禁城坤寧宮屋內南西北接繞三炕，窗外糊紙，宮前東南方有神杆。塔克世信奉薩滿教。（註七三）薩滿教是我國東北通古斯語系民族中普遍信奉的一種原始宗教。薩滿的滿文體爲saman，意爲巫。薩滿祭祀與設杆祭天結合，後發展成爲祭堂子。「堂子是薩滿祭祀，主要是祭天」。（註七四）

當時女眞人家的習俗，男子剃髮垂辮，身穿袍褂，袖口前長後短，俗稱馬蹄袖，身束腰帶，足登靰鞡。（註七五）婦女爲天足，着長衫，袖口狹窄，後來俗稱旗袍。女眞人男女都擅長騎射。兒童初生時，懸掛弓箭於門前，象徵著他未來成爲一個優秀的射手。六七歲的男孩，就用「斐闌」習射。《滿洲源流考．國俗》記載：「小兒以榆柳爲弓曰斐闌，剡荆蒿爲矢，翦雉翟鷄翎爲羽，曰鈕勘」。（註七六）稍爲長大，就騎馬彎弓，馳射山林。女子也騎射成風，英姿颯爽。騎射之餘，兒童們圍坐擲「羅羅」。「羅羅」爲滿語lolo的對音，是一種戲骨，常以智巧取勝。努爾哈赤少年時代就是在這樣的環境中成長，鍛鍊得體格壯健，勇敢頑強，機智沉着，弓馬嫻熟。

努爾哈赤的家庭，原是女眞奴隸主中的一個顯赫家族，但到他童年的時候，已經家道中衰。努爾哈赤早年喪母，繼母納喇氏待他寡恩。《滿洲實錄》記載：

汗十歲時喪母。繼母妒之，父惑於繼母言，遂分居，年已十九矣，家產所予獨薄。（註七七）

他在青少年時期曾參加勞動。在三月至五月、七月至十月的採集季節裏，努爾哈赤同夥伴們一起，進入莽莽的林海，搭棚棲居，每棚能住三、四人，白天採集，夜晚棚宿。他挖人參、採松子，摘榛子、拾蘑菇，趕撫順馬市貿易，用賺來的錢維持或貼補生活。這一時期因參加勞動，接觸部民，對他爾後的政治生涯有着很大的影響。

當時，漢人與女眞、蒙古人的貿易，集中在鎭北關（在開原城東北七十里）、淸河關（在開原城西南六十里）、廣順關（在開原城東六十里靖安堡）、新安關（在開原城西六十里慶雲堡）和撫順關（在城東三十里）等地。這種集市叫做「馬市」，規定：「每月初一日至初五日，十六日至二十二日開二次。各夷止將馬匹並土產貨物，赴彼處委官驗放入市，許賚有貨物者，與彼兩平交易」。（註七八）當「市圈」（註七九）開市時，漢人、女眞人、蒙古人等熙熙攘攘，融滙一市。女眞人帶著人參、松子、榛子、蘑菇、木耳、蜂蜜、東珠、麻布、馬匹、貂皮、猞猁猻皮等參加貿易。他們從漢人那裏買去耕牛、鏵子、木杴等生產工具，布匹、鐵鍋、水靴、針線等生活用品。通過互市貿易，使漢族和女眞族加強了經濟文化交流，促進了經濟發展，豐富了物質生活，密切了各族人民之間的友好往來。

努爾哈赤經常往來於撫順關馬市進行貿易。他廣交漢人，了解漢族封建經濟情況，熟悉明朝政治動向；結識漢族知識分子，受到漢族文化的薰陶。他在集市貿易的交往中，熟知遼東地區的山川形勝與道里險夷。他在同蒙古人和漢人的廣泛接觸中，學會了蒙古語文，並粗懂漢語、識漢字。黃道周說努爾哈赤「好看三國、水滸二傳，自謂有謀略」。（註八〇）如朝鮮人申忠一到赫圖阿拉，見舒爾哈齊家的大門上有一副殘破的對聯，上聯剩下的字是「迹處靑山」，下聯剩下的字是「身居綠林」。（註八一）這反映他們喜愛漢文章回小說，受漢族封建文化影響較深。總之，撫順關馬市貿易像一所大學校，使努爾哈赤從中學習社會和經濟、政治和文化、民俗和語言、軍事和地理，從而增長了見識，豐富了智慧，開濶了胸懷，磨煉了意志。

據一些史書記載，努爾哈赤流落撫順貿易後，曾爲明遼東將領李成梁收養，並作他的侍從。如：

《山中聞見錄》記載：

> 太祖既長，身長八尺，智力過人，隸成梁標下。每戰必先登，屢立功，成梁厚待之。（註八二）

《遼籌》記載：

> 主將李如柏世居遼。其先寧遠公又兒子畜奴賊。（註八三）

《葉赫國貝勒家乘》記載：

> 壬午，十年，秋九月，辛亥朔，太祖如葉赫國。時上脫李成梁難而奔我，貝勒仰佳努識上爲非常人，加禮優待。（註八五）

葉赫貝勒揚佳努器重努爾哈赤，以愛女妻之，並贈馬匹、甲冑，派兵護送回赫圖阿拉。

另如《三朝遼事實錄》（註八六）和《明史鈔略・李成梁傳》（註八七）等書也有記載。有人認爲此事出於明人手筆，不足徵信。但康熙時徐乾學纂《葉赫國貝勒家乘》和乾隆時阿桂等修《清開國方略》（註八八），均有所載。甚至在滿族中流傳著的《關於罕王的傳說》（註八九）中，也記述了努爾哈赤的這段「經歷」：

> 那時候明朝天下大災，各處反亂。罕王下山後投到李總兵的部下。李總兵見大罕長得標致可愛，聰明伶俐，便把他留在帳下，當個書童，用來伺候自己。

有一天晚上，李總兵洗脚，對他的愛妾驕傲地說：「你看，我之所以能當總兵，正是因爲脚上長了這七個黑痣！」其愛妾對他說：「咱帳下書童的脚上却長了七個紅痣！」總兵聞聽，不免大吃一驚。這明明是天子的象徵。前些時候才接到聖旨，說是紫微星下降，東北有天子象，諭我嚴密緝捕。原來要捉拿的人就在眼前。總兵暗暗下令做囚車，準備解送罕王進京，問罪斬首。總兵之妾，平素最喜歡罕王。她看到總兵要這般處理，心裏十分懊悔。有心要救罕王，却又無可奈何。於是把掌門的侍從找來，與他商量這件事。掌門的侍從當即答道：「三十六計，走爲上計。」定下計議，便急忙把罕王喚來，說給他事情的原委，讓他趕快逃跑。罕王聽說之後，出了一身冷汗，十分感激地說：「夫人相救，實是再生父母；它年得志，先敬夫人，後敬父母。」罕王拜謝夫人，惶急地盜了一匹大青馬，出了後門，騎上馬就朝長白山跑去。這時跟隨罕王的，還有他平常餵的那隻狗。

罕王逃跑之後，李總兵的愛妾就在柳枝上，掛上白綾，把脖子往裏一套，天鼓一響就死了。據說滿族在每年黃米下來那天，總是要插柳枝的，其原因就在這裏。

第二天，總兵不見了罕王。他正在惶惑之際，忽而發現自己的愛妾吊死在那裏。李總兵立即省悟，頓時勃然大怒。在盛怒之下，把她全身脫光，重打四十（滿族祭祖時有一段時間滅燈，傳說是祭祀夫人的；因其死時赤身，爲了避羞，熄燈祭祀）。然後派兵去追趕，定要捉回。

且說罕王逃了一夜，人困馬乏。他正要下馬休息，忽聽後面喊殺連天，覺察追兵已到，便策馬逃跑。但是，追兵越來越近，後面萬箭齊發，射死了大青馬。罕王惋傷地說：「如果以後能得天下，決忘不了『大青』！」所以後來罕王起國號叫「大清（青）」。罕王的戰馬已死，只好徒步逃奔，眼看追兵要趕上。正在危難之時，忽然發現路旁有一棵空心樹。罕王急中生智，便鑽到樹洞裏，恰巧飛來許多烏鴉，群集其上。追兵到此，見群鴉落在樹上，就繼續往前趕去。罕王安全脫險。等追兵走遠以後，罕王從樹洞中出來，又躲到荒草蘆葦中。他看見伴隨自己的，僅有一隻狗。罕王疲勞至極，一躺下就睡着啦。

追兵趕了一陣，什麼也沒有趕到；搜查多時，又四無人迹。於是縱火燒荒，然後收兵回營。罕王一睡下來，就如泥人一般；漫天的大火，眼看要燒到身邊。這時跟隨他的那條狗，跑到河邊，浸濕全身，然後跑回來，在罕王的四周打滾。這樣往返多次，終於把罕王四周的草全部弄濕。罕王因此沒有被火燒死，但小狗却由於勞累過度，死在罕王身旁。

罕王睜眼醒來，舉目四望，一片灰燼。跟隨自己的那隻狗又死在旁邊，渾身通濕。自己馬上就明白啦。罕王對狗發誓說：「今後子孫萬代，永遠不吃狗肉，不穿狗皮。」（註九〇）這就是滿族忌吃狗肉、忌穿狗皮的緣由。

罕王逃到長白山裏，用木杆來挖野菜、掘人參，以維持生活。在山裏，罕王想起自己在種種危急關頭，能化險爲夷，俱是天公保佑。想到這裏，罕王立起手中的杆子來祭天。同時又想起烏鴉救駕之事，也依樣感激，就在杆子上掛些東西，讓烏鴉來吃，是報答烏鴉相救的意思。後沿習下來，遂成爲風俗。

後來，罕王帶領人馬下山，攻占了瀋陽。

上面引述了一個關於後金汗努爾哈赤青少年時代的傳說。傳說中敍述滿族木杆祭天，前已述及；關於對狗和烏鴉的尊崇，屬原始圖騰崇拜的遺風。但傳說不同於歷史，它富有神秘的色彩；傳說也不同於神話，它帶有歷史的印迹。罕王的傳說，曲折地反映了滿族傑出首領努爾哈赤青少年時期片斷歷史的影子。

每一個民族的每一個社會時代，都需要並會創造出自己的傑出人物。十六世紀末和十七世紀上半葉，明朝統治日趨沒落，滿族處於上升時期。這樣的社會形勢，爲滿族出現傑出人物提供了歷史舞臺。努爾哈赤家世中衰後青少年時代刻苦奮鬥與豐富閱歷的燧石，敲打著他膽略、堅毅和智慧的火花。而其先世屢任明朝建州左衞指揮使烜赫官職的火把，一旦被這火花所點燃，就照亮了他以「十三副遺甲」起兵，走上歷史舞臺的道路。

【附註】

註一　《清太祖高皇帝實錄》、《滿洲實錄》、《清太祖武皇帝實錄》和《清皇室四譜》等書努爾哈赤生年均作「己未歲明嘉靖三十八年」；但李民寏《建州聞見錄》却載：「或云甲寅生」，甲寅年爲一五五四年（嘉靖三十三年）。

註二　朝鮮《李朝肅宗實錄》十七年十一月丙寅：「長白山，胡人（滿族人）或稱白頭山，以長白故也。「又，三十九年正月庚子：長白山「山體皆沙石，而草木不生，積雪四時不消，白頭之名，似以此也。」

註　三　《清太祖武皇帝實錄》第一卷，第一頁。參見《滿洲實錄》卷一、《清太祖實錄》卷一和《清開國方略》卷首。

註　四　《馬克思恩格斯全集》人民出版社，第十二卷，第七六一頁。

註　五　《史記・殷本紀》：「殷契，母曰簡狄，有娀氏之女，爲帝嚳次妃。三人行浴，見玄鳥墮其卵，簡狄取呑之，因孕生契。

註　六　萬戶，官名，金初設置，爲世襲軍職；元代相沿，隸屬於樞密院或行省，統領千戶所。

註　七　《龍飛御天歌》第七卷，第五十三章，漢城，朝鮮古書刊行會本。

註　八　《元史・地理志二》：元初設軍民萬戶府五，撫鎭北邊。一曰桃溫，一曰胡里改，一曰斡朶憐（卽斡朶里），一曰脫斡憐，一曰孛苦江。各有司存，分領混同江南北之地。

註　九　《李朝太宗實錄》第九卷，五年五月庚戌。

註一〇　《李朝太宗實錄》第八卷，四年十二月庚午。

註一一　《明太宗實錄》第二五卷，永樂元年十一月辛丑。

註一二　《明史・職官志五》：備設指揮使司，指揮使掌印，官正三品。

註一三　《李朝太宗實錄》第七卷，四年四月甲戌。

註一四　《李朝太宗實錄》第九卷，五年三月丙午。

註一五　《李朝太宗實錄》第十一卷，六年三月丙申。

註一六　《李朝太宗實錄》第二一卷，十一年四月丙辰。

註一七　建州左衞設置的年代，諸說不一。此據《明會典》卷一二五、《滿洲源流考》卷七等。

註一八　《李朝太宗實錄》第一〇卷，五年九月己酉：「猛哥帖木兒，皇后之親也。遣人招來者，皇后之願欲也。骨肉相見，人之大倫也。」

註一九　《李朝世宗實錄》三年十二月辛丑：「韃靼兵四十萬屯於瀋陽路，遼東城門晝不開。」

註二〇　《李朝世宗實錄》第二〇卷，五年六月癸酉。

註二一　《李朝世宗實錄》第二〇卷，五年四月乙亥。

註二二　《明宣宗實錄》第十三卷，宣德元年正月壬子；《明史・職官志五》：都督僉事，武職，正二品。

註二三　《明宣宗實錄》第九九卷，宣德八年二月戊戌；《明史・職官五志》：左、右都督，武職，正一品。

註二四　河內良弘：《童猛哥帖木兒與建州左衞》，載《朝鮮學報》第六五輯。

註二五　畢恭：《遼東志》第七卷，第三頁。

註二六　《李朝世宗實錄》第六二卷，十五年十月戊寅。

註二七　猛哥帖木兒先後十次進京「朝貢」爲：永樂三年，永樂十年，永樂十一年，永樂十四年，永樂十五年，永樂十八年，永樂二十年，永樂二十二年，洪熙元年，宣德八年。

註二八　《明宣宗實錄》第一〇八卷，宣德九年二月。

註二九　《李朝世宗實錄》第八〇卷，二十年正月辛卯。

註三〇　《明英宗實錄》第三六卷，正統二年十一月戊戌。

註三一　《李朝世宗實錄》第八九卷，二十二年六月丁亥。

註三二　河內良弘：《童凡察與建州左衞》，載《朝鮮學報》第六六輯。

註三三　《明英宗實錄》第三八卷，正統三年正月癸丑。

註三四　《明英宗實錄》第八九卷，正統七年二月甲辰。

註三五　《李朝世宗實錄》第八二卷，二十年八月甲寅；第八九卷，二十二年六月丁亥。

註三六　孟森：《明元清系通紀》正編，第六卷，第三頁。

註三七　《明太祖實錄》第一〇一卷，洪武八年十月癸丑。

註三八　《明太宗實錄》第九一卷，永樂七年閏四月己酉。

註三九　《神廟留中奏疏滙要》卷一《兵部類》

註四〇　王士貞：《弇山堂別集‧中官考》第九二卷，第一七六五頁。

註四一　《李朝世祖實錄》十三年九月丙子。

註四二　《清皇室四譜》卷三：「成化三年四月，聽撫入朝貢方物，旋執而羈之廣寧；九月，都御史李秉等率師分五道出塞覆其巢，誅董山羈所。」又見《明憲宗實錄》第四四卷，成化三年七月甲子朔。

註四三　《明憲宗實錄》第四七卷，成化三年十月甲寅、壬戌。

註四四　《明憲宗實錄》第五〇卷，成化四年正月戊辰。

註四五　《李朝世祖實錄》第四四卷，十三年十一月辛巳：世祖對右議政康純曰：「『攻』字未快，『滅』字最好。」

註四六　《武靖侯趙輔征討建州諸夷紀略》，見《遼東志》，第七卷，第三頁。

註四七　《李朝成宗實錄》第一五八卷，十四年九月戊戌：建州衞都指揮李達罕之子李多之哈向朝鮮禮曹說：「吐老（妥羅）

鎮左衞」，「吐老是童倉（董山）之子」，「童倉、滿住之壻」。

註四八　《燕山君日記》四年十月戊子，《清皇室四譜》第三卷。

註四九　《明孝宗實錄》第二三卷、弘治二年二月壬寅，第七二卷、弘治六年二月丙午，第八四卷、弘治七年正月戊午，第一六八卷、弘治十三年十一月甲戌，第一八五卷、弘治十五年三月丁丑。

註五〇　《明武宗實錄》第二三卷、正德二年二月戊寅，第三五卷、正德三年二月己丑，第六二卷、正德五年四月甲寅，第一二三卷、正德十年三月己未，第一九七卷，正德十六年三月甲子。

註五一　《清太祖高皇帝實錄》第一卷，第五頁。

註五二　黃道周：《博物典滙．四夷附奴酋》第二〇卷，第十二頁。

註五三　畢恭：《遼東志》第七卷，第四頁。

註五四　《明太祖實錄》第五三卷，洪武三年六月。

註五五　《明神宗實錄》內閣文庫本，第五卷，萬曆五年九月甲寅朔。

註五六　《明神宗實錄》第九卷，萬曆元年正月庚寅。

註五七　《國榷》第五七卷、嘉靖二十一年七月丁巳，《國榷》第五八卷、嘉靖二十三年十月辛巳，《國榷》第五九卷、嘉靖二十九年八月丁丑，《明史．世宗本紀二》第十八卷、嘉靖三十四年九月戊午，《國榷》第六四卷、嘉靖四十二年十月丁卯。

註五八　《明神宗實錄》內閣文庫本，第五卷，萬曆五年九月甲寅朔。

註五九　《明神宗實錄》第六七卷，萬曆五年九月庚午。

註六〇　《明世宗實錄》第四五六卷，嘉靖三十七年二月戊戌。

註六一　《明神宗實錄》第二六二卷，萬曆二十一年七月辛酉。

註六二　《明世宗實錄》第三五一卷，嘉靖二十八年八月己亥。

註六三　《李朝中宗實錄》第五七卷，二十一年十月甲戌。

註六四　《李朝中宗實錄》第八〇卷，三十年十一月癸酉。

註六五　沈德符《萬曆野獲編・萬壽宮災》第二九卷載：「四十年多十一月之二十五日辛亥，夜火大作，凡乘輿、一切服與及先朝異寶，盡付一炬。相傳上是夕被酒，與新幸宮姬尙美人者，於貂帳中試小烟火，延灼遂熾，……尙氏承恩時年僅十二，至冊封妃則已十八矣。

註六六　《明史・吳傑傳附許紳傳》中華書局標點本，第二五冊，第二九九卷，第七六五〇頁。

註六七　《李朝中宗實錄》第九九卷，三十七年十一月癸亥：「臣等九月二十二日到北京，見東西角頭，將宮女十六人剉屍梟首。問之，則宮婢楊金英等十六人共謀，二十一日夜，乘皇帝醉臥，以黃絨繩用力縊項，事甚危急。宮人張芙蓉覘知其謀，往告方皇后。皇后奔救，則氣息垂絕，良久復甦。命召六部尙書會議定罪。蓋以皇帝雖寵宮人，若有微過，少不容恕，輒加捶楚，因此殞命者，多至二百餘人，蓄怨積苦，發此兇謀。」

註六八　畢恭：《遼東志》第七卷，第六頁。

註六九　《明穆宗實錄》第十三卷，隆慶元年十月戊子。

註七〇　《明史・世宗本紀二》第二冊，第十八卷，第二五〇至二五一頁。

註七一　《滿洲源流考》第二〇卷第一頁：「呼蘭：因木之中空者，刳使直達，截成孤柱，樹簷外，引炕烟出之。上覆荆筐，而虛其旁竅以出烟，雨雪不能入。比室皆然。」

註七二　楊賓：《柳邊紀略》第一卷，第十三頁。

註七三　薩滿教是一種原始宗教。認爲世界有三層：天堂爲諸神所居，地面爲人類所居，地獄爲魔鬼所居。薩滿爲人驅邪治病、祈神求子或跳神祭祖時，穿戴神衣神帽，口念咒語，半閉雙目，打大鼓，振腰鈴，裝出鬼神附體的樣子。當時女眞人普遍信奉薩滿教。

註七四　莫欒寅：《清初滿族的薩滿教》，《滿族史論叢》第一九〇頁。

註七五　靰鞡，是一種用豬皮或馬皮作靴、用烏拉草作墊料的鞋。當時東北地區各少數民族人民普遍穿這種暖鞋。靰鞡又作「護臘」，《柳邊紀略》卷三載：「護臘，草履也。絮毛子草於中，可禦寒。」

註七六　《滿洲源流考》第二〇卷，第一頁。

註七七　《滿洲實錄》第一卷，第五頁。

註七八　《明萬曆會典》第一二九卷，第十四頁。

註七九　《清史稿．楊吉砮傳》：「明制，凡諸部互市，築牆規市價，謂之『市圈』。」

註八〇　黃道周：《博物典滙．四夷附奴酋》第二〇卷，第十五頁。

註八一　《興京二道河子舊老城》圖版九。

註八二　彭孫貽：《山中聞見錄》第一卷，第一頁。

註八三　《遼籌》下册《題熊侍御疏牘敍》。

註八四　方孔炤：《全邊略記》第一〇卷《遼東略》。

註八五 《葉赫國貝勒家乘》（清鈔本），第二頁。
註八六 王在晉：《三朝遼事實錄・總略》第十四頁。
註八七 《明史鈔略・李成梁傳》，轉引自《中國通史講義・明之滅亡》。
註八八 《清開國方略》第一卷，第十頁。
註八九 參見《滿族簡史》（初稿），在轉錄《關於罕王的傳說》時文字略有改動。
註九〇 滿族習俗，忌殺狗、忌吃狗肉、忌戴狗皮帽子和忌穿狗皮衣服。

第二章 「十三副遺甲」起兵

一、父祖蒙難

努爾哈赤的崛起，正值女眞社會的階級矛盾與民族矛盾紛繁複雜、交互盤錯之際。階級間的鬥爭日趨尖銳，部族間的戰爭愈演愈烈。如《滿洲實錄》所載：

各部蜂起，皆稱王爭長，互相戰殺。甚且骨肉相殘，強凌弱，衆暴寡。（註一）

建州女眞到十六世紀末期，原來的「建州三衞」，實際上已經融滙成建州五部——蘇克素滸河部、渾河部、完顏部、董鄂部、哲陳部和長白山三部——鴨綠江部、朱舍里部、訥殷部。

時建州諸部中，以王杲勢力最強。王杲曾「犯遼陽，刼孤山，略撫順、湯站，前後殺指揮王國柱、陳其孚（註二）、戴冕、王重爵、楊五美，把總溫欒、于欒、王守廉、田耕、劉一鳴等，凡數十輩」（註三），梟雄諸部。一五七四年（萬曆二年），王杲以明絕貢市，部衆坐困，遂大擧犯遼、瀋。明遼東總兵李成梁等統兵「毀其巢穴，斬首一千餘級」。（註四）翌年王杲再出兵犯邊，爲明軍所敗。王杲投奔海西女眞哈達部王臺。王臺縳王杲以獻，「檻車致闕下，磔於市」。（註五）

王杲死後，子阿臺思報父怨。一五八二年（萬曆十年），明總兵李成梁以在孤山堡等處，被射死蒼頭軍一人、虜九人、掠馬三匹爲由，親自提兵出塞，在曹子谷和大黎樹佃破阿臺部，共「斬首和捕虜凡一千五百六十三級」。（註六）

一五八三年（萬曆十一年）正月，阿臺從靜遠堡、榆林堡深入渾河兩岸。二月，李成梁欲「縛阿臺，以絕禍本」，勒兵從撫順王剛臺出塞百餘里，直搗阿臺住地古勒寨。（註七）時阿海居莽子寨，兩寨相爲犄角。成梁遣別將秦得倚先破莽子寨，殺阿海；親麾諸軍猛攻古勒寨。「寨陡峻，三面壁立，壕塹甚固」（註八），李成梁損兵折將，久攻不克。

時蘇克素滸河部圖倫城主尼堪外蘭，受到明朝的扶植，遼東總兵李成梁利用他爲傀儡，

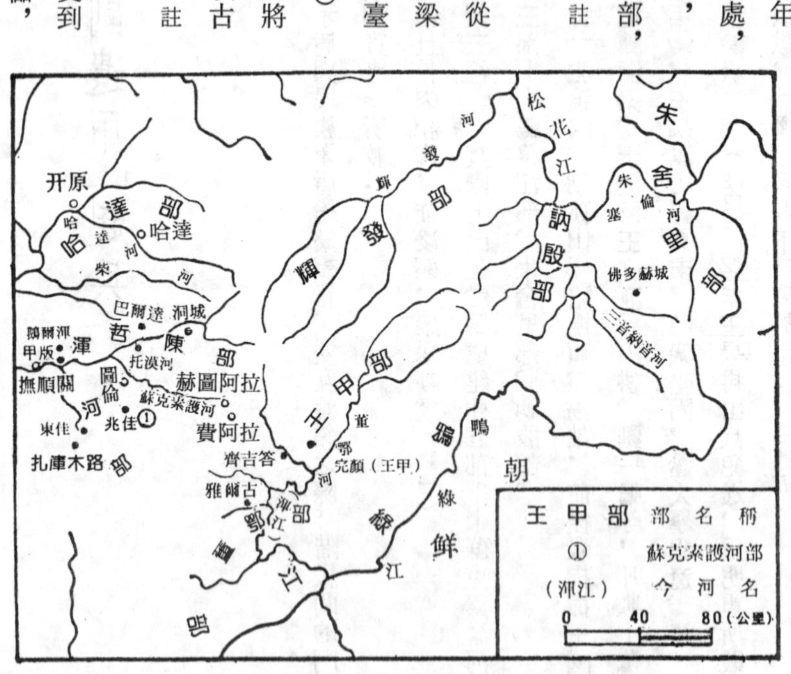

十六世紀末到十七世紀初建州女眞部分布圖

企圖通過他加強對建州女眞各部的統治。尼堪外蘭導明軍至古勒寨攻打阿臺。阿臺之妻是覺昌安的孫女（努爾哈赤伯父禮敦之女）。覺昌安見古勒寨被圍日久，想救出孫女免遭兵火，又想去勸說阿臺歸降，就同他的兒子塔克世到了古勒寨。塔克世留在外面等候，覺昌安獨身進入寨裏。因佇候時間較久，塔克世也進寨探視。明軍攻城益急，覺昌安和塔克世父子都被圍在寨內。

明寧遠伯遼東總兵李成梁攻城不克，要縛尼堪外蘭問敗軍辱師之罪。尼堪外蘭害怕，願身往城下招撫。他到城下後高喊賺道：「天朝大兵既來，豈有釋汝班師之理！汝等不如殺阿太（阿臺）歸順。太師有令，若能殺阿太（阿臺）者，即令爲此城之主」！（註九）阿臺部下有人信以爲眞，便殺死阿臺投降。（註一〇）李成梁在古勒寨降順後，「誘城內人出，不分男婦老幼，盡屠之」！（註一一）努爾哈赤的祖父覺昌安和父親塔克世，在混亂中也被攻陷古勒寨的明軍所誤殺。

努爾哈赤驚聞父祖蒙難的噩耗，捶胸頓足，悲痛欲絕。他往詰明朝邊吏曰：

我祖、父何故被害？汝等乃我不共戴天之仇也！汝何辭？（註一二）

明朝遣使謝過稱：「非有意也，誤耳！」遂還其祖、父遺體，並與「敕書三十道，馬三十四，復給都督敕書」（註一三），封他爲指揮使。

但是，明朝一面對努爾哈赤進行撫慰，一面又幫助尼堪外蘭在甲版築牆，扶植他作「建州主」。當時建州女眞的許多部，見尼堪外蘭勢力很大，又受到明朝的支持，多投歸尼堪外蘭。即使努爾哈赤同族的寧古塔諸祖的子孫，也對天立誓，要殺害努爾哈赤，投附尼堪外蘭。努爾哈赤對明朝扶持尼堪外蘭極爲不滿，但又無力興兵攻明，便將殺死其祖、父之憤，傾泄到尼堪外蘭身上。他對明朝邊官說：「殺我祖、父者，實尼康外郎（尼堪外蘭）唆使之也，但執此人與我，即甘心焉」！（註一四）明朝邊吏婉辭拒絕了他的要求。突然降臨的災難，會激勵有志者，奮揚精神，整頓內部，積聚力量，奪取勝利。努爾哈赤便椎牛祭天，含恨起兵。

二、含恨起兵

努爾哈赤要報祖、父之仇，殺尼堪外蘭，需組成一支隊伍。他巧妙地把對尼堪外蘭不滿的人，拉到自己一邊。如蘇克素滸河部薩爾滸城主卦喇（註一五），曾因尼堪外蘭誣陷，受到明朝撫順邊官的責治。卦喇之弟諾米納、嘉木湖城主噶哈善、沾河寨主常書及其弟揚書等，俱忿恨尼堪外蘭。他們投歸努爾哈赤後說：「念吾等先衆來歸，毋視爲編氓（註一六），望待之如骨肉手足」。（註一七）努爾哈赤同他們對天盟誓，共同反抗尼堪外蘭。

一五八三年（萬曆十一年）五月，努爾哈赤借報祖、父之仇爲名，以塔克世「遺甲十三副」，率兵百人，向尼堪外蘭的駐地圖倫城（註一八）發動進攻。圖倫城，滿文體爲 turun hoton，turun 意爲纛，hoton 意爲城。是役，打敗尼堪外蘭，攻克圖倫城。但是，努爾哈赤原約諾米納率兵會攻圖倫城，而諾米納背約不赴，尼堪外蘭又預知消息，遂攜妻子逃遁至甲版。努爾哈赤攻克圖倫城後勝利而歸，時年二十五歲。

從此，嶄露頭角的努爾哈赤，採取「順者以德服，逆者以兵臨」（註一九）的策略，揭開了統一建州女眞各部戰爭的序幕。

在努爾哈赤起兵之時，他身邊有兩個重要人物，如同左膀右臂，即額亦都和安費揚古：

額亦都，姓鈕祜祿氏，一五六二年（嘉靖四十一年）生，小努爾哈赤三歲，世居長白山，後隨祖父阿陵阿移居英崿峪。他幼時，父母爲人所害，因藏匿鄰村得免。額亦都十三歲，拔刀殺死仇人後，逃往蘇克素滸河部嘉木湖寨，依姑度日。後遇努爾哈赤，言語投契，要跟從努爾哈赤。他姑母不許。額亦都說：「大丈夫生世間，能以碌碌終乎」？（註二〇）翌日，額亦都不告而別，遂從努爾哈赤行。他之所以斷然跟從努爾哈赤，史載「額亦都識爲眞主，請事太祖」。（註二一）這顯然有所渲染，但額亦

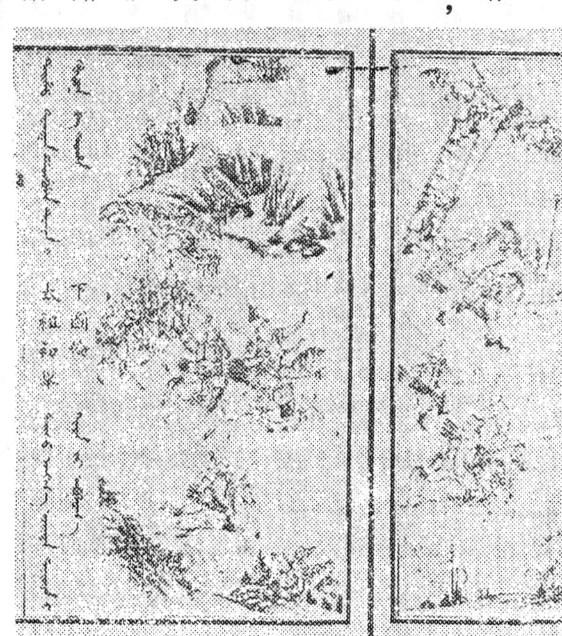

努爾哈赤起兵攻克圖倫城

都當時確已認識到，跟隨努爾哈赤能夠做出一番事業。努爾哈赤攻圖倫城，額亦都奮勇先登。額亦都跟隨努爾哈赤四十餘年，驍勇善戰，屢建奇功，忠心效勞，深受信任，後爲五大臣之一。

安費揚古，姓覺爾察氏，與努爾哈赤同歲，世居瑚濟寨。他的父親完布祿跟從努爾哈赤，有人誘其背叛，不從；又刼其孫相要脅，但終無貳志。安費揚古自隨努爾哈赤起兵後，攻克圖倫，四處征戰，驅馬攻堅，挺身突入，後也爲五大臣之一。努爾哈赤後來猛士如雲，額亦都和安費揚古尤爲傑出。

這一年，努爾哈赤以帶領額亦都、安費揚古等百人的隊伍，打敗尼堪外蘭、奪取圖倫城爲起點，開始統一蘇克素滸河部。努爾哈赤家族所在的蘇克素滸河部，分布於蘇克素滸河（即蘇子河）下游到該河注入渾河處的一帶地方。蘇克素滸河部薩爾滸城主諾米納，曾同努爾哈赤歃盟，但因見尼堪外蘭依恃明朝而勢力較強，便背棄盟誓，「陰助尼堪外蘭，漏師期，尼堪外蘭得遁去」。（註二二）努爾哈赤對諾米納雖懷恨在心，但他不用力攻，而用計取。他暗自定下破諾米納、取薩爾滸之計。

時值諾米納、鼐喀達派人來約，會攻渾河部巴爾達城。努爾哈赤佯同諾米納等約盟，合兵攻巴爾達城。臨戰時，他要諾米納先攻，諾米納不從。這時，努爾哈赤便使用預訂之計，輕而易舉地除掉了諾米納。據記載：

太祖曰：「爾既不攻，可將盔甲、器械與我兵攻之。」諾米納不識其計，將器械盡付之。兵器既得，太祖執諾米納、鼐喀達殺之，遂取薩爾滸城而回。（註二三）

努爾哈赤雖殺了諾米納，但對他的部民不加傷害，讓他們照舊住在薩爾滸城，並修整城柵。在統一女眞各部戰爭中，努爾哈赤用兵的一個特點是，不僅用步騎強攻，而且以計謀智取。他很快地統一蘇克素滸河部，勢力漸強，威信日增。

一五八四年（萬曆十二年），努爾哈赤起兵一年後，外部敵人的刼寨，宗族戚友的加害，仍身處於逆境。如先有「長祖、次祖、三祖、六祖之子孫同誓於廟，欲謀殺太祖」（註二四）；至是，又有其繼母之弟薩木占等將他的隨從、妹夫噶哈善邀殺於路。但努爾哈赤在不利條件下，善機變，少樹敵，逐漸地由弱變強。

如在四月初一日半夜，努爾哈赤聽到窗外有脚步聲，便起身佩刀執弓，將子女藏在僻靜處，讓他的妻子裝作上厠所的樣子，他緊跟在後面，用妻子的身體蔭蔽自己，潛伏在烟囱的側後。努爾哈赤借閃電見一人逼近，以刀背擊仆，喝令近侍洛漢把他捆起來。洛漢要把那人殺掉。努爾哈赤暗想：要是殺了他，其主人會以我殺人爲名，派兵攻我，而我兵少難敵，於是佯言道：「爾必來偷牛！」那人回答道：「偷牛是實，並無他意。」近侍洛漢插話道：「此賊實害我主，詐言偷牛，可殺之，以戒後人！」努爾哈赤斷然道：「此賊實係偷牛，諒無別意」！（註二五）於是將那人釋放。

又如在五月一個陰雲密布的漆夜，有一個叫義蘇的人排柵潛入。努爾哈赤發覺後，着短甲，持弓矢，假裝外出如厠的樣子，藏在烟囱的後面。閃電一燭，他看見賊人逼近，扣弦一箭，被賊人躲過；再發一箭，射中其足，後把義蘇捆縛鞭撻。族中兄弟要把義蘇殺死，努爾哈赤道：

我若殺之，其主假殺人爲名，必來加兵，掠我糧石。糧石被掠部屬缺食，必至叛散。部落散，

則孤立矣。彼必乘虛來攻，我等弓箭、器械不足，何以禦敵？又恐別部議我殺人啓釁，不如釋之為便」。（註二六）

說完便把義蘇釋放。努爾哈赤釋義蘇、少樹敵，臨事機變、深沉大度，是為着積蓄力量，準備條件，繼統一蘇克素滸部之後，將董鄂等部吞併。

董鄂部（註二七）位置在董鄂河（今渾江）流域，與蘇克素滸河部為鄰。努爾哈赤在六月為給噶哈善復仇，與薩木占激戰馬兒墩寨之後，又率兵往攻董鄂部。

九月，努爾哈赤得知董鄂部「自相擾亂」的消息後，要乘時往攻。諸將諫阻說：「兵不可輕入他人之境，勝則可，倘有疏失，奈何？」努爾哈赤力排衆議，說：「我不先發，倘彼重相和睦，必加兵於我矣」！（註二八）他說服諸將後，率兵五百人，攜帶蛇血毒箭，往征董鄂部主阿海駐地齊吉答城。阿海聚兵四百，閉門守城。努爾哈赤統兵圍攻城柵，並縱火焚毁城上懸樓和城外廬舍。城將陷，天降大雪，還師。

在還師途中，又進攻翁科洛城。翁科洛人得知消息，斂兵城裏，緊閉城門。努爾哈赤兵臨城下後，下令放火焚燒城上懸樓和環城房屋。他登房跨脊，往城裏彎射。城中有一人叫鄂爾果尼，引弓發矢，射中努爾哈赤，穿冑傷肉，深有指許。他拔下箭鏃，血流至脚，即用所拔之箭，反射城下，一人應弦而倒，表現了頑強的戰鬥精神。努爾哈赤雖負箭傷，仍彎射不止。城中另一人名洛科，乘濃烟潛近，暗發一箭，正中努爾哈赤項部，砉然一響，箭鏃穿透鎖子甲圍領，鏃卷如雙鈎，傷創寸餘。他拔下矢鏃，帶出兩塊血肉，血湧如注。別人見努爾哈赤負重傷，要登房把他攙扶下來。努爾哈赤說：「爾等勿得近前，恐敵知覺，待我從容自下」。（註二九）他一手捂住傷口，一手拄弓下房。努爾哈赤從容下來後，因箭鏃創傷頸動脈，血流不止，幾次昏迷，只得棄城而回。

努爾哈赤傷創癒合後，又率兵去攻打翁科洛城。城陷後，俘獲鄂爾果尼和洛科。衆將把鄂爾果尼和洛科綁縛，讓他們跪在努爾哈赤面前，請求施以亂箭穿胸的酷刑，以雪翁科洛城之恨。但是，努爾哈赤說：

> 兩敵交鋒，志在取勝。彼爲其主乃射我，今爲我用，不又爲我射敵耶！如此勇敢之人，若臨陣死於鋒鏑，猶將惜之，奈何以射我故而殺之乎」！（註三〇）

努爾哈赤沒有殺掉鄂爾果尼和洛科，親自給他

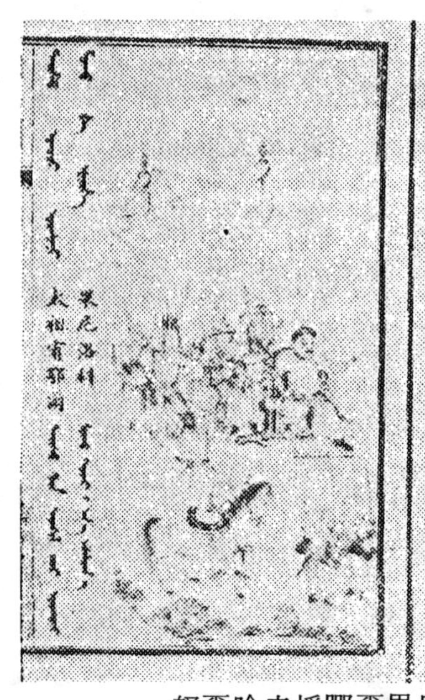

努爾哈赤授鄂爾果尼和洛科爲牛彔額眞

們釋縛，並授爲牛彔額眞（註三一），加以厚養。努爾哈赤不計私怨、寬宏大度的襟懷，深深地感動了諸將，緊緊地團聚了部衆，加強了其統治集團內部的團結，加快了其統一建州女眞的步伐。

三、統一建州女眞

努爾哈赤起兵後，東西征戰，南北馳突，統一女眞的事業一步步地取得進展。他繼對蘇克素滸河部、董鄂部獲取重大勝利後，又兵指哲陳部，在統一建州女眞的道路上策馬奔馳。

一五八五年（萬曆十三年），伐哲陳部。（註三二）哲陳部分布於渾河上游流域，是蘇克素滸部的左鄰。這年二月，努爾哈赤率披甲之士二十五人、士卒五十人攻哲陳部界凡寨。（註三三）因敵人預知有備，毫無所獲。當回軍至界凡南的太蘭崗（註三四）時，薩爾滸、界凡、東佳和巴爾達四城之主，合兵四百餘追襲。界凡城主訥申、巴穆尼疾馳逼近，努爾哈赤單騎撥馬迎敵。訥申策騎猛撲，砍斷努爾哈赤馬鞭。努爾哈赤撥轉馬頭，奮力揮刀，將訥申後背砍爲兩段；又轉身回射，巴穆尼中箭落馬斃命，追兵也因之驚怯呆立。

努爾哈赤見敵衆己寡，乘敵驚魂未定，一面指揮步騎退却，一面駐馬訥申屍旁。訥申部衆呼叫道：「人已死，何不去?欲食其肉耶!」努爾哈赤回答道：「訥申係我仇〔人〕，幸得殺之，肉亦可食」!（註三五）言畢，他作殿後，緩騎退却。努爾哈赤率七人將身體隱蔽，僅「露其盔，似伏兵」。（註三六）敵軍喪其首領，又疑有伏兵，未敢再追。

同年四月，努爾哈赤率馬步兵五百人征哲陳部。因中途遇大水，他令步騎回營，只留綿甲五十人、鐵甲三十人，共八十人繼進；到渾河畔時，界凡等五城敵軍八百人已經憑河依山結陣嚴待。敵人的兵力，十倍於己，以逸待勞，其勢洶洶，頗爲險惡。他的部屬、五叔祖包朗阿之孫扎親和桑古里（註三七），見敵兵衆多，嚇得解下身上盔甲，交給別人，準備逃跑。努爾哈赤怒斥道：「汝等平昔在家，每自稱雄於族中，今見敵兵何故心怯解甲與人」？（註三八）說罷，他與弟穆爾哈齊和近侍顏布祿、兀凌噶四人，奮勇彎射，殺二十餘人。敵兵驚惶陣亂，涉河爭遁。

經過一陣厮殺，努爾哈赤汗流浹背，氣喘欷歔。他用手斷扣，卸甲稍憩。旋又着冑縱騎疾追，至界凡險隘吉林崖處，遙望敵兵十五人一股奔崖而來。努爾哈赤取下盔纓，隱身待敵。等敵人逼近時，他傾力射出一箭，敵中爲首一人中箭，穿脊而死。穆爾哈齊繼發一箭，又射死一人。餘敵潰亂，逃至吉林崖，墜崖而死。努爾哈赤獲得全勝回師。

兩軍相逢勇者勝。勇敢，是戰勝敵人的一個法寶，是努爾哈赤的重要品質，也是他奪取渾河之役勝利的基本原因。渾河之役，努爾哈赤創造了女眞戰爭史上以少勝多的奇迹。他在總結渾河之役說：「今日之戰，以四人而敗八百之衆，此天助我以勝之也」！（註三九）這爲渾河之役不僅皴染誇張的筆墨，而且塗上了神秘的色彩。

兩年之後，努爾哈赤派額亦都率兵再征哲陳部巴爾達城。額亦都奪取巴爾達城之戰，打得激烈、精彩。《清史列傳・額亦都》中有一段生動的記述：

（額亦都）督兵取巴爾達城，至渾河，河漲不能涉，以繩聯軍士，魚貫而渡。夜薄其城，率驍卒先登。城中兵猝驚起拒，跨堞而戰，飛矢貫股著於堞，揮刀斷矢，戰益力。被五十餘創，不退，卒拔其城而還」。（註四〇）

額亦都師還，努爾哈赤迎於郊，行抱見禮，大宴勞師，將所有俘獲賞賜，並賜號「巴圖魯」。巴圖魯，為滿文 baturu 的對音，是勇士的意思。

至此，滅掉哲陳部。

雖然努爾哈赤先後統一蘇克素滸河部、董鄂部和哲陳部，但起兵已經三年，仇人尼堪外蘭尚未擒獲，埋藏在心底中的隱恨並未消除。一股復仇的烈火在他胸中燃燒著。擒斬尼堪外蘭，洗雪父祖之仇，成為努爾哈赤下一個奮鬥目標。

一五八六年（萬曆十四年）七月，努爾哈赤聞尼堪外蘭在渾河部的鵝爾渾城。渾河部（註四一）以位置於渾河一帶而得名。它在蘇克素滸河部的西南方，並與之為鄰。鵝爾渾城座落在渾河畔（註四二），臨近撫順。努爾哈赤心急如焚，星夜兼馳，率兵往攻鵝爾渾城。城攻陷後，因尼堪外蘭外出而沒有索獲。努爾哈赤登城遙望，見城外逃遁的四十餘人中，為首一人頭戴毡帽，身穿青綿甲，疑為尼堪外蘭。他下城縱驥，眼冒仇火，單騎直入，身陷重圍。他被亂矢中胸貫肩，受創三十餘處，仍奮死力戰，射死八人，斬殺一人。他在餘敵潰散後，返回鵝爾渾城。

回到鵝爾渾城以後，當努爾哈赤得知尼堪外蘭被明軍保護起來的消息時，憤怒的烏雲遮住了理智之光。努爾哈赤因仇恨而失去理智，殺死城內十九名漢人，對捉住六名中箭傷的漢人，把箭鏃重新插入傷口，讓他們帶箭去向明朝邊吏傳信，索要尼堪外蘭。明邊官見努爾哈赤勢力日漸強大，留著尼堪外蘭這個傀儡已成贅疣，就決定拋棄他。於是努爾哈赤派齋薩率四十人去索取尼堪外蘭。據記載：

太祖令齋薩帶四十人往索之，及至，尼堪外蘭一見即欲登臺趨避，而臺上人已去其梯。尼堪外蘭遂被齋薩斬之而回。（註四三）

齋薩斬殺尼堪外蘭（註四四），向努爾哈赤跪獻其首級。

努爾哈赤從攻尼堪外蘭、克圖倫城，開始了統一建州女眞的戰爭。尼堪外蘭被斬首標志著他統一建州女眞的戰爭，已經取得決定性的勝利。一五八八年（萬曆十六年）九月，他又克完顏（王甲）城，滅完顏（王甲）部。（註四五）這樣，努爾哈赤歷時五年，先後併取蘇克素滸河部、董鄂部、渾河部、哲陳部和完顏部，統一了建州女眞本部；到一五九三年（萬曆二十一年），又先後奪取長白山三部——訥殷部、朱舍里部和鴨綠江部。至此，明朝建州左衞都督僉事努爾哈赤，在十年之間，將蜂起稱雄的「各部環滿洲而居者，皆爲削平」（註四六），使整個建州女眞歸一。

四、費阿拉「稱王」

一五八七年（萬曆十五年），努爾哈赤在統一建州女眞過程中，爲着興基立業，擴展勢力，建費阿拉城。城建在呼蘭哈達之下。呼蘭哈達，是滿語 hūlan hada 的對音，「呼蘭」的意思是烟筒，

「哈達」的意思是山峰。呼蘭哈達譯意爲烟筒山。費阿拉是利用呼蘭哈達下，嘉哈河（二道河）與碩里嘉河（首里口河）之間的天然地形，所建築的一座山城。它東西南三面環爲崖壁，僅西北一面向外開展。《滿洲實錄》記載：

太祖於碩里口呼蘭哈達下東南二道——一名嘉哈、一名碩里，加〔夾〕河中一平山，築城三層，啓建樓臺」。（註四七）

《滿洲實錄》對費阿拉城只有「築城三層，啓建樓臺」（註四八）八個字的記載，過於疏略。但是，一五九五年（萬曆二十三年）十二月二十八日，朝鮮南部主簿申忠一奉命到費阿拉，至次年正月返回朝鮮王京。他的《建州紀程圖記》，成爲記錄努爾哈赤費阿拉時期女眞社會珍貴的第一手資料。申忠一對費阿拉外城、內城、柵城都作了詳細的記載，茲抄錄如下：

費阿拉遺址

一、外城周僅十里，內城周二馬場許。

一、外城先以石築，上數三尺許，次布椽木；又以石築，上數三尺，又布椽木；如是而終。高可十餘尺，內外皆以黏泥塗之。無雉堞、射臺、隔臺、壕子。

一、外城門以木板爲之，又無鎖鑰，門閉後，以木橫張，如我國將軍木之製。上設敵樓，蓋之以草。內城門與外城同，而無門樓。

一、內城之築，亦同外城，而有雉堞與隔臺。自東門過南門至西門，城上設候望板屋，而無上蓋，設梯上下。

一、內城內，又設木柵，柵內奴酋居之。

一、內城中，胡家百餘；外城中，胡家才三百餘；外城外四面，胡家四百餘。

一、內城中，親近族類居之；外城中，諸將及族黨居之；外城外，居生者皆軍人云。

一、外城下底，廣可四五尺，上可一二尺；內城下底，廣可七八尺，上廣同。

一、城中泉井僅四五處，而源流不長，故城中之人，伐冰於川，擔曳輸入，朝夕不絕。

一、昏曉只擊鼓三通，別無巡更、坐更之事。外城門閉，而內城不閉。（註四九）

費阿拉的柵城，用木柵圍築城垣，是努爾哈赤行使權力和居住的地方。柵城內有神殿、鼓樓、客廳、閣臺、樓宇等。樓宇最高三層，上蓋丹靑鴛鴦瓦，牆塗石灰，壁繪人物，柱椽畫彩。努爾哈赤在這裏「自中稱王」（註五〇），建立王權。他在費阿拉「稱王」，據記載是在一五八七年（萬曆十五年）

六月：上始定國政，禁悖亂，戢盜賊，法制以立。（註五一）

同時建立一支紀律嚴明的軍隊。努爾哈赤還制定初具規模的禮儀。如他出入柵城時，在城門設樂隊，吹打奏樂，以顯示威嚴。因此，費阿拉成爲當時女眞政治、經濟和軍事的中心。

努爾哈赤在柵城的客廳裏接見申忠一。從申忠一的記述中，可以窺見他「稱王」後生活細節的一斑。努爾哈赤長得「不胖不瘦，軀幹壯健，鼻直而大，面鐵而長」。（註五二）他頭戴貂皮帽，「上防耳掩，防上釘象毛如拳許。又以人造蓮花臺，臺上作人形，亦飾於象毛前」。脖子護著貂皮圍巾。身穿貂皮緣飾的五彩龍紋衣。腰繫金絲帶，佩帨巾、刀子、礪石、獐角，足納鹿皮靰鞡靴。他們男子都剃髮，只在腦後留髮，分結兩條辮子垂下，口髭僅留十餘根，其餘都鑷去。在接見申忠一時，努爾哈赤坐在中廳的黑漆椅子上（註五三），諸將佩劍衞立。宴會時，大廳內外，吹洞簫，彈琵琶，爬柳箕，拍手唱歌，以助酒興。酒行數巡後，努爾哈赤高興地離開椅子，「自彈琵琶，聳動其身；舞罷，優人八名，各呈其才」。（註五四）宴會後，努爾哈赤把給朝鮮國王的回帖交與申忠一。回帖是由漢人龔正陸書寫的。

龔正陸，女眞稱歪乃，浙江紹興人，客居遼東，被搶到費阿拉。努爾哈赤讓他掌管文書，參與機密，教子讀書，稱爲「師傅」。在朝鮮文獻中，保存有他的資料，如：

浙江紹興府會稽縣人龔正六，年少客於遼東，被搶在其處，有子姓群妾，家產致萬金。老乙可

赤號爲師傅，方教老乙可赤兒子書，而老乙可赤極其厚待。虜中識字者，只有此人，而文理未盡通矣。（註五五）

歪乃本上國（明朝）人，來於奴酋處，掌文書云，而文理不通。此人之外，更無解文者，且無學習者。（註五六）

有漢人龔正陸者，擄在其中，稍解文字。因虜中無解文之人，凡干文書，皆出於此人之手，故文字字畫前後如一云云。（註五七）

漢族人龔正陸在費阿拉執掌文書，教授學生，參加議政，干預機密，爲女眞統一事業和滿漢文化交流作出了貢獻。

龔正陸代努爾哈赤給朝鮮國王李昖寫的回帖稱，「我屢次學好，保守天朝九百五十于〔餘〕里邊疆」，回帖後署「篆之以建州左衞之印」。（註五八）

建州左衞指揮使努爾哈赤，起兵十年之後，兵力由「遺甲十三副」，發展到一萬五千餘人（註五九），統一建州女眞，在費阿拉「稱王」。他的事業之所以蒸蒸日上，有兩方面值得注意的因素：一方面是自己策略的正確，另方面是李成梁策略的錯誤。

一點一滴地壯大自己，一寨一部地吃掉敵人，這是努爾哈赤在統一建州女眞時採取的內部策略。他善於把一切可以利用、爭取、團結的力量，集聚到自己的周圍。如前面敍述的同諸米納、噶哈善等盟誓是一例。但對他們則區別對待——諸米納背盟通敵，就設計除掉；噶哈善忠誠效力，就結爲姻親。

又如鄂爾果尼和洛科是另一例。對敵人營壘裏雖有箭鏃之仇而又放下武器的人，他不僅「宥其死贍養之」，而且封官信用。隨著自己力量的不斷壯大，便由近及遠，先弱後強，一寨一城，一族一部地併取建州各部。

既向明朝稱臣納貢、互市通好，又暗自獨立、發展實力，這是努爾哈赤統一建州女眞時採取的外部策略。如何處理同明廷的關係？這是擺在努爾哈赤面前嚴肅的課題，也是其事業成敗的關鍵。努爾哈赤曾目睹建州女眞首領兩例失敗的教訓：王杲縱兵犯邊，被斬首京師；尼堪外蘭仰人鼻息，被明廷唾棄。努爾哈赤則採取陽作明廷官員、暗自發展勢力的兩面政策，從而避開明廷注意，完成了對建州女眞的統一。

明朝遼東總兵李成梁的驕傲和失算，爲努爾哈赤統一建州女眞提供了一個有利的客觀因素。朝鮮兵曹判書李德馨向其國王進啓努爾哈赤稱：「其志不在於小，助成聲勢者李成亮（梁）也。渠多刷（送）還人口於撫順所，故成亮（梁）奏聞獎許，馴致桀驁云耳」。（註六〇）李成梁被努爾哈赤的「恭順」所麻痺。他認爲努爾哈赤既恭順聽命，也成不了氣候。從萬曆十一年至十九年（這一年李成梁解任），適值努爾哈赤統一建州女眞時期，李成梁却把重兵投向「北元」勢力和海西女眞，屢獲大捷，便「貴極而驕」。（註六一）李成梁的驕傲和失算，給努爾哈赤造成兩方面的有利條件：一方面努爾哈赤利用這個時機，幾乎未受到外力干擾，統一建州女眞，形成一支萬人鐵騎，並建立「王權」；另一方面海西女眞受李成梁重創，實力削弱，元氣損傷，從而使建州與海西的力量對比，發生了有利於努爾哈赤的顯著變化。同時，李成梁對海西女眞的屠戮和焚掠，激起女眞人對明朝統治者的不滿，爲努爾哈赤統一建州女眞之後，就以費阿拉爲基地，開始了統一海西女眞的戰爭。

【附註】

註　一　《滿洲實錄》第一卷，第六頁。

註　二　瞿九思：《萬曆武功錄・王杲列傳》作「陳其學」。

註　三　《清史稿・王杲傳》中華書局標點本，第三〇册，第二二二卷，第九一二四頁。

註　四　《明神宗實錄》內閣文庫本，第二卷，萬曆二年十一月辛未朔。

註　五　《清史稿・王杲傳》第三〇册，第二二二卷，第九一二六頁。

註　六　瞿九思：《萬曆武功錄・阿臺阿海阿革來力紅列傳，第十一卷，第十頁。

註　七　古勒寨，在蘇克素滸河南，扎喀關西南，今遼寧新賓上夾河鎭古樓村。

註　八　《明史紀事本末》中華書局標點本，第四册，第一四〇三頁。

註　九　《清太祖武皇帝實錄》第一卷，第四頁。

註一〇　阿臺之死，諸書記載不一，另如《明史紀事本末》《補遺》第一卷載：「成梁用火攻衝其堅，經兩晝夜，阿臺中流矢死」；《萬曆武功錄》第十一卷載：「李成梁出邊百餘里，追襲至古勒寨，擊破之，斬阿臺、阿海等首虜。」

註一一　《滿洲實錄》第一卷，第七頁。

註一二　《清太祖高皇帝實錄》第一卷，第十頁。

註一三 《滿洲實錄》第一卷，第八頁。

註一四 《清太祖武皇帝實錄》第一卷，第四頁。

註一五 《清太祖武皇帝實錄》第一卷載：「撒兒湖酋長瓜喇」，《滿洲實錄》第一卷載：「薩爾滸部長卦喇」；但《清太祖高皇帝實錄》卻載：「撒爾湖城主諾米納之兄瓜喇」。此從前二書。

註一六 編氓，滿文爲 jušen，即諸申。

註一七 《滿洲實錄》第一卷，第八頁。

註一八 《盛京吉林黑龍江等處標注戰迹輿圖》二排四上：圖倫城在蘇克素滸河與渾河會流東南，薩爾滸城之東，界凡渡口之南，今新賓湯圖附近。

註一九 《清太祖高皇帝實錄》第一卷，第九頁。

註二〇 《清史稿·額亦都傳》第三一冊，第二二五卷，第九一七五頁。

註二一 《清史列傳·額亦都》第四卷，第二頁。

註二二 《清史稿·安費揚古傳》第三一冊，第二二五卷，第九一八六頁。

註二三 《滿洲實錄》第一卷，第十頁。

註二四 《清太祖武皇帝實錄》第一卷，第五頁。

註二五 《滿洲實錄》第一卷，第十二頁。

註二六 《清太祖武皇帝實錄》第一卷，第六頁。

註二七 董鄂部：居住在董鄂河（今渾江）及其西岸諸支流一帶，東北鄰訥殷部，西界蘇克素滸河部，南接鴨綠江部，北抵輝發部。

註二八 《滿洲實錄》第一卷，第十四頁。

註二九 《滿洲實錄》第一卷，第十五頁。

註三〇 《清太祖高皇帝實錄》第一卷，第二二頁。

註三一 牛彔額眞，滿文體爲 niru ejen。niru 意爲大箭，ejen 意爲主。牛彔額眞爲建州官名，後定三百人爲一牛彔。牛彔額眞後稱佐領。

註三二 劉選民《清開國初征服諸部疆域考》：「哲陳部在鄂爾多峰之南，五陵山之北，北接王甲（完顏）、哈達部，南鄰蘇克素滸河部，西界渾河部，居渾河上游。」

註三三 界凡在今遼寧省撫順縣東鐵背山處。

註三四 太蘭崗在今遼寧省撫順縣東營盤鄉八寶溝附近。

註三五 《滿洲實錄》第二卷，第三頁。

註三六 《清太祖武皇帝實錄》第一卷，第七頁。

註三七 《滿洲實錄》第二卷，第四頁：「有札親、桑古里二人（寶朗阿之孫也）」，《清太祖武皇帝實錄》第一卷第七頁：「有夾陳、桑古里二人（豹郎剛之孫也）」，《清太祖高皇帝實錄》第二卷第三頁：「包郎阿孫札親、桑古里二人」；而中華書局標點本《清史稿・太祖本紀》作「包朗阿之孫札親桑古里」，誤。

註三八 《滿洲實錄》第二卷，第四頁。

註三九 《清太祖高皇帝實錄》第二卷，第四頁。

註四〇　《清史列傳・額亦都》第四卷，第二頁。

註四一　劉選民《清開國初征服諸部疆域考》：「渾河部居蘇克蘇滸河與渾河會流處至明邊牆之渾河流域及伊勒登河流域；東鄰蘇克蘇滸河部、哲陳部，北接哈達部，其西與西南則以明邊牆爲界。」

註四二　蕭一山《清代通史》上卷第一册第十五頁：「鄂勒琿（今嫩江齊齊哈爾城西南三十餘里）」，誤。此城在今遼寧省撫順河口臺東北，嘉班城西南處。

註四三　《滿洲實錄》第二卷，第六頁。

註四四　蔣良騏《東華錄》：「丙戌年七月，明人執尼堪外蘭，付我斬之。」

註四五　完顏（王甲）城的位置，《盛京吉林黑龍江等處標注戰迹輿圖》二排四上所示方位在哈達城東、興京西北。完顏（王甲）部在其附近地區。李鳳舞、李林《盛京吉林黑龍江等處標注戰迹輿圖考略》載：完顏（王甲）城的位置，「應在興京東佟家江與富爾江合流處東北，王家堡子附近。完顏部在今佟家江上游，通化附近。」

註四六　《清太祖武皇帝實錄》第一卷，第八頁。

註四七　《滿洲實錄》第二卷，第七頁。

註四八　《盛京通志》第十五卷第一頁：「老城——（興京）城南八里，周圍十一里零六步，南與東各一門，西南、東北共二門。城內，西有小城，周圍二里零一百二十步，東與南各一門。城內東有堂子，周圍一里零九十八步，西一門。城外有套城，自城北起至城西南止，計九里零九十步，正西、正南、正北、西北各一門。」是城即費阿拉城。

註四九　申忠一：《建州紀程圖記》，見《興京二道河子舊老城》（日文版）

註五〇　《李朝宣祖實錄》第二三卷，二十二年七月丁巳：「左衞酋長老乙可赤（即努爾哈赤）兄弟，以建州衞酋長李以難等爲麾下屬。老乙可赤則自中稱王，其弟則稱船將。」

註五一　《清太祖高皇帝實錄》第二卷，第六頁。

註五二　申忠一：《建州紀程圖記》圖版十六。

註五三　《滿文老檔・太祖》天命四年五月初五：「在此以前，貝勒們設宴，不坐凳子，而是坐在地上。」諸將不能坐在椅子上。一六一九年以後，貝勒設宴方許坐凳子。本書徵引《滿文老檔》，參見藤岡勝二譯本、東洋文庫譯本、遼寧大學譯本和廣祿、李學智譯本。

註五四　申忠一：《建州紀程圖記》，圖版十一。

註五五　《李朝宣祖實錄》第七〇卷，二十八年十二月癸卯。

註五六　申忠一：《建州紀程圖記》圖版十一。

註五七　《李朝宣祖實錄》第一二七卷，三十三年七月戊午。

註五八　《李朝宣祖實錄》第七一卷，二十九年正月丁酉，三十三年七月戊午。

註五九　《李朝宣祖實錄》第六九卷，二十八年十一月戊子：朝鮮人河世國到費阿拉，「大概目睹，則老乙可赤麾下萬餘名，小乙可赤麾下五千餘名」。

註六〇　李朝宣祖實錄》第七〇卷，二十八年十二月癸卯。

註六一　《明史・李成梁傳》第二〇冊，第二三八卷，第六一九〇頁。

第三章　統一海西女真

一、有利的形勢

海西女眞因居住在海西江（松花江）流域而得名，包括葉赫、哈達、輝發和烏拉四部等，又叫扈倫四部。它的分布，東界建州女眞，西臨漠南蒙古，南到開原，北至松花江一帶。努爾哈赤在進兵海西女眞之前，面臨著頗爲有利的形勢。

第一，明朝遼東主力入朝，進行援朝抗倭戰爭，鬆弛了它對建州的軍事遏制。

一五九二至一五九八年，朝鮮李朝發生抗倭戰爭。日本關白（註一）豐臣秀吉剷平割據諸侯，統一日本之後，積極向外擴張，於一五九二年（萬曆二十年）發動侵略朝鮮的戰爭。豐臣秀吉進攻朝鮮之目的，是要奴役朝鮮，並以朝鮮爲跳板，進一步侵略中國。豐臣秀吉派十五萬日軍，從釜山登陸，「倭奴猖獗，大肆侵凌，攻陷王城，掠占平壤」（註二），朝鮮生民蒙受塗炭，八道幾乎全部淪陷。朝鮮國王李昖出奔義州，遣使向明朝告急求援。明廷鑒於同朝鮮爲「唇齒之國，有急當相救」（註三），派宋應昌爲經略、李如松爲征東提督，率士馬四萬餘（註四）大舉入朝。翌年正月，李如松援朝之師與朝鮮軍民配合作戰，復平壤、克開城、攻王京，旋又敗績於碧蹄館。

努爾哈赤也稟報明兵部尚書石星，請求領兵前往馳援。據朝鮮史籍記載：

今朝鮮既被倭奴侵奪，日後必犯建州。奴兒哈赤部下原有兵馬三、四萬，步兵四、五萬，皆精勇慣戰。如今朝貢回還，對我都督說知，他是忠勇好漢，必然威怒，情願揀選精兵，待嚴多冰合，即便渡江，征殺倭奴，報效皇朝。（註五）

但是，努爾哈赤援朝殺倭之請，受到明廷和朝鮮兩方拒絕。後來努爾哈赤說：「壬辰（一五九二年）年間，朝鮮被侵於倭奴，吾欲領兵馳救，稟報於石尚書，不見回答，故不得相援」。（註六）明廷不允建州援

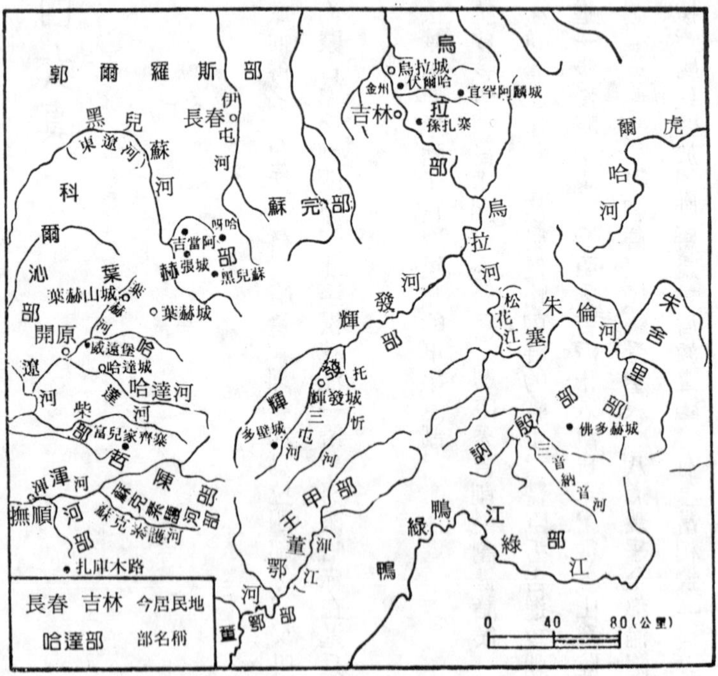

十六世紀末至十七世紀初扈倫四部分布圖

朝抗倭的請求，而「詔如松提督薊、遼、保定、山東諸軍」渡江赴朝。在前後六年援朝抗倭戰爭期間，明朝遼東兵力空虛，爲建州出兵海西提供了機會。

第二，明朝對海西的殘酷襲殺，也爲努爾哈赤統一扈倫四部提供了客觀的有利條件。在扈倫四部中，以葉赫、哈達勢力爲強。它們是明朝用以牽制、抗衡建州的主要力量。但明軍却在五年之間，給予葉赫、哈達三次沉重打擊：

一五八三年（萬曆十一年）十二月，明遼東巡撫李松、總兵李成梁設「市圈計」（註七）襲殺葉赫貝勒清佳努和揚佳努。明撫臣李松「令三軍皆解甲易服」（註八），設伏以待清佳努和揚佳努入圈。清佳努、揚佳努入市圈後，圈門關閉，信炮轟鳴，伏兵四起，一片厮殺。同時，李成梁率伏兵攻葉赫城，縱兵屠戮。明軍「設策潛兵斬獲逞、仰二奴酋共三百一十一顆及塞上屯夷一千二百五十二顆」。（註九）葉赫部二位首領被殺害並死一千五百餘部衆，部族蒙受空前災難。

一五八七年（萬曆十五年）十月，明巡撫顧養謙以降人爲鄉導，引兵出塞，攻哈達部孟格布祿等。明軍「拔其二柵，斬首五百餘級」。（註一〇）明廷又革除孟格布祿原襲之龍虎將軍。（註一一）

一五八八年（萬曆十六年）三月，李成梁率兵從威遠堡出塞，兵抵葉赫山城，兵士環攻，發炮摧城，共「斬首五百五十四顆，得獲馬器以七八百計」。（註一二）葉赫罹受重難，「城中老少皆號泣」。（註一三）

葉赫、哈達連遭明軍三次重創，損失慘痛，元氣大傷。

總之，在十六世紀八十年代至九十年代初，遼東的明軍、海西和建州三種力量發生着急劇的變化。明朝不僅遼東主力赴朝，而且自李成梁解任後，「十年之間，更易八帥，邊備益弛」（註一四）；海西屢遭重創，趨向衰落；建州却生機盎然，崛起遼東。努爾哈赤以費阿拉爲根據地，利用建州統一後的強大勢力，抓住明朝遼東軍力虛弱，葉赫、哈達罹難未復的時機，以古勒山之戰爲信號，順利地進行了統一海西女眞的戰爭。

二、古勒山之戰

努爾哈赤統一建州女眞的勝利，引起扈倫四部貴族的不安。先是，哈達貝勒扈爾干送女給努爾哈赤爲妻，後葉赫貝勒納林布祿也把胞妹納喇氏送給努爾哈赤爲妻。（註一五）他們企圖用姻盟牽制努爾哈赤，但都沒有成功。於是葉赫貝勒納林布祿試圖以索要土地的政治手段，限制建州勢力的膨脹。一五九一年（萬曆十九年），葉赫貝勒納林布祿遣使至費阿拉，對努爾哈赤說：「烏喇、哈達、葉赫、輝發、滿洲，言語相通，勢同一國，豈有五主分建之理？今所有國土，爾多我寡，盍將額爾敏、扎庫木二地，以一與我！」

努爾哈赤回答道：

我乃滿洲，爾乃扈倫；爾國雖大，我豈肯取？我國即廣，爾豈得分？且土地非牛馬比，豈可割裂分給？爾等皆執政之臣，不能各諫爾主，奈何靦顏來告耶！（註一六）

說畢，令葉赫使臣返　。

葉赫貝勒納林布祿碰了釘子之後，仍不甘心。他召集葉赫、哈達、輝發三部貝勒會議，決定各部同時遣使至建州。努爾哈赤在費阿拉客廳裏宴請三部使臣。酒席間，葉赫貝勒納林布祿的使臣圖爾德，同努爾哈赤展開一場激烈的舌戰。

圖爾德曰：「我主有言，欲相告，恐觸怒見責，奈何？」

努爾哈赤曰：「爾不過述爾主之言耳！所言善，吾聽之；如出惡言，吾亦遣人於汝主前，以惡言報之。吾豈爾責乎！」

圖爾德曰：「我主云：『欲分爾地，爾不與；欲令爾歸附，爾又不從。倘兩國興兵，我能入爾境，爾安能蹈我地耶』！」

努爾哈赤聞聽這番政治訛詐之後，勃然震怒，擧刀斷案道：

爾葉赫諸舅，何嘗親臨陣前，馬首相交，破胄裂甲，經一大戰耶！昔哈達國孟格布祿、戴善，自相擾亂，故爾等得以掩襲之。何視我若彼之易也？況爾地豈盡設關隘，吾視蹈爾地如入無人境，晝即不來，夜亦可往，爾其奈我何？昔吾以先人之故，問罪於明，明歸我喪，遺我敕書、馬匹，尋又授我左都督敕書，已而又賚龍虎將軍大敕，歲輸金幣。汝父見殺於明，曾未得收其骸骨。徒肆大言於我，何爲也？（註一七）

會後，努爾哈赤命寫出回帖，遣官送交葉赫貝勒布齋和納林布祿。

戰爭是政治的繼續。納林布祿對努爾哈赤，既不能用聯姻手段籠絡，又不能以政治訛詐壓服，便只有訴之武力。但是，狡猾的納林布祿先放一把小火對建州進行試探。

一五九三年（萬曆二十一年）六月，葉赫糾合哈達、烏拉、輝發四部兵馬，刼建州戶布察寨。努爾哈赤聞訊後率兵往追，直抵哈達部富爾佳齊寨。建州兵與哈達兵在富爾佳齊相遇。努爾哈赤令步騎前行，獨身殿後，以誘敵入伏。這時追兵突至，前一人擧刀猛撲，努爾哈赤回身扣弦，射中馬腹，敵騎遁去；另三人聯騎擧刀衝來。當努爾哈赤坐騎驚躍幾乎墜地之際，「三騎揮刀來犯，安費揚古截擊，盡斬之」！（註一八）努爾哈赤賴右脚扳鞍得以復乘，並急發一矢，孟格布祿坐騎中箭倒地。他的僕從把自己的馬讓給主人，主僕騎從逃回。努爾哈赤化險爲夷後，率馬兵三人，步兵二十人迎敵，殺敵兵十二人，獲甲六副、馬十八匹，勝利而歸。這場富爾佳齊戰鬥，吹響了古勒山大戰的螺號。

九月，以葉赫貝勒布齋、納林布祿爲首，鳩集哈達貝勒孟格布祿、烏拉貝勒滿泰之弟布占泰、輝發貝勒拜音達里四部，長白山朱舍里、訥殷二部，蒙古科爾沁、錫伯、卦爾察三部，共爲九部，結成聯盟，合兵三萬，分作三路，向建州蘇克素滸河的古勒山（註一九），搖山震岳而來。葉赫貝勒沒有從對建州政治失算和軍事受挫中汲取教訓，想以九部聯軍的強大兵力，制服建州，實現其稱雄女眞的目的。由葉赫貝勒統率的九部聯軍，自扎喀關（註二〇）東進，入夜到渾河北岸，擧火羹飯，火密如星。建州探騎武理堪馳報：敵軍飯罷起行，夜度沙濟嶺而來，拂曉將要壓境。

態勢雖然極爲嚴重，但時勢對努爾哈赤頗爲有利。因爲明廷以朝鮮事忙於議和、班師，而葉赫、哈達又屢遭重創，元氣未復。他充分利用時機和地形，作好迎敵準備。「夫地形者，兵之助也」。（註二一）努爾哈赤根據地形險隘，進行了軍事部署：在敵兵來路上，道旁埋伏精兵；在高陽崖嶺上，安放滾木礌石；在沿河峽路上，設置橫木障礙。布置就緒後，待天明率軍出戰，努爾哈赤就寢酣睡。他的妻子富察氏把他推醒後，問道：「爾方寸亂耶，懼耶？九國兵來攻，豈酣寢時耶？」努爾哈赤答道：

人有所懼，雖寢，不成寐；我果懼，安能酣寢？前聞葉赫兵三路來侵，因無期，時以爲念。既至，吾心安矣。吾若有負於葉赫，天必厭之，安得不懼？今我順天命，安疆土，彼不我悅，糾九國之兵，以戕害無咎之人，知天必不祐也！（註二二）

努爾哈赤說完之後，安寢如故。不難看出，沉着，是努爾哈赤身臨險境時的一項寶貴的修養。他說「天」不佑海西而佑建州，自然是個天命主義者。如果拋棄「天命」的外殼，那麼沉着的內核却蘊含着對形勢的觀察，敵我的分析，軍力的計算，勝負的判斷。這使他深信：即將降臨的古勒山惡戰——對建州可能是喜劇，而對海西必定是悲劇。

第二天拂曉，用完早飯，努爾哈赤率領諸王大臣祭堂子（註二三），拜祝曰：「皇天后土，上下神祇，努爾哈赤與葉赫，本無釁端，守境安居，彼來構怨，糾合兵衆，侵凌無辜，天其鑒之。」又拜祝曰：「願敵人垂首，我軍奮揚，人不遺鞭，馬無顛躓，惟祈默佑，助我戎行」！（註二四）他在借助天神的威靈，發布檄文，鼓舞士氣，統率兵馬出征。

建州派出的偵騎武理堪，「擒葉赫一卒，訊之，言『敵衆三萬』」！（註二五）建州兵聞之色變。兵法云：合軍聚衆，務在激氣；臨境強敵，務在勵氣。（註二六）就是說，在統兵迎敵，臨戰之前，要激勵士氣，鼓舞鬥志。努爾哈赤是懂得這個道理的。他深知強敵逼境，將士怯畏，要激勵士氣，光靠祈禱神祇保佑是不夠的。應當向將士們分析軍事形勢，以增強其必勝信心。他說道：

爾衆無憂！我不使汝等至於苦戰。吾立險要之處，誘彼來戰——彼若來時，吾迎而敵之；誘而不來，吾等步行，四面分列，徐徐進攻。來兵部長甚多，雜亂不一。諒此烏合之衆，退縮不前，領兵前進者，必頭目也。吾等即接戰之，但傷其一二頭目，彼兵自走。我兵雖少，併力一戰，可必勝矣！（註二七）

努爾哈赤正確地分析了己之所長：立險扼要，以逸待勞；彼之所短：貝勒甚多，烏合之衆。他又制定了戰術原則：據險誘敵，傷其頭目，集中兵力，奮勇合擊。這就安定了軍心，激勵了士氣。建州兵將士，口銜枚，馬勒口，準備迎接一場血戰。

九部聯軍先圍攻扎喀城，不克，又退攻黑濟格城，不利。聯軍沿途被重重障礙所阻，兵士不能成列，首尾像長蛇似地進至古勒山下。努爾哈赤在誓師後的翌日，率精壯鐵騎在古勒山上據險結陣，整兵以待。葉赫貝勒布齋和納林布祿督九部的貝勒、臺吉，統領所屬步騎圍攻古勒山。九部聯軍，「併力殺來，勢如潮湧，其銳莫當」。（註二八）努爾哈赤命額亦都「以百騎挑戰，敵悉衆來犯，奮擊殪九人」（註二九），敵前鋒稍却。葉赫貝勒布齋被額亦都挑戰激怒，策馬揮刀，直前衝入。布齋驅騎過猛，戰馬觸木墩踣倒。建州兵士武談迅猛撲去，騎在布齋身上，將他殺死。納林布祿貝勒見其兄被殺，驚呼一聲，昏倒在地。葉赫兵見其一個貝勒被殺，另一個貝勒昏倒，皆慟哭失聲。他們急忙救起納林布祿，裹携布齋屍體（註三〇），撥轉馬頭，奪路而逃。其他貝勒、臺吉心膽俱喪，棄衆奔潰。蒙古科爾沁貝勒明安「馬被陷，棄鞍，赤身體，無片衣，騎驏馬」（註三一），狼狽逃脫。

努爾哈赤見葉赫貝勒布齋被殺，九部聯軍四散潰亂，便督率古勒山上的鐵騎，像山崩似地衝下來。一時間，騎濤呼嘯，矢石如雨，殺得山谷殷紅。九部聯軍潰敗的一剎那是慘不忍睹的：被屠戮，被踩躪，兵馬塡江，積屍遍野！（註三二）

古勒山之役的戰果是，建州軍斬殺葉赫貝

努爾哈赤大敗九部聯軍

勒布齋及其以下四千人，俘虜烏拉貝勒滿泰之弟布占泰，繳獲戰馬三千匹，鎧甲一千副。這次戰役，努爾哈赤「先斬蛇頭」，據險誘敵，集中兵力，大敗敵軍。就軍事指揮藝術而論，古勒山之戰的兩個統帥——布齋和努爾哈赤，一個是愚蠢，魯莽，驕傲，圖僥倖，憑聲勢，無謀略，狎玩命運，不講戰術，兵敗身死；另一個是機智，沉着，謹愼，務實際，靠勁旅，有韜略，部署周密，據險誘敵，獲得勝利。旣然葉赫貝勒布齋不是建州左衞指揮使努爾哈赤的對手，那麼，布齋之死不僅是其個人的悲劇，而且是海西女貞各部首領的影子。

著名的古勒山之戰，是女眞各部統一戰爭史的轉折點。它打破九部軍事聯盟，改變建州女眞和海西女眞的力量對比，成爲扈倫四部滅亡的決定點。努爾哈赤自此「軍威大震，遠邇慴服」。（註三三）他利用古勒山之戰後的有利形勢，對扈倫四部展開攻勢，先近後遠，各個擊破。首先是破哈達，滅輝發。

三、破哈達、滅輝發

哈達部，居住在哈達河（今淸河）流域，以住山城而得部名；也有一部分住在柴河流域。姓納喇氏。它東鄰輝發，西至開原，南接建州，北界葉赫。哈達在扈倫四部中地近南，向明朝入貢進廣順關，所以又稱作南關。哈達部的治所是座落在哈達河北岸的哈達城。（註三四）

哈達部民過著定居、農耕的生活，「頗有室屋、耕田之業，絕不與匈奴逐水草相類」。（註三五）

其貝勒萬，明稱王臺，萬曆初年，勢力強大，「延袤千里，保塞甚盛」。（註三六）王臺忠順明朝，「北收二奴，南制建州」。（註三七）王臺之女嫁給努爾哈赤伯祖索長阿子吳泰為妻，又納葉赫貝勒清佳努妹溫姐為妾，與左右鄰部聯姻。當時王杲稱雄建州，欲同韃靼東西遙應窺塞，但王臺效忠明廷，支柱其間。因保塞功，明廷與王臺榮耀殊異，授龍虎將軍，賜大紅獅子紵絲衣一襲。王臺曾想依靠明廷以統一女眞各部，但明廷堅持「分而治之」的政策，並不給予支持。王臺晚年貪暴昏聵，反曲為直，偏聽譖言，毀譽倒置，搜求鷹、犬、鷄、豚，以致屬部叛離。他在努爾哈赤起兵前十個月勢蹙憂死。

王臺死後，長子扈爾干（虎爾罕）繼為貝勒，「外迫強敵，內虞衆叛」（註三八），不久病死。王臺第五子孟格布祿（溫姐所生）、外婦子康古六和扈爾干子歹商（戴善），鼎析王臺遺產。孟格布祿因四兄已故，承襲父職龍虎將軍，為左都督。他「年十九幼弱，衆心未附」（註三九），便依母族，親葉赫。康古六妻後母溫姐，娶清佳努女為妻，同歹商結仇，也依附葉赫。葉赫於哈達，既蓄舊怨，又爭敕書：

> 蓋自永樂〔以〕來，給海西諸夷，自都督而下至百戶，凡九百九十九道，以強弱分多寡。今兩關之強弱可睹也。臣等是以酌南北平分之，而北少其一，以存右南關之意。諸酋皆服，然兩關以爭。（註四〇）

葉赫以孟格布祿和康古六為內應，聯結蒙古騎兵，多次攻歹商，略貲畜、爭敕書。明遼鎮督撫官張國彥分析哈達形勢說：「歹商不立，則無海西；無海西，則二孽（布齋和納林布祿）南連北結，而開原危；開原危，則全遼之禍不可勝道」。（註四一）明朝爲防止葉赫南連建州，北結蒙古，夾攻哈達，危及開原，便極力支持歹商。努爾哈赤陽奉明朝，專注於建州統一，娶扈爾干女爲妻，同歹商聯姻，以牽制葉赫。

但是，歹商「爲人氣弱而多疑，不能善使其左右」（註四二）；康古六與溫姐又先後死去，哈達部權力歸於孟格布祿貝勒。努爾哈赤對哈達採取分化的政策，瓦解哈達，壯大自己。如索塔蘭率所部歸建州，努爾哈赤把族女嫁給他爲妻；雅虎率十八戶歸建州，被授爲牛彔額眞。同時，對孟格布祿的騷擾也予以還擊，前面敍述的富爾佳齊之役是一例；但不取攻勢。

古勒山戰後，葉赫欲統一扈倫，出兵哈達，哈達力不能敵。孟格布祿送三個兒子到費阿拉作人質，向建州乞師。（註四三）努爾哈赤派費英東和噶蓋領兵二千助哈達，駐防其地。葉赫不願意哈達倒向建州一邊，設法離間哈達與建州的關係。葉赫貝勒納林布祿通過明朝開原通事，致書哈達貝勒孟格布祿稱：「爾若執滿洲來援二將，贖所質三子，盡殲其兵二千人，我妻汝以所求之女，修前好焉」！（註四四）孟格布祿應允，約於開原往議。但機密泄露，努爾哈赤決定發兵征哈達。

一五九九年（萬曆二十七年）九月，努爾哈赤統兵征哈達。其弟舒爾哈齊自請爲先鋒，領兵一千做前隊，直抵哈達城下。哈達兵出城迎戰，舒爾哈齊見哈達城堅兵盛，按兵不戰，道：「彼兵出矣！」努爾哈赤怒道：「此來豈爲城中無備耶」！（註四五）說畢，親自帶兵沿城環攻。城上發矢投石，建州兵死傷很多。建州軍團團圍城，日夜猛攻。經過六晝夜的激戰，攻陷哈達城。楊古利生擒哈達貝勒孟格布祿。孟格布祿匍匐進見努爾哈赤，努爾哈赤將自己的貂帽和豹裘賜給孟格布祿，並把他帶回費阿拉監養。哈達部所屬城寨完全招服。建州對哈達的器械、財物、妻子秋毫無犯，降民編入戶籍，遷之以歸。

建州破哈達後，努爾哈赤願把女兒莽古濟給孟格布祿之子武爾古代爲妻。但這只是從一時的政治需要出發，所以後來努爾哈赤又將孟格布祿「置寨中，誣之以罪，殺之。」明派使往建州詰問，努爾哈赤爲了緩和矛盾，把女兒給孟格布祿之子武爾古代成妻。

一六〇一年（萬曆二十九年），明萬曆帝遣使責令建州送武爾古代回哈達。努爾哈赤不能不從命，只得讓武爾古代回哈達。然而不久，他又把武爾古代囚禁起來。所以明朝方面說他「既殺猛酋（孟格布祿）而室其子，已又執而囚之」。（註四六）同年，哈達大飢，向明乞糧而明不理，「以妻子、奴僕、牲畜易而食之」。（註四七）努爾哈赤乘機將哈達滅亡，併其部衆，奪其敕書。哈達滅亡，明朝失掉南關，扈倫四部被打開一個缺口。努爾哈赤吞併哈達是他統一女眞道路上的一塊里程碑，「自此益強，遂不可制」。（註四八）他的下一個目標是專注輝發。

輝發部，其先世居住在黑龍江流域，屬尼馬察部，後遷徙至松花江支流輝發河流域，因地得名。輝發始祖昂古里、星古力，先姓益克德里氏，後徙附納喇氏噶揚噶圖墨土，遂宰七牛祭天，改姓納喇氏。其後星古力七傳至王機砮，王機砮招服鄰近各部，在輝發河畔扈爾奇山上築城（註四九），負險堅峻。它的東面和南面是建州，西界哈達，北接烏拉。哈達滅亡後，輝發三面被建州包圍。

王機砮死後，其長子前死，孫拜音達里殺了他的七個叔父，自立爲貝勒。由此，其堂兄弟之人逃到葉赫貝勒納林布祿那裏，他的部屬也在準備叛逃。拜音達里將其所屬七個大人之子送往建州作人質，乞請建州援兵。努爾哈赤發兵千人往援，「攻破叛變的輝發村莊，撫定還沒有叛逃去葉赫的人」。（註五〇）但是，拜音達里並不想同建州結盟。輝發自哈達滅亡後，地理上夾在建州與葉赫之間，政治上採取中立於建州與葉赫的兩面政策，結果得罪了兩方。

拜音達里在建州與葉赫之間來回搖擺的錯誤政策，加速了輝發的滅亡。葉赫貝勒納林布祿見輝發質子於建州，便遣使告拜音達里道：「爾若撤回所質之人，吾即反爾投來族衆」。（註五一）拜音達里信以爲眞，遂撤回在建州的七大人之子，並以其子與納林布祿爲質。但納林布祿背棄諾言，不送還叛投的輝發部衆。拜音達里又派人去建州，向努爾哈赤道：我被葉赫納林布祿的謊言所欺騙。淑勒昆都侖汗，我想永遠依賴你爲生。請你把與常書訂婚的姑娘解除婚約，給我爲妻。（註五二）努爾哈赤爲着爭取輝發，孤立葉赫，便解除原來婚約，把女兒改許給拜音達里。但拜音達里又怕與建州聯姻而得罪葉赫，所以背約不娶。拜音達里患得患失，左盼右顧，出爾反爾，首鼠兩端，招致殺身之禍。

一六〇七年（萬曆三十五年）九月，努爾哈赤以拜音達里兩次「兵助葉赫」和「背約不娶」爲借口，親自統兵進攻輝發。扈爾奇城（註五三）雖築垣三層，恃險堅固，但建州兵還是攻了進去。城陷後，拜音達里父子被殺，建州軍屠其兵，遷其民，輝發滅亡。輝發滅亡後，努爾哈赤又把注意力轉向烏拉。

四、「砍伐」烏拉

烏拉部，姓納喇氏，居住在烏拉河（今松花江上游）流域，因地得名。烏拉與哈達同祖納奇卜祿，納奇卜祿九傳至滿泰。滿泰父布干死，嗣爲烏拉貝勒，其弟爲布占泰。烏拉部的治所在烏拉城。它位於烏拉河東岸，與金州城隔河相望，相距二里。（註五四）

在扈倫四部中，烏拉離建州最遠。古勒山之戰以前，努爾哈赤忙於建州內部的統一，同烏拉的聯繫和矛盾較少。自古勒山戰後，努爾哈赤的鐵騎馳出建州，踏向海西。但建州的北面是烏拉，西面是葉赫，他爲着不使自己腹背受敵，就極力爭取烏拉。烏拉貝勒滿泰之弟布占泰，在古勒山之役中兵敗被擒。布占泰被縛跪見努爾哈赤道：「今被擒，生死只在貝勒！」邊說邊叩頭不已。努爾哈赤在怒斥九部聯軍犯境之後道：

今既來見，豈肯殺汝！語云：『生人之名勝於殺，與人之名勝於取』！（註五五）

說畢，即令給布占泰釋縛，並賜猞猁猻裘，留柵收養。

布占泰在費阿拉留養三年，被建州遣使護送回烏拉。時烏拉貝勒滿泰初死，其叔興尼牙欲謀殺布占泰而奪其位，布占泰靠建州支持擊敗興尼牙，繼兄爲烏拉貝勒。努爾哈赤爲籠絡布占泰，曾與他先後五次聯姻（註五六），七次盟誓。布占泰對努爾哈赤雖感不殺之恩，但外親內忌，並不服輸。他以世積威名自負，羞與建州爲伍，更不願屈從於人。布占泰總想東山再起，形成烏拉、建州、葉赫「鼎立之勢」。（註五七）他西聯蒙古，南結葉赫，借助兩翼而與努爾哈赤爭雄。烏碣岩之戰，就是烏拉與建州爭雄的一次嘗試。

一六〇七年（萬曆三十五年）正月，努爾哈赤派弟舒爾哈齊、長子褚英、次子代善、大臣費英東、侍衞扈爾漢和將領揚古利等率兵三千，到東海瓦爾喀部斐優城護送新歸附的部衆回建州。他們回來的路上，「布占泰變了心，要殺害護送人戶的丈人和兩位妻兄，因而派兵在中途攔截」。（註五八）建州的三千軍隊和烏拉的一萬軍隊，三月在圖們江畔鐘城附近進行烏碣岩（註五九）大戰。布占泰與舒爾哈齊，「旣爲婦翁，又爲兩女之婿」（註六〇），舒爾哈齊臨陣同常書和納齊布率兵止於山下，畏葸不前。但扈爾漢、揚古利在山上樹柵扎營，派兵守護帶來的五百戶，帶二百人同烏拉軍前鋒格鬥。隨後褚英與代善各率兵五百，分兩路夾擊。褚英率先衝入敵陣，時天寒雪飛，烏拉兵大敗。（註六一）代善擒斬烏拉大將博克多。是役，建州兵斬殺烏拉兵三千級，獲馬五千匹，甲三千副，烏拉兵餘卒逃竄，「如天崩地裂」。（註六二）

在烏碣岩之戰中，努爾哈赤和布占泰第一次單獨地進行較量。它表明「悍勇無雙」的布占泰，並不是「老謀深算」的努爾哈赤之對手。烏碣岩大戰不僅進一步削弱了烏拉部的力量，而且打通了建州通向烏蘇里江流域和黑龍江中下游流域的寬廣長廊（後面還要敍及）。

烏碣岩大戰之後，建州兵威更盛，雄於諸部。（註六三）努爾哈赤要與葉赫抗衡，統一烏蘇里江以東地區和黑龍江中下游流域，烏拉就成爲其前進道路上的一棵大樹。砍倒大樹，掃除障礙，才能打開通路。他把征服烏拉比作砍伐樹木，說道：

欲伐大木，豈能驟折？必以斧斤伐之，漸至微細，然後能折。相等之國，欲一舉取之，豈能盡滅乎？且將所屬城郭，盡削平之，獨存其都城。如此，則無僕何以爲主？無民何以爲君？（註六四）

這是一個既生動形象又富於哲理的比喻。爲砍倒烏拉這棵大樹，在從一五九三年布占泰被擒，至一六一三年烏拉覆亡的整整二十年間，努爾哈赤交替使用聯姻誓盟與武力征伐的兩手政策。總的說來，它可分爲三個階段——政治懷柔。從古勒山之戰到舒爾哈齊第二次以女與布占泰爲妻，他以恩養、宴賞、婚媾、盟誓等手段，對烏拉施行「遠交」之計，以騰出手來對哈達和輝發採取「近攻」之策。第二階段——政治懷柔與武力征伐並用。它從舒爾哈齊第二次嫁女給布占泰爲始，至努爾哈赤將生女穆庫什嫁給布占泰爲終，中經烏碣岩和宜罕阿麟城（註六五）兩次大戰。宜罕阿麟城之役，努爾哈赤派長子褚英、侄阿敏率軍五千，大敗烏拉兵，斬殺千人，獲甲三百。上述兩次交戰，烏拉元氣大傷，哈達、輝發又相繼滅亡，形勢對建州頗爲有利，從而開始奪取烏拉的第三階段——武力征伐。這一階段中，努爾哈赤曾兩次率兵親征。

一六一二年（萬曆四十年）九月，努爾哈赤借口布占泰屢背盟約和以鳴鏑穿射侄女娥恩哲（註六六），親自披明甲、乘白馬，率第五子莽古爾泰、第八子皇太極，統兵征烏拉。建州軍盔甲鮮明，兵雄馬壯，沿烏拉河而下，連克河西六城，在距烏拉城西門二里的金州城駐營。建州兵放火燒莊，盡焚敵糧。布占泰乘獨木舟到烏拉河中流，叩頭懇求建州兵熄滅燒糧之火，撤退圍城之兵。努爾哈赤乘馬走進水齊馬胸的烏拉河中，對布占泰發表了憤怒而長篇的講話：

布占泰，你在戰場上被擒應死，從寬收養，釋回烏拉爲貝勒。我把三個女兒嫁給你，你曾七次立誓說：「天高地厚」，可竟變了心，兩次襲擊並擄掠我屬下虎爾哈路。你布占泰揚言要強娶恩養父我給過聘禮的葉赫女子。我的女兒是給國主作福晉（註六七），才出嫁他國，豈是給你用骲箭射的嗎？我的女兒如果做錯了事，你要向我說明。你能舉出動手打我愛新覺羅的先例嗎？百世可能不知，十世以來的事也不知道嗎？如果有人動手打我愛新覺羅的先例，那你是正確的，我兵來攻是錯誤的。如果沒有那種先例，你布占泰爲何用骲箭射我女兒呢？她死後還要蒙受被骲箭射過的惡名嗎？活著就悶在心裏嗎？古人說：「人若折名，甚於折骨。」如果看到繩子就以爲是毒蛇，見到瘡膿就以爲是海水，這次出兵非所樂爲。聽到你用骲箭射我女兒的消息，十分憤恨，才領兵前來。（註六八）

努爾哈赤斥責布占泰後，命他送人質至建州，遂還營，後留兵千人駐戍，大軍撤回。

誠然，努爾哈赤出兵烏拉，並非完全爲其侄女受辱，如他多次受葉赫凌辱，未見興師問罪；其主要的原因是，在建州的政治棋盤上，下一步要吃掉的棋子就是烏拉。

一六一三年（萬曆四十一年）正月，建州利用烏拉貴族衆叛親離、烏拉城孤立無援和部民「無不樂附於老酋」（註六九）的形勢，再次征討烏拉。建州出兵的借口有四：㈠布占泰屢背盟約，㈡幽禁努爾哈赤與舒爾哈齊之女，㈢強娶努爾哈赤所聘葉赫貝勒布齋之女，㈣送人質於葉赫。努爾哈赤帶領次子代善、侄阿敏，大將費英東、額亦都、安費揚古、何和里、扈爾漢及將士三萬人，張黃蓋、吹喇叭，奏鎖吶、打鑼鼓，向烏拉進軍。

建州軍進攻烏拉，連克烏拉河東孫扎泰、郭多、俄漠三城。布占泰率三萬兵馬越伏爾哈城（註七〇）列陣以待。兩軍相距百步左右，下馬步戰，厮殺一片，矢如風發雪落，聲似狂飈雷鳴。努爾哈赤率先乘騎突陣，挺身而入，諸將、軍士堅甲利劍，鐵騎奔馳。建州軍鼓勇縱擊，烏拉軍四散潰敗。潰敗的烏拉兵，十損六七，拋戈棄甲，屍橫遍地，血灑原野。建州兵越過伏爾哈城，乘勝進奪烏拉城門。安費揚古率攻城軍，一面用雲梯登城，一面用準備好的土袋，兵士們迅速地拋向城下，土與城平。攻城軍登上城牆，先鋒軍奪門而入。努爾哈赤登城坐在西門城樓上（註七一），兩旁樹立旗幟。布占泰率「餘兵不滿百，還至城下，見幟則大奔」。（註七二）又遭代善軍邀擊，餘兵皆潰，「僅以身免，投葉赫國而去」。（註七三）

烏拉城之役，建州軍「擊潰敵兵三萬人，斬殺一萬人，獲甲七千副」（註七四），攻占烏拉城，烏拉滅亡。努爾哈赤在烏拉居住十天，賞賚將士，「分配俘虜，編成萬戶」（註七五），帶回建州。

努爾哈赤「砍倒」烏拉這棵大樹之後，又馬不停蹄地指向扈倫四部中最後的一部——葉赫。

五、鯨吞葉赫

葉赫部，居住在葉赫河（今通河）流域，因地得名。葉赫地近北，向明「朝貢」，取道鎮北關，所以又叫北關。它東鄰輝發，南接哈達，西南臨開原，西界蒙古，北與烏拉相近。葉赫部治所在葉赫城。（註七六）葉赫先世姓土默特氏，後滅扈倫納喇姓部，遂姓納喇氏。（註七七）葉赫所屬十五部，部民「勇猛，善騎射」。（註七八）

葉赫始祖星根達爾漢，傳四世至褚孔格。葉赫貝勒褚孔格與哈達貝勒旺濟外蘭，「兩關綜以敕書不平爲爭」。（註七九）先是，自明朝永樂以來，給海西諸部自都督以下至百戶，敕書共九百九十九道，按強弱分配，屢有變動。（註八〇）時哈達多而葉赫少，南北關相爭，褚孔格被殺，敕書等爲哈達所奪。褚孔格子太杵，太杵有二子：清佳努和揚佳努，能撫馭部衆，依險築二城（註八一）——清佳努居西城，揚佳努居東城，皆稱貝勒。後哈達貝勒萬（王臺）死，諸子內爭，葉赫乘機報殺祖之仇。但李成梁等支持哈達歹商，在開原漢壽亭侯廟誘殺清佳努和揚佳努（註八二）（前已敍及）。

清佳努子布齋、揚佳努子納林布祿分別繼爲貝勒，謀掠哈達，報世仇。一五八八年（萬曆十六年），李成梁師出威遠堡，馳行六十里，至葉赫城下。明軍發炮毀柵，攻入內城，布齋與納林布祿出城乞降。葉赫與哈達遂均敕入貢，但因哈達忠於明，多一敕。李成梁曾「大捷共計十次，斬首五六千級」（註八三），先後殺王杲、王兀堂、阿臺、阿海、清佳努和揚佳努等，在客觀上爲努爾哈赤崛起掃清道路。這正如章太炎所云：

然成梁已戮王杲，數年復大破迤東都督王兀堂，誅阿臺，無幾又與巡撫李松誅北關首領清佳砮、揚佳砮，斬其騎兵千五百人，群夷讋服。而奴兒哈赤以梟雄之姿，晏然乘諸部虛耗，蠶食以盡。藩翰既潰，禍及全遼。則是成粱之功，適爲建州之驅除也。（註八四）

布齋和納林布祿受李成粱重創，元氣再損；恰在這時，努爾哈赤已統一建州女眞。但葉赫二貝勒對建州的實力估計不足，在刧寨和談判失敗之後，糾合九部聯軍，發動古勒山之役（前已述及）。布齋在古勒山下喪生，「北關請卜酋屍，奴酋剖其半歸之。於是北關遂與奴酋爲不共戴天之讎」。（註八五）布齋死後，「素性剛暴」的納林布祿敗回葉赫城，「因念兄讎，晝夜哭泣，不進飮食，鬱鬱成疾」（註八六），後來死去。（註八七）布齋子布揚古、納林布祿弟金臺石繼爲貝勒。

布揚古、金臺石分別繼爲葉赫貝勒後，海西、建州和明朝呈現著錯綜複雜的關係。

第一，葉赫：一方面南靠明朝，西聯蒙古，北結烏拉，以同建州抗衡；另方面又與建州結姻、歃盟，以爭取時間，集聚力量。如古勒山之敗後，一五九七年（萬曆二十五年），葉赫等遣使至建州告曰：「吾等不道，兵敗名辱，自今以後，願復締前好，重以婚媾。」葉赫貝勒布揚古願以其妹給努爾哈赤爲妻，金臺石願以其女給努爾哈赤之次子代善爲妻。努爾哈赤允諾，並備鞍馬、甲冑作聘禮。他們並殺牛宰馬祀天，設卮酒、塊土及肉、血、骨各一器皿，歃盟曰：

既盟以後，若棄婚姻，背盟好，其如此土，如此骨，如此血，永墮厥命；若始終不渝，飮此酒，食此肉，福祿永昌」！（註八八）

葉赫二貝勒同建州的婚盟，是爲達到其政治目的的一種權術，隨著雙方實力的消長，可以隨意毀約背盟。

第二，明朝：先是支持哈達，利用哈達以左制葉赫，右控建州。但是，建州滅哈達後，明廷失去南關，轉而支持北關。明禮部左侍郎何宗彥解釋支持北關政策的原因說：「有北關在，可牽奴酋（即努爾哈赤）之後，遼、瀋或可恃以無恙」。（註八九）明朝扶持北關，以便使葉赫在西，通過葉赫聯絡烏拉在北，協同朝鮮在東，遼軍在南，形成一個對建州的圓形包圍圈。

第三，建州：努爾哈赤巧妙地臣屬明朝，結好朝鮮，姻盟葉赫，而滅哈達、併輝發、吞烏拉，略東海，以壯大軍事實力，解除後顧之憂。在哈達、輝發、烏拉滅亡之後，葉赫陷於孤立。他對葉赫的策略變守勢為攻勢，以軍事進攻，鯨吞葉赫，實現其統一扈倫四部之目的。

一六一三年（萬曆四十一年），烏拉亡後布占泰逃往葉赫，建州三次遣使告葉赫縛布占泰以獻，但葉赫不從。九月，努爾哈赤統兵四萬再征（註九〇）葉赫。建州兵北入蘇完境，迂迴至北面攻入葉赫（註九一），收取張與吉當阿二路居民，繼圍兀蘇城。城中守將山談、扈石木，看到建州軍「師衆如林，不絕如流，盔甲鮮明，如三冬冰雪」（註九二），開門迎降。努爾哈赤對降將賜東珠、金佛帽和衣物，並以金杯賜酒。隨後，建州軍又連下呀哈城、黑兒蘇城等大小十九城寨，因葉赫預知軍期，有備，乃焚廬舍、携降民而回。

建州進攻葉赫，力求取得明朝的諒解或中立。發兵之前，努爾哈赤派第七子阿巴泰率所屬阿都等三十餘人求質於明，但遭部議拒絕。建州奪取兀蘇城後，葉赫奏於明。明派游擊馬時楠、周大岐率兵千人，攜帶火器，助葉赫戍守東西二城。努爾哈赤得到明助葉赫的消息後，至撫順所，投書李永芳，長篇大論地述說其征伐葉赫的合理性，略謂：「侵葉赫，以葉赫背盟，女已字，悔不遣；又匿布占泰；故與明無怨，何遽欲相侵」？（註九三）建州想割斷明朝與葉赫的聯繫，以免在進攻葉赫時腹背受敵。但由於它們各自利益所在，這是難以辦到的。

在扈倫四部中，以葉赫部最強，又受明朝的支持。努爾哈赤繼對葉赫兩次征討之後，於一六一九年（萬曆四十七年，天命四年），再次發兵攻打葉赫。正月初二日，努爾哈赤命大貝勒代善率將十六員、兵五千人，往守扎喀關，防止明軍偷襲建州；親率傾國之師起行，初七日深入葉赫界。建州兵自克亦特城、粘罕寨焚掠至葉赫城東十里，俘獲大量人民、畜產、糧食和財物，盡焚葉赫城十里外之大小屯寨二十餘處。葉赫向明乞師，明開原總兵馬林率合城兵馳救。建州軍為避免兩面受敵，班師而回。葉赫為著報答明朝，派兵二千應援薩爾滸之戰（後文敘述）的明軍。時努爾哈赤謀使所屬詐降葉赫金臺石，金臺石不應。於是，建州在取得薩爾滸大捷之後，乘勢發兵再征葉赫。

一六一九年（萬曆四十七年，天命四年）八月，努爾哈赤召集諸王貝勒大臣會議，商討對葉赫的作戰計劃，並誓言：「此舉如不克平葉赫，吾必不反〔返〕國也」！（註九四）時葉赫貝勒金臺石住東城，貝勒布揚古住西城，兩城相距三里許。諸王貝勒大臣會議決定：大貝勒代善、二貝勒阿敏（舒爾哈齊之子）、三貝勒莽古爾泰、四貝勒皇太極等率護軍健騎，揚言征討蒙古（註九五），繞路潛行，直投葉赫貝勒布揚古駐地西城；又命額亦都等領前鋒軍，「扮為蒙古兵」，馳投葉赫貝勒金臺石駐地東城，努爾哈赤親率八固山額眞，直督大軍，隨後進圍金臺石城。大軍於十九日出發，即斷絕往來信息。葉赫貝勒金臺石駐地東城，又稱葉赫山城，依山修築，堅固險要。它原爲金臺石之兄納林布祿住地，瞿九思記述東城言：

其外大城以石，石城外爲木柵，而內又爲木城。城內外大壕凡三道，其中堅則一山特起，鑿山坂，周迴使峻絕，而壘石城其上。城之內，又爲木城，木城中，有八角明樓，則其置妻子、資財所也。上下內外，凡爲城四層，木柵一層。其中控弦之士以萬，甲胄者以千計，刀劍、矢石、滾木甚具」。（註九六）

東城爲葉赫城之役攻堅所在。

二十二日，後金軍進至葉赫城下。葉赫貝勒金臺石、布揚古各統兵出城，鳴角操鼓，準備迎戰。後金軍盔甲鮮明，劍戟林立，鉦鼓相聞，河谷震蕩。兩軍混戰多時，葉赫貝勒見勢不能敵，令鳴角收兵，入城堅守。代善等四大貝勒督率護軍圍布揚古所住西城。努爾哈赤率額亦都等督軍圍金臺石所住東城。

金臺石城被圍後，後金軍毀其柵城，墮其外城。後金軍呼金臺石投降，不聽，答道：「吾非明兵比，等丈夫也！肯束手歸乎？與其降汝，寧戰而死耳」！（註九七）東城守軍誓死拒戰，堅守內城。努爾哈赤見敵軍負險頑抗，激勵將士道：「今日仍不克，則罷兵歸矣」！衆軍齊喊道：「願赴死戰」！（註九八）努爾哈赤命軍士布楯列梯，冒矢登城。城上射矢鏃，發巨石，推滾木，擲火器；後金軍一三十人並排登城，但死傷慘重。努爾哈赤又命穴其城。軍士們冒矢石，「於城下掘穴，置藥，乃陷」。（註九九）內城陷後，後金兵士擁入城中衝殺，葉赫兵四面潰散。金臺石見內城陷，攜妻與幼子登上禁城八角樓。

後金軍進圍禁城臺樓。因金臺石是皇太極的舅父，皇太極從西域馳騎至東城，向金臺石勸降。金臺石對皇太極道：「聽到你說收養的一句善言，舅父我就下來；如果說不收養，要殺我怎麼能下去呢？死就死在家裏」。（註一〇〇）皇太極給金臺石以「生殺惟父皇命」的回答。金臺石又請求讓近臣阿爾塔石往見努爾哈赤，觀察其臉色後作決定。阿爾塔石被允准帶至努爾哈赤面前，努爾哈赤怒數其罪責以後，以鳴鏑射之。阿爾塔石回去後，金臺石仍不降。皇太極再派金臺石子德爾格勒至臺樓下勸降。金臺石終不從。皇太極要將德爾格勒縛而殺之，努爾哈赤說道：「子招父降而不從，父之罪也；父當誅，勿殺其子」。（註一〇一）金臺石三次拒降，後金兵持斧毀臺樓。金臺石之妻攜子沙渾下臺樓降。金臺石走投無路，對皇太極道：

大丈夫豈肯受制於人乎？吾甥庶念汝母及諸舅氏骨肉至戚，弟全吾子孫足矣。吾誓不生也」！

（註一〇二）

言畢，金臺石引弓殺守臺軍士，奪路直入後室，舉火自焚未死，被俘而縊殺之。

東城既陷，西城聞風喪膽。布揚古孤城無援，軍心渙散；四大貝勒督兵匝圍，攻城益急。布揚古令其堂弟吳達哈（布齋之胞弟）領兵巡禦四門，吳達哈見東城陷落，大勢已去，遂「攜妻孥開門出降」。

（註一〇三）四大貝勒兵由是得以長驅而入，徑圍布揚古居所。大貝勒代善勸布揚古降，布揚古因疑懼而不敢出來。代善對布揚古以刀劃酒誓道：

今汝等降，我若殺之，殃及我；汝俾我誓，飲誓酒而仍不降，惟汝等殃。汝等不降，破汝城，必殺無赦！（註一〇四）

代善向布揚古作了降後不殺的保證，自飲誓酒一半，送給布揚古飲另一半。布揚古命開居所門（註一〇五）降。努爾哈赤因扈倫四部全亡，留著布揚古無用，便借跪拜禮節不恭爲由，將他縊殺。

葉赫東西二城降後（註一〇六），其所屬各城俱降。時明游擊馬時楠，率助守葉赫二城兵一千人，也被後金軍殲滅。努爾哈赤同葉赫打交道歷時三十六年，終於將共傳八世十一貝勒的葉赫部滅亡。葉赫亡，明朝失去北關。

後金對葉赫降民，「父子兄弟不分，親戚不離，原封不動地帶來了。不動女人穿着的衣襟，不奪男子帶的弓箭，各家的財物，由各主收拾保存」。（註一〇六）葉赫部民被遷徙至建州，入籍編旗，成爲後金的臣民。

海西女眞——哈達、輝發、烏拉、葉赫，在古勒山之役以後，相繼被建州滅亡。努爾哈赤之所以能夠滅亡扈倫四部，除了客觀上有利條件之外，就主觀條件來說，是他精神專注，不敢旁騖，採取了先弱後強，由近及遠，利用矛盾，聯大滅小，集中兵力，各個擊破的策略。他像伐樹一樣，傾盡全力一棵一棵地、一斧一斧地砍。如利用哈達與葉赫的矛盾及王臺死後子孫內訌的分裂局面，先砍倒近鄰哈達。繼哈達之後又砍倒四部中最弱的輝發。對實力雄厚的烏拉則謹愼一些。最後放倒的一棵大樹是扈倫四部中最強盛的葉赫。努爾哈赤就是這樣有策略地、有步驟地統一了海西女眞。

努爾哈赤在統一海西女眞的同時，又逐步地併附「野人」女眞。

【附註】

註一　「關白」是豐臣秀吉的官銜。

註二　《李朝宣祖實錄》第三〇卷，二十五年九月己未。

註三　《李朝宣祖實錄》第二七卷，二十五年六月乙卯。

註四　明朝出兵數字，各書記載不同，如：《明史紀事本末・援朝鮮》載明廷遣「如松將諸鎭士馬四萬餘」援朝鮮；《李朝宣祖實錄》二十五年十月壬子載「天兵共計四萬八千五名，將領、中軍、千把總不計在數內」；《光海君日記》卽位年二月甲戌載，明朝「派文武大臣二員，統帥遼陽各鎭精兵十萬，往助討賊」；《明史・朝鮮傳》作「揚言大兵十萬且至」；《李朝宣祖實錄》二十五年九月甲戌載「宋應昌率兵馬七萬，今月初七日辭朝」等。

註五　《李朝宣祖實錄》第三〇卷，二十五年九月甲戌。

註六　《李朝宣祖實錄》第七二卷，二十九年二月丙寅。

註七　「市圈計」，明巡撫李松、總兵李成梁利用諸部到圈定市場，僞以賜賞約會，誘殺葉赫貝勒淸佳努等三百餘人，稱「市圈計」。

註八　瞿九思・《萬曆武功錄・逞加奴仰加奴列傳》第十一卷，第一二三頁。

註　九　《明神宗實錄》內閣文庫本，第十一卷，萬曆十一年十二月甲戌。

註一〇　《明史紀事本末》第四册，第一四〇四頁。

註一一　《明神宗實錄》內閣文庫本，第十五卷，萬曆十五年十月丁丑：「擒獲夷人一騎並收猛骨部夷八百餘名口，其猛骨原授龍虎將軍撫賞所應革除。」

註一二　《明神宗實錄》內閣文庫本，第十六卷，萬曆十六年四月壬申。

註一三　瞿九思：《萬曆武功錄・卜寨那林孛羅列傳》第十一卷，第三〇頁。

註一四　《明史・李成梁傳》第二〇册，第二三八卷，第六一九一頁。

註一五　葉赫納喇氏即孝慈高皇后，葉赫貝勒揚佳努女，納林布祿妹，是清太宗皇太極的生母。

註一六　《清太祖高皇帝實錄》第二卷，第一〇頁。

註一七　《清太祖高皇帝實錄》第二卷，第十一頁。

註一八　《清史稿・安費揚古傳》第三一册，第二二五卷，第九一八六頁。

註一九　《盛京吉林黑龍江等處標注戰迹輿圖》二排四上：古勒山山麓有古勒寨，在蘇克素滸河南岸，扎喀關西南，圖倫城東南。今新賓縣上夾河鎮古樓村。

註二〇　民國《興京縣志》：「扎喀關在青龍山西麓，縣西百里。」今新賓上夾河五龍村西南。

註二一　《孫子兵法・地形篇》。

註二二　《清太祖高皇帝實錄》第二卷，第十四至十五頁。

註二三　祭堂子：堂子是滿族行祭天神的地方，凡元旦、出征、凱旋等均在堂子祭天，叫做祭堂子。

註二四 《清太祖高皇帝實錄》第二卷，第十五頁。

註二五 《清史列傳・武理堪》第四卷，第七頁。

註二六 《孫臏兵法・延氣》文物出版社，第七二頁。

註二七 《滿洲實錄》第二卷，第十四頁。

註二八 徐乾學：《葉赫國貝勒家乘》（清鈔本），第八頁。

註二九 《清史列傳・額亦都》第四卷，第二頁。

註三〇 王在晉《三朝遼事實錄・總略》第十五頁：「北關（葉赫）請卜寨（布齋）屍，奴兒哈赤剖其半歸之。北關、建州遂爲不解之仇。」

註三一 《滿洲實錄》第二卷，第十四頁。

註三二 《李朝宣祖實錄》第一八九卷，三十八年七月戊子：「如許（葉赫）酋羅里（納林布祿）、忽溫（烏拉）酋卓古（布占泰）等，往在癸巳年間相與謀曰：『老可赤（努爾哈赤）本以無名常胡之子，崛起爲酋長，合併諸部，其勢漸至強大。我輩世積威名，羞與爲伍。』不意合兵來攻老酋，期於蕩滅之際，老酋得諜大驚，先使精兵埋伏道旁，又於嶺崖多設機械以待。而沿江峽路阻隘，故敵兵不得成列，首尾如長蛇而至。老酋之兵所在放石。兵馬塡江而死者不知其數，後軍驚潰，先鋒悉爲老酋所獲。於是羅里兄夫者（布齋）戰死，忽酋卓古亦被擒而來。」

註三三 《清太祖高皇帝實錄》第二卷，第十八頁。

註三四 哈達城有三：哈達新城、哈達舊城和哈達石城。《盛京通志》第十五卷第九頁：「哈達新城在衣車峰之上」；《吉林通志》第十八卷第二十五頁：「哈達石城在衣車峰山下」；《盛京吉林黑龍江等處標注戰迹輿圖》二排四上：哈達舊城在哈達河北岸，哈達石城西南。

註三五　瞿九思：《萬曆武功錄・王臺列傳》第十一卷，第一頁。

註三六　《清史稿・萬傳》第三〇冊，第二二三卷，第九一三一頁。

註三七　《明神宗實錄》第二〇三卷，萬曆十六年九月戊寅。

註三八　《明神宗實錄》第一三一卷，萬曆十年十二月壬辰。

註三九　瞿九思：《萬曆武功錄・虎爾罕赤猛骨孛羅康古六歹商溫姐列傳》第十一卷，第八頁。

註四〇　《明神宗實錄》第二〇三卷，萬曆十六年九月戊寅。

註四一　《明神宗實錄》第一九〇卷，萬曆十五年九月癸丑。

註四二　瞿九思：《萬曆武功錄・虎爾罕赤猛骨孛羅康古六歹商溫姐列傳》第十一卷，第十二頁。

註四三　孟格布祿質三子於建州，《滿洲實錄》、《清太祖武皇帝實錄》係於萬曆二十七年，稱「是時」；《清史稿・萬傳》係於萬曆二十七年秋，但《清太祖高皇帝實錄》於萬曆二十七年秋九月丁未朔稱「先是」，確切時間未定。

註四四　《清太祖高皇帝實錄》第三卷，第三頁。

註四五　《滿洲實錄》第三卷，第三頁。

註四六　《明神宗實錄》第三六六卷，萬曆二十九年十二月辛未。

註四七　《清太祖武皇帝實錄》第二卷，第一頁。

註四八　《明神宗實錄》第三六六卷，萬曆二十九年十二月辛未。

註四九　《吉林通志》第十二卷，第十八頁。

註五〇　《滿文老檔．太祖》第一卷，丁未年（萬曆三十五年）九月。

註五一　《滿洲實錄》第三卷，第九頁。

註五二　《滿文老檔．太祖》第一卷，丁未年（萬曆三十五年）九月。

註五三　劉選民《清開國初征服諸部疆域考》：「輝發城有三：一曰輝發峰下城，在輝發峰西北；一曰輝發河城，在吉林城南三百餘里輝發河邊，一曰輝發城，在吉林城西南三百七十里吉林峰上。擺銀答里之居城究何所指？據《實錄》謂其祖往機築城扈爾奇山上，是與吉林城西南三百七十里吉林峰上之輝發城吻合，其他二城當屬以後所添置。」又見《盛京通志》第十五卷，第八頁。

註五四　《滿文老檔．太祖》第二卷，壬子年（萬曆四十年）九月二十二日。

註五五　《清太祖武皇帝實錄》第一卷，第十一頁。

註五六　建州與烏拉五次聯姻：努爾哈赤之女穆庫什、舒爾哈齊之女額實泰和娥恩哲給布占泰爲妻；布占泰送其兄滿泰之女阿巴亥給努爾哈赤爲妻，又送其妹乎奈與舒爾哈齊爲妻。

註五七　《李朝宣祖實錄》第一八九卷，三十八年七月戊子。

註五八　《滿文老檔．太祖》第一卷，丁未年（萬曆三十五年）三月。

註五九　烏碣岩一地，見有如下三種名稱：

甲、烏碣岩：如《李朝宣祖修正實錄》第四一卷，四十年二月甲午：「建州衞胡酋老乙可赤與忽剌溫大戰於鐘城烏碣岩，大破之。」

乙、門岩：如《光海君日記》第十四卷，元年三月辛卯，烏拉「門岩之敗，一敗塗地，僵屍相枕於我境者，本國邊臣親計其數，亦且二千六百餘名，而輿屍遠遁，老兵追奔逐北，深入而還，其死於胡地者，邊人皆言五六千云。故至今傳者，咸以爲忽兵之敗死不下七八千。」又如《光海君日記》第二三卷，元年十二月丙寅：努爾哈赤「自得利門岩之後，威行迤東諸部。」

註六〇　孟森：《明清史論著集刊》上册，第一七九頁。丙、文岩：如《光海君日記》二年十一月己未：烏拉自「文岩大敗之後，僅餘六百，不暇自保，豈圖他國乎？」

註六一　《清史列傳・褚英》第三卷，第十三頁。

註六二　《李朝宣祖實錄》第二〇九卷，四十年三月辛卯。

註六三　《光海君日記》第十四卷，元年三月辛卯。

註六四　《滿洲實錄》第三卷，第十四頁。

註六五　宜罕阿麟城的滿文體爲 ihan alin hoton。ihan 意爲牛，alin 意爲山，hoton 意爲城。故又對音譯意爲宜罕山城。

註六六　《滿洲實錄》第三卷第十四頁和《清太祖武皇帝實錄》第二卷第五頁均作「以槍箭射太祖侄女娥恩哲」，《滿文老檔・太祖》壬子年九月作「他用槍箭射汗給他爲妻的娥恩哲格格」；但《清太祖高皇帝實錄》第四卷第二頁作：「以鳴鏑射所娶上女」，《清史稿・布占泰傳》作「以鳴鏑射所娶太祖女」。疑後二書不確。

註六七　福晉，爲滿文 fujin 的對音，意思是妃子、娘娘、貝勒妻等。

註六八　《滿文老檔・太祖」第二卷，壬子年（萬曆四十年）九月。

註六九　《李朝宣祖實錄》第二〇九卷，四十年三月庚辰。

註七〇 《盛京吉林黑龍江等處標注戰迹輿圖》三排三下：伏爾哈城在烏拉河東，宜罕阿麟城西，烏拉城南，宜罕河北岸，宜罕山上。

註七一 《盛京通志》第十五卷，第九頁：烏拉城爲「布占太貝勒所居，周圍十五里，四面有門；內有小城，周圍二里，東西各一門；有土臺，高八尺，周圍一百步。」

註七二 《清史稿・布占泰傳》第三〇册，第二二三卷，第九一四九頁。

註七三 《清太祖高皇帝實錄》第四卷，第七頁。

註七四 《滿文老檔・太祖》第三卷，癸丑年（萬曆四十一年）正月。

註七五 同上。

註七六 劉選民《清開國初征服諸部疆域考》：「《盛京通志》謂葉赫山城在葉赫城西北三里（卷十五頁九下），《戰迹輿圖》置葉赫山城於葉赫河北岸，以該圖比例推之，約當葉赫城西北二十餘里（第三排四上），當屬誤置，應在葉赫河南岸，葉赫城東三里。」

註七七 徐乾學《葉赫國貝勒家乘》（清鈔本）第一頁：「納蘭（納喇）者，即華言日也。」

註七八 額騰額：《葉赫那蘭氏八旗族譜》（清鈔本），第一頁。

註七九 《明神宗實錄》第二〇三卷，萬曆十六年九月戊寅。

註八〇 瞿九思：《萬曆武功錄》第十一卷：「故事，兩關皆海西遺種，國初收爲屬夷，給敕書凡九百九十九道，南關凡六百九十九道，北關凡三百道。每一道，駿馬一匹入貢。中間兩關互有強弱，故敕書亦因之以多寡有異耳。初逞、仰兵力強盛，以故北關敕書獨多，後王臺盛，復大半歸南關，而北關才得四之一耳。……於是制置使均平，南關凡五百道，北關凡四百九十九道。」

註八一　葉赫二城，在今吉林省梨樹縣葉赫鄉：東城在葉赫河南，平地突起，夯土興築；西城在葉赫河北，依山興築，形勢險要。

註八二　徐乾學《葉赫國貝勒家乘》第三頁：「乙酉十三年夏五月，虎爾罕子歹商與猛骨孛羅，以金革、人參、狐貂等物賂寧遠伯李成梁，僞以賜賚約會，誘清、仰二貝勒及清貝勒子兀遜布祿、仰貝勒子喀爾喀馬，並從騎三百人於開原漢壽亭侯廟中殺之。」

註八三　《明神宗實錄》第一四一卷，萬曆十一年九月己亥。

註八四　章太炎：《清建國別記》第三七頁。

註八五　《明神宗實錄》第五二八卷，萬曆四十三年正月乙亥。

註八六　徐乾學：《葉赫國貝勒家乘》（清鈔本），第十頁。

註八七　同上書，第十頁：「戊戌（萬曆）二十六年春二月，貝勒納林布祿薨（不記壽），在位十四年」；《清史稿・楊吉砮傳》：萬曆三十五年，「太祖以是取輝發，納林布祿不能救」，疑誤。

註八八　《清太祖高皇帝實錄》第二卷，第二〇頁。

註八九　《明神宗實錄》第五八六卷，萬曆四十七年九月辛卯。

註九〇　《清太祖武皇帝實錄》第二卷第二頁：「甲辰年正月初八日率兵往攻，十一日至夜黑國二城，一曰張、一曰阿氣郎，俱尅之。收二城七寨，人畜二千餘卽班師。」是爲首征葉赫。

註九一　劉選民：《清開國初征服諸部疆域考》，《燕京學報》一九三八年，第二三期。

註九二　《圖本檔》第二卷，第二頁，中國第一歷史檔案館藏。

註九三　《清史稿・楊吉砮傳》第三〇册，第二二三卷，第九一四二頁。

註九四　徐乾學：《葉赫國貝勒家乘》（清鈔本），第十四頁。

註九五　《清史稿・楊吉砮傳》作「聲言向瀋陽，以綴明師」；《三朝遼事實錄》第一卷第三十五頁作「奴酋佯綴我師，擁衆數萬騎直抵金臺失寨」。瀋陽在建州南，葉赫在建州北；而蒙古在建州西、北，故「聲言向瀋陽」不合情理。

註九六　瞿九思：《萬曆武功錄・卜寨那林孛羅列傳》第十一卷，第二九頁。

註九七　《清太祖高皇帝實錄》第六卷，第二五頁。

註九八　徐乾學：《葉赫國貝勒家乘》（清鈔本），第十六頁。

註九九　徐乾學：《葉赫國貝勒家乘》（清鈔本），第十六頁。

註一〇〇　《滿文老檔・太祖》第十二卷，天命四年八月。

註一〇一　《清太祖高皇帝實錄》第六卷，第二八頁。

註一〇二　徐乾學：《葉赫國貝勒家乘》（清鈔本），第十六頁。

註一〇三　徐乾學：《葉赫國貝勒家乘》（清鈔本）第十九頁。

註一〇四　《清太祖高皇帝實錄》第六卷，第二九頁。

註一〇五　《盛京通志》第十五卷，第九頁載：「葉赫山城，葉赫城西北三里，周圍四里，南北各一門；內有一小城，周圍二里，南北各一門。」

註一〇六　《明神宗實錄》第五八六卷、萬曆四十七年九月甲申：「據遼東總兵李如楨塘報稱：奴酋於前月二十一日寅時攻陷金臺失、白羊骨二寨，各到部爲照，北關已破。」北關滅亡之日，應以《滿文老檔》記載爲據。

註一〇七《滿文老檔·太祖》第十二卷，天命四年八月二十二日。

第四章　并附「野人」女真

一、統一東海女真

「野人」女眞的一支——東海女眞，居住在黑龍江支流松花江和烏蘇里江流域及烏蘇里江以東濱海地區。東海女眞主要有三部，如《清太祖高皇帝實錄》所載：

東海之渥集部，瓦爾喀部，庫爾喀部。（註一）

渥集部又稱窩集部、兀吉部（註二），爲滿語 weji 的對音，是密林的意思。渥集部歷史久遠，「漢、魏之沃沮，元之烏者、吾者，明之兀者，其部族不一，而地基廣袤，以音與地求之，蓋即窩集也」。（註三）一四〇三年（永樂元年），渥集部長西陽哈等貢馬，置渥集衞。（註四）渥集部主要居住在松花江與烏蘇里江滙流處以上，兩江之間的廣大流域地區。它東瀕烏蘇里江，西接烏拉部，南界朱舍里部等，北臨使犬部。瓦爾喀部主要居住在圖們江流域及烏蘇里江以東濱海地區，東迄海濱及沿海島嶼之地。庫爾喀部的居住區域，文獻記載疏略，各書所述不一。如《清開國初征服諸部疆域考》載：

虎爾喀部在渥集部之西北，其所屬路城名稱，稀見於史籍。《戰迹輿圖》置「庫爾喀部」於黑龍江中游，精奇里江與呼瑪爾河間之黑龍江流域。呼瑪爾河上源有庫爾喀河，蓋因河得名也。其地有呼瑪爾城、烏魯蘇城、穆魯蘇蘇城及額蘇哩城（今海蘭泡附近）等。又《東華錄》所記天聰間征虎爾喀部收取壯丁，常呼之曰：「黑龍江地虎爾喀部」；大抵虎爾喀部包括自松花江黑龍江會流處以北，呼瑪爾河黑龍江會流處以南，其東南接渥集部，東北接薩哈連部，西抵小興安嶺，接索倫部。（註五）

但也有人意見相左，將庫爾喀部置烏蘇里江以東濱海地區。（註六）其實，庫爾喀、虎爾喀、胡兒胯、瑚里哈等在《滿文老檔》中作 hurha ，即虎爾哈。在文獻記載中，常出現「黑龍江虎爾哈」、「渥集虎爾哈」、「東海虎爾哈」等。它分布區域很廣。大體說來，黑龍江虎爾哈部主要居住地區，東鄰渥集部，西接索倫部，南界烏拉部，北抵薩哈連部。前引劉選民《清開國初征服諸部疆域考》中虎爾哈部居住地區，即主要指黑龍江虎爾哈。總之，東海女眞除女眞族之外，還有那乃人等。努爾哈赤統一女眞，就要幷服東海女眞各部。

統一東海女眞，先從臨近建州女眞的瓦爾喀部開始。約在一五九六年（萬曆二十四年），努爾哈赤派費英東率兵「初征瓦爾喀，取噶嘉路」（註七），揭開了統一烏蘇里江流域及其以東濱海地區的序幕。

一五九八年（萬曆二十六年），努爾哈赤派其五弟巴雅喇、長子褚英和將領噶蓋、費英東等領兵一千，征討安褚拉庫路（松花江上游二道江一帶），星夜兼馳，兵到後攻取二十個屯寨，收服所屬屯

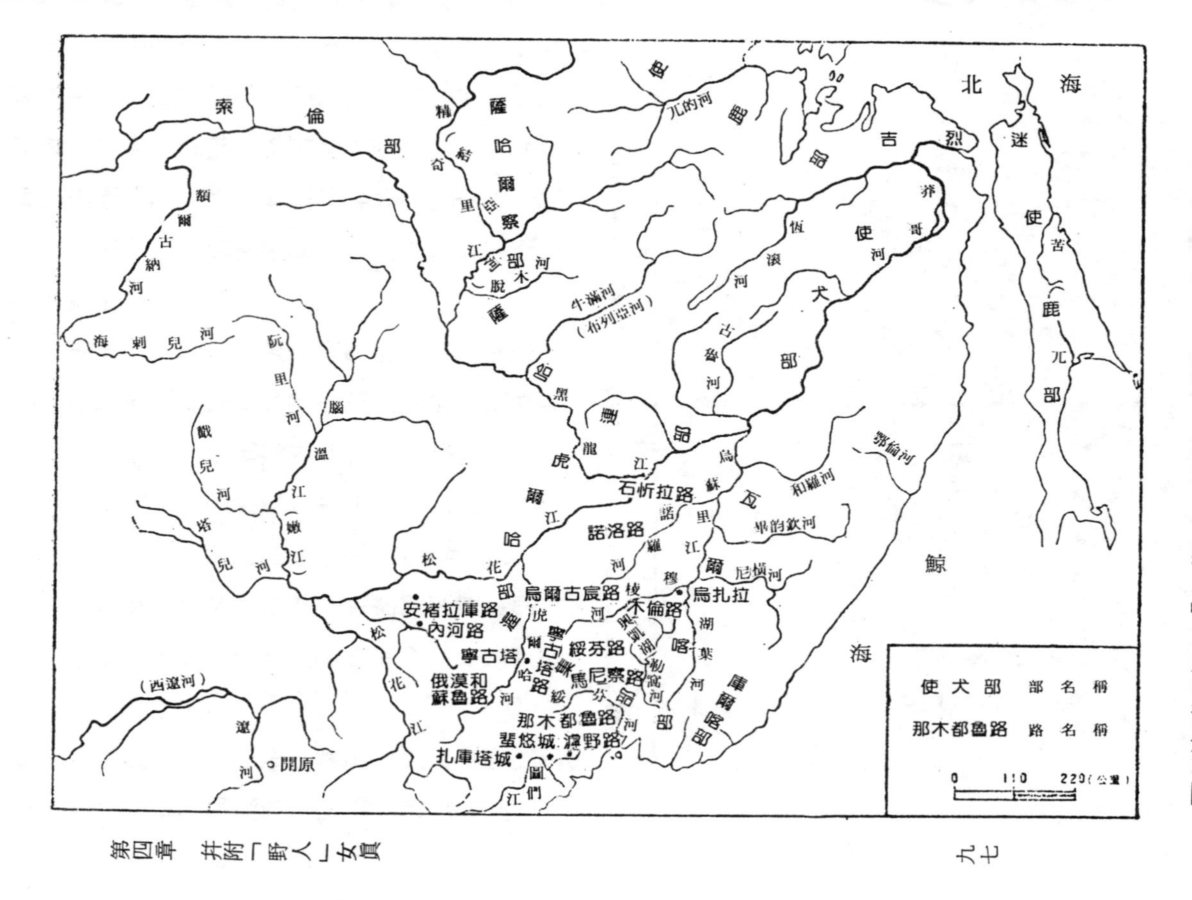

十六世紀末至十七世紀初東北地區「野人」女眞等部分布圖

落（註八）；同時攻取內河路（松花江上游一帶）。因他們立下功勞，賜巴雅喇爲卓禮克圖，褚英爲洪巴圖魯。

一五九九年（萬曆二十七年）正月，東海渥集部虎爾哈路路長王格、張格歸附努爾哈赤，貢納「黑、白、紅三色狐皮，黑、白二色貂皮」。（註九）自此，渥集部之虎爾哈路每歲交納貢獻。他們中的部長博濟里等六人求婚，努爾哈赤因其率先歸附，將六位大臣之女分別嫁給他們做妻子，以聯姻方式鞏固建州女眞與東海女眞的關係。

王格、張格向建州貢納的貂皮，是東海女眞的重要特產。在烏蘇里的莽林中，有古老的紅松、柞樹、楊樹、樺樹和杉樹等，樹木雜陳，風景如畫。叢林中的貂鼠，因其皮毛珍貴，是女眞人最佳狩獵物。秋天——捕貂的季節，人

王格、張格歸附

們或用獵犬捕貂，或編柵結網捕貂。編柵結網捕貂，是用樹枝編成柵欄，柵欄中留一小口，口裏吊著一個用馬尾結的活套。捕貂人把柵網安放在貂鼠經過的路上。當貂鼠從柵網的圓口中穿過時，便被馬尾網套住。獵犬捕貂，《朔方備乘》中有如下記載：

捕貂以犬，非犬則不得貂。虞者往還，嘗自減其食以飼犬，犬前驅停嗅深草間即貂穴也，伏伺擒之；或鶩竄樹末，則人、犬皆息以待其下。犬惜其毛，不傷以齒；貂亦不復戕動，納於囊，徐以其死。（註一〇）

捕貂人把貂皮剝下晾乾，用樺樹皮包好收藏，以備交易和貢納。王格、張格用部民獵狩的潤澤香郁、豐厚純黑的上等貂皮納貢，表明了渥集部虎爾哈路的歸服。從此，建州加速了對烏蘇里江流域各部的統一進程。

一六〇七年（萬曆三十五年）正月，東海女眞瓦爾喀部蜚悠城（今琿春北二十里古城）（註一一）主策穆特黑至建州，對努爾哈赤說道：「吾等因地方遙阻，附烏喇；烏喇貝勒布占泰，遇吾等虐甚，乞移家來附」。（註一二）努爾哈赤決定派兵去搬接他們至建州。

同年，建州兵在搬接蜚悠城部衆的歸途中，受到烏拉貝勒布占泰軍隊的阻截，兩軍進行了烏碣岩之戰。建州軍擊敗烏拉軍隊，遂乘勝奪取高嶺會寧路，打開了通往烏蘇里江流域及其以東地區的大門。此後，建州以寧古塔（今黑龍江省寧安）爲基地，向北往黑龍江中下游，向東往烏蘇里江流域勝利進軍。

在烏碣岩之戰以後，渥集部的赫席黑、俄漠和蘇魯和佛訥赫拖克索三路（註一三），仍然服從烏拉貝勒布占泰。努爾哈赤說：

我們是一國人，因住地相離很遠，被烏拉國阻隔。你們至今服從烏拉國過活。今天我們同國人已有了汗，打敗烏拉兵，現在你們要服從我們同國人的汗。（註一四）

但他們仍不歸附。建州爲著孤立烏拉，這年五月，派巴雅喇、額亦都、費英東、扈爾漢等統兵一千，征討東海渥集部，攻取赫席黑、俄漠和蘇魯和佛訥赫拖克索三路（註一五），「獲人畜二千而回」。（註一六）

一六〇九年（萬曆三十七年）十二月，努爾哈赤在臣服鄰朝鮮而居的瓦爾喀部之後，命侍衞扈爾漢統兵千人，向東北深入，伐取渥集部所屬滹野路。滹野爲滿文 huye 的對音，意爲射雕的隱身穴。滹野路即明正統後設置的呼夜（兀也）衞。它在琿春東北，烏蘇里江上游支流瑚葉河（今蘇聯濱海地區刀畢河）一帶。（註一七）扈爾漢擊取滹野路，俘虜二千（註一八），在那裏過了年節後，二月返回建州。扈爾漢因這次軍功而被賞給甲冑、馬匹，並被賜號達爾漢侍衞。

一六一〇年（萬曆三十八年）十一月，因綏芬路路長圖楞降附建州後，被渥集部雅攬路人擄掠，努爾哈赤遂命額亦都率兵千人，到圖們江北岸、綏芬河和牡丹江一帶，招服渥集部的那木都魯、綏芬、寧古塔、尼馬察四路。其首領康果禮、喀克都里、昂古、明噶圖等降附，並舉家遷至建州，歸順了努爾哈赤。額亦都又乘勝率兵擊取雅攬路。雅攬路以河得名，《吉林通志》載：「雅蘭河出錫赫特山，南行二百餘里入海」。（註一九）明永樂六年置牙魯衞（註二〇），設在臨近海邊的牙魯河流域，牙魯河清代稱雅蘭河。雅攬路即今俄羅斯新國協的海參崴（符拉迪沃斯托克）東北雅蘭河一帶。額亦都擊取雅攬路，「獲人畜萬餘而回」。（註二一）

一六一一年（萬曆三十九年）七月，努爾哈赤派其第七子阿巴泰和費英東、安費揚古帶兵千人，征討渥集部之烏爾古宸、木倫二路。《吉林通志》載：「烏爾古宸路，一作庫爾布新，河名也；在興凱湖東北入烏蘇里江，路亦以河名也」。（註二二）木倫路因穆稜河得名，《滿洲源流考》載：「穆倫河在寧古塔城東四百里，出穆倫窩集，東流入烏蘇里江」。（註二三）木倫路部民居住在今穆稜河流域及穆稜河與烏蘇里江會流處附近。所以《聖武記》載：「穆林河會烏蘇里江，入混同江，在寧古塔東北」（註二四），木倫路即在穆稜河流域。

先是，努爾哈赤賞給寧古塔路首領僧格、尼喀禮的甲四十副放在綏芬路，但被烏爾古宸、木倫路的人襲擊綏芬路時奪去。努爾哈赤派博濟里去通知他們說：「將那四十副甲，用四十四馬馱來」！（註二五）但他們沒有這樣做。建州兵到之後，將烏爾古宸和木倫二路收取，並「獲得俘虜一千」。（註二六）

同年十二月，派何利里、額亦都、扈爾漢率兵二千，征伐東海虎爾哈部扎庫塔城。扎庫塔為滿文 jakūta 的對音，意為「各八」。扎庫塔城在圖們江北岸，琿春河、海蘭河之西，距琿春城一百二十里。（註二七）這次征討的原因，是扎庫塔城主對建州和烏拉採取中立政策。努爾哈赤要求東海女貞各部，在建州與烏拉之間，只能倒向建州，不許有其他選擇。他發兵懲罰扎庫塔城主，兵到之後，圍城三天，遭到守城軍民的頑強抵抗。城陷後，「斬首一千，獲俘二千」(註二八)，並招撫環近地區居民。

一六一四年(萬曆四十二年)十一月，努爾哈赤派兵五百人，十二月襲擊了錫林；隨後前進，襲擊雅蘭部。(註二九)雅攬路的位置前已敍及，錫林路的位置，各書記載不一：

西臨路亦以河得名，《吉林通志》謂在琿春東南境西林河；實應改作琿春東境。《滿洲源流考》謂在寧古塔境，尤屬支離。《戰迹輿圖》以西璘路在西璘河流域，南流入海，在雅蘭河之西。(註三〇)

錫林爲滿文 sirin的對音，意爲銅。錫林路之位置，以《盛京吉林黑龍江等處標注戰迹輿圖》所指爲是。錫林路在錫林河流域，因河得名。錫林河在海參崴之東，雅蘭河以西，南流入日本海。前引《滿文老檔》所記進軍路線，即爲證據。這次出征，建州軍「收降民二百戶，人畜一千而回」。(註三一)

一六一五年(萬曆四十三年)十一月，努爾哈赤派兵二千人，征討東海渥集部額黑庫倫。額黑庫倫部民「住在東邊的東海之北」(註三二)，即今俄羅斯新國協烏蘇里江以東濱海地區納赫塔赫河地方。建州兵行至顧納喀庫倫，招降不服，分兵兩路，越壕三道，拆毀柵欄，攻入城內。建州軍陣斬八百人，俘獲萬人，收撫其居民，編戶五百而回。(註三三)但是，「俘獲萬人」《滿洲實錄》和《清太祖武皇帝實錄》均作「俘獲萬餘」(註三四)，顯然是包括人口和牲畜在內。

一六一七年（萬曆四十五年，天命二年）正月，努爾哈赤派兵四百人，攻取沿海散居未服的諸部人（註三五）；二月，「遂將東海沿岸散居之民盡取之」（註三六）；三月，「造大刀船，渡過海灣，逮住占據海島未服的諸部人」。（註三七）

一六一八年（萬曆四十六年，天命三年）十月，派兵搬接東海虎爾哈納喀達爲首的百戶降順部民至建州。（註三八）後金對東海女眞政策取得重大成果。

一六一九年（萬曆四十七年，天命四年），努爾哈赤在正月和六月，先後兩次派穆哈連帶兵千人，收取東海虎爾哈部民。六月初八日，穆哈連「帶來千戶，男二千人，六千餘口」。（註三九）他親自出城迎接，並命搭八個涼棚，擺二百桌酒席，殺二十頭牛，舉行盛宴款待穆哈連及歸順的各部大小首領。

一六二五年（天啓五年，天命十年），後金在集中精力奪取遼瀋地區並鞏固對其統治，連續六年未曾大規模地向東海女眞用兵之後，又先後六次發兵征討東海女眞。這是努爾哈赤對東海女眞用兵最勤的一年。如：

第一次，正月，派遣博爾晉轄「帶兵二千，征討住在東海邊的瓦爾喀」。（註四〇）

第二次，先是，上年十二月，派喀爾達等統兵征討瓦爾喀，「初九日進入柯伊，逮住和勒必、齊什納、徹木德和三人，以後在柯伊獲男子一百，新、舊人口三百七十」。（註四一）至三月初四日（註四二），喀爾達、富喀納、塔羽等率兵招降瓦爾喀部等三百三十二人而回，得到後金汗的接見。

第三次，四月初四日，迎接族弟王善、副將達朱戶、車爾格統兵一千五百人，征討瓦爾喀部凱歸，努爾哈赤與三臣行抱見禮後，宴賞軍士及降民。旋又命宰牛羊四十頭，擺四百桌酒席，備四百瓶燒酒、黃酒，宴勞出征將士和編戶降民。後又賜出征的披甲兵士每名銀五兩，跟馬人每名銀二兩。（註四三）

第四次，八月，出城至渾河岸迎接宴勞前遣侍衞博爾晉轄等統兵三千，往征東海南路虎爾哈，招降五百戶而還的諸將及招來的頭目。

第五次，同月，再出城宴迎前遣雅護、喀穆達尼，率兵征東海北路卦爾察部，獲其部民二千而還的諸將等。（註四四）

第六次，十月初四日，出城迎接其第三子阿拜、第六子塔拜、第九子巴布泰，統兵一千征東海北路虎爾哈部，獲一千五百部民而歸，並賜宴犒師。（註四五）

努爾哈赤對東海女眞前後用兵達三十年，基本上統一了東海女眞。日本稻葉君山說：「在西紀一六一六年（萬曆四十四年，天命元年）以前，太祖之兵，及於烏蘇利江東方沿海」。（註四六）朝鮮《光海君日記》當年記述努爾哈赤在東海一帶勢力時指出：「東至北海之濱，幷爲其所有」。（註四七）努爾哈赤在東起日本海，西迄松花江，南達摩淵崴灣、瀕臨圖們江口，北抵鄂倫河這一廣大疆域內，基本上統一了東海女眞諸部等，並取代明朝而實行統轄。後來皇太極多次征撫，東海女眞歲歲入貢，完全臣服。

二、統一黑龍江女眞

「野人」女眞的另一支——黑龍江女眞，因居住在黑龍江流域而得名。在黑龍江流域，居住著黑龍江虎爾哈部、薩哈連部、使犬部、使鹿部和索倫部等。在這一地區，有水量豐沛的河流，廣濶的草甸，蓊鬱的叢林，茂密的灌木。灌木林中有紅瑞山茱萸和紅果山楂，繡絨菊和山葡萄。在楊樹、柳樹、松樹和樺樹的林蔭中，布散著女眞人、達斡爾人、鄂溫克人、鄂倫春人、費雅喀人和索倫人的村屯。他們靠狩獵、畜牧、採集、種植或捕魚爲生。捕魚時，人們乘坐用樹脂黏合樺樹皮製作的刀船，划著鏟形船槳，以魚叉捕獲鱘魚和鰉魚等。魚叉被皮條的一端拴著，皮條的另一端繫在捕魚者腰上。捕魚時，捕魚人迅速而準確地向魚叉去，一旦叉上魚之後，魚叉被魚帶著疾游，但因魚叉爲皮條所繫，魚便被捕獲。

捕魚之外還採東珠。《滿洲源流考》記載：

> 東珠出混同江及烏拉、寧古塔諸河中，匀圓瑩白，大可半寸，小者亦如菽顆，王公等冠頂飾之，以多少分等秩，昭寶貴焉。（註四八）

在長滿水藻、綠苔的河漢裏，是撈採東珠的好地方。採珠人在每年四月至八月的採珠季節裏，乘葳瓠（獨木舟）負袋潛水採珠。他們潛在水中，撈出河蚌，裝入袋中，上岸取暖後，再潛到水裏。將撈取的河蚌敲開，尋找珍珠。往往在幾十個、幾百個甚至幾千個蚌殼裏才能挖出一顆東珠。把採到的東珠裝在魚皮袋囊或樺樹皮盒裏，以備貢賦。

上述地區的部民，元亡後受明廷的管轄。努爾哈赤建元之後，在統一東海女眞的同時，爲從明朝手中接管對黑龍江流域的統治權，曾多次發兵征討黑龍江女眞。他首先兵指薩哈連部。

薩哈連部因居住在薩哈連烏拉流域而得名。薩哈連爲滿語 sahaliyan 的對音，是黑色的意思；烏拉爲滿語 ula 的對音，是江的意思。薩哈連烏拉即黑龍江，亦稱「黑水」。薩哈連部的居住區域，《東三省輿地圖說》載：「薩哈連部在今黑龍江瑷琿城以下至黑河口西岸，及自三姓音達穆河以下至烏蘇里口松花江南岸地方」。（註四九）《盛京吉林黑龍江等處標注戰迹輿圖》把它標注在精奇里江瑷琿城東、黑龍江北岸一帶。（註五〇）《清開國初征服諸部疆域考》載，薩哈連部分布在精奇里江和牛滿河流域。（註五一）薩哈連部居住在黑龍江中游（註五二）流域。其部東至烏蘇里江口、接使犬部，西鄰索倫部，南至黑龍江虎爾哈部，北界使鹿部。

一六一六年（萬曆四十四年，天命元年），後金汗努爾哈赤發兵征討薩哈連部。關於這次兵事，不僅《滿文老檔》、《清太祖實錄》和《滿洲實錄》均有載述，證明確有其事（註五三）；而且《滿文老檔》留下更詳細的記載：

第一，征討原因：

薩哈連烏拉的薩哈連部和虎爾哈部商議說：「我們把來這裏做生意的三十人，并同我們兄弟帶來的四十人，全部殺死，一同叛亂。」在五月把那七十人殺了。那時有九人脫逃，使這個慘殺的消息，在六月二十八日，傳到英明汗的耳中。大英明汗憤慨地說：「派兵征討」！

第二，會議師期：

諸貝勒大臣諫阻說：「夏季多雨泥濘，大軍行動不便，最好在冬季結冰再進攻。」但是汗反駁說：「在夏天如果不去，到秋天他們把糧食埋藏各處，自己拋棄屯寨去陰達琿塔庫喇喇部。我們的兵回來後，他們又返回故地，取出埋藏的糧食吃。……這個夏天，我們兵如果去，他們只顧自己逃避，沒有時間埋藏糧食。他們以爲在這個夏季大軍不會來，他們將安閒不備，所以現在出兵，能一舉全勝。

第三，軍事準備：

七月初一日，發布命令：「從每一牛彔挑選強壯的馬各六匹，把一千匹馬放在田野中養肥。」初九日，又命令：「從每牛彔派出製造獨木船者各三人。派六百人去兀爾簡河發源處的密林中，造獨木船二百艘。

第四，作戰經過：

七月十九日，命令：「達爾漢侍衞扈爾漢、碩翁科羅巴圖魯安費揚古率兵二千人，到兀爾簡河後，領兵一千四百名，乘獨木船二百艘前進；另六百名騎兵在陸上行走。」當日出發，第八天到達造獨木船的地方。扈爾漢和安費揚古率兵乘獨木船在烏拉河前進，騎兵在陸上前進。第十八天，前進的水陸兵會合。又前進二晝夜，八月十九日到達目的地。襲擊茂克春大人居住在河北岸的十六個屯寨，全部奪取了。博濟里大人居住在河南岸的十一個屯寨，也全部奪取了。將在薩哈連江南岸的薩哈連部的九個屯寨奪取了。一共奪取三十六個屯寨。在薩哈連江南岸的佛多羅袞寨駐營。……從前薩哈連江和松阿里江在十一月十五至二十日後才結冰。大英明汗出兵那年，十月初就結冰了，所以汗的兵在初五日渡過了薩哈連烏拉。……奪取了薩哈連部內十一個屯寨，然後全部返回了。

第五，勝利回師：

在十一月初七日，帶領路長四十人回到汗城。（註五四）

後金汗在繼征討薩哈連部之後，又招附薩哈爾察部。薩哈爾察爲滿語 sahalca 的對音，是黑色貂皮的意思。薩哈爾察部民居住在牛滿河（今布列亞河）地區，其部長薩哈連歸附後金，並成了後金的額附。（註五五）一六一八年（萬曆四十六年，天命三年），努爾哈赤率軍攻打撫順，薩哈連額附隨軍從征，備受器重。在野營的夜晚，努爾哈赤向薩哈連額附講述「金朝往事」。（註五六）努爾哈赤征伐薩哈連部取得勝利，薩哈連成爲後金額附，這表明後金開始統治黑龍江中游地區。與此同時，努爾哈赤又征撫黑龍江下游地區的使犬部和使鹿部。

使犬部，其滿文體爲 indahūn takūrara golo ，漢文音譯作陰答琿塔庫拉拉。indahūn 意爲犬，takūra(mbi)意爲使，golo意爲路。使犬部的居住範圍，大致在烏蘇里江下游地區、松花江與黑龍江會流處以下沿混同江兩岸，和使鹿部相接。它主要分爲三部：奇雅喀喇部、赫哲喀喇部和額登喀喇部。（註五七）奇雅喀喇部，其地在烏蘇里江口以南一帶。（註五八）赫哲喀喇部，《滿洲氏族源流考》載：「自寧古塔東北行千五百里，居松花江、混同江兩岸者曰赫哲喀喇；又東北行四五百里，居烏蘇里、松花、混同三江滙流左右者，亦曰赫哲喀喇」。（註五九）額登喀喇部，其地在赫哲喀喇之東北，混同江兩岸。（註六〇）

居住在黑龍江下游一帶的使犬部，包括達斡爾人、赫哲人、鄂倫春人、鄂溫克人等。他們畜犬，而且數量很大，一戶能畜養幾十隻、幾百隻。使犬部因以得名。犬的主要食物是魚，也食野兔、田鼠等。犬被用來行獵、拉船和拖扒犂。（註六一）夏季逆水行船，用犬拉縴行船；冬季冰雪狩獵，用犬拖曳扒犂。以犬拉縴時，用四隻或六隻犬，犬脖子上戴著套圈，套圈繫著皮條，皮條的另一端繫在船上，犬拖著船在逆水中航行。犬拉扒犂也是一樣的。獵人要行獵時，將食品、獵具等裝在扒犂上，扒犂前部拴上皮條，皮條的另一端繫在犬的頸套上。在數條拉扒犂的犬中，有一條「轅犬」被套在最前面作爲先導，其他犬相隨而行。犬會伶俐而協同地聽著主人的吆喝聲，按著御手的意思奔馳或停止。因此，狗在使犬部的部民中有著特殊的地位。他們的習俗是不吃狗肉、不穿狗皮，甚至把狗當作圖騰而加以崇拜。

使犬部人的主要經濟生活是狩獵和捕魚。狩獵除捕捉野豬、駝鹿（註六二）、猞猁猻等外，也獵捕水獺。水獺喜棲息在多魚的河裏。它膽小，狡猾，伶俐，月夜時常叼著魚在河中嬉游。水獺排糞時要鑽出水面，而且經常到固定的地點去。獵人摸着水獺這一習性，在它排糞時經過河灘的路上安放夾子。水獺從中往返，被獵人捕獲。獵人捕到水獺後，把皮剝落風乾，裝在用樺樹皮製作的箱子裏，以備交換或貢獻用。但他們主要靠捕魚爲生。黑龍江魚產豐富，其中有鮭魚、鱘魚、鯰魚、鯉魚、鰉魚、狗魚和大馬哈魚等，爲他們提供了豐富的資源。他們既用魚叉捕魚，也用魚網捕魚。魚的用處很多，魚肉用作食物，魚骨製作器物，魚油可以點燈，魚皮能縫製衣服。他們用各色的魚皮，經過揉製變軟，縫合成色彩鮮豔的魚皮衣。因其以魚皮爲衣，所以使犬部又叫魚皮部。

後金汗在征討薩哈連部的同時，又征撫使犬部。一六一六年（萬曆四十四年，天命元年），努爾哈赤發兵征取使犬部。《清太祖高皇帝實錄》載：「招服使犬路、諾洛路、石拉忻路路長四十人」。（註六三）後金軍水陸並進，深入千里之外，兵鋒所指，「莫不慴服」。（註六四）

使鹿部的居住範圍，《盛京吉林黑龍江等處標注戰迹輿圖》載：其部在使犬部之北和東，混同江下游以東濱海，包括庫頁島全部。（註六五）使鹿部主要有費雅喀部、奇勒爾部等，也包括吉烈迷。費雅喀部在額登喀喇東北七八百里（註六六），即在混同江以東。奇勒爾部，《吉林通志》載：「奇勒爾亦曰奇楞，在寧古塔東北二千餘里亨滾河等處，即使鹿鄂倫春游牧處所」。（註六七）其居地在黑龍江口一帶。

在統一使犬部的同時，努爾哈赤並沒有忘記在黑龍江口和庫頁島一帶使鹿部的部民。庫頁島今稱薩哈林島，爲俄語Сахалин的對音。薩哈林即薩哈連的音轉。庫頁島的面積有七萬六千五百平方公里，爲臺灣面積的二倍多。它地形狹長，南北長九百五十公里。這裏森林茂密，魚產豐富，盛產鯡魚、鱈魚、鮭魚、鱸魚和海蟹等。庫頁島氣候較寒冷，但南部港口爲不凍港。島上居住的吉烈迷和苦夷人等，「以鹿爲家畜」，所以又稱爲使鹿部。

庫頁島又稱苦兀，《寰宇通志》載：「苦兀在奴兒干海東」。（註六八）一四一二年（永樂十年），明在庫頁島設立囊哈兒衞。（註六九）同年，明成祖朱棣派亦失哈等到庫頁島視察。努爾哈赤爲接管明朝在黑龍江下游直至庫頁島的疆土，曾不斷地向這一地區用兵。後來庫頁內附，「每歲進貂皮，設姓長、鄉長、子弟以統之」。（註七〇）

總之，努爾哈赤對東海女眞和黑龍江女眞多年用兵，在烏蘇里江和黑龍江中下游廣大地區迅速地取代明朝的統治，其重要原因是對「野人」女眞採取了「且征且撫」（註七一）的政策。

三、對「野人」女眞的政策

努爾哈赤對「野人」女眞的經營先後約三十年。這三十年大致可以分作三個階段，即：第一階段——從一五九六年至一六〇六年。這個時期形勢的特點是，建州東鄰朝鮮、西接葉赫、南爲明朝、北界烏拉，四面被圍，尤與葉赫、烏拉鼎立爭雄。努爾哈赤僅在圖們江流域蠶食東海女眞，動作謹愼，以撫爲主，未敢興兵遠襲。渥集部王格、張格二路長入貢，瓦爾喀部蜚悠城主策穆特黑越烏拉投附，是其主撫政策初獲成效的驗證。第二階段——從一六〇六年至一六一六年。這個時期以烏碣岩之役爲轉折點，建州軍長驅直入，伸向烏蘇里江以東濱海地區，征撫兼施，取得輝煌成果。第三階段——從一六一六年至一六二六年。這個時期建立後金政權，統一海西女眞，努爾哈赤雖把注意力轉向明朝，但他除繼續幷服東海女眞外，開始統一黑龍江女眞，勢力擴展至黑龍江中下游地區，從而達到其經營

「野人」女眞之極盛時期。

努爾哈赤在上述經營「野人」女眞的整個過程中，貫穿著「征撫並用，以撫爲主」的政策。這種政策的基本出發點是：壯大自己，孤立敵人。而要壯大自己，必先樹羽翼於同部。「野人」女眞與建州女眞爲同民族、同語言、同水土、同習俗。（註七二）因此，他爲著豐滿羽翼，壯大軍力，穩固後方，崛起遼東，就要幷取「野人」女眞。魏源在《聖武記》中說：

夫草昧之初，以一城一旅敵中原，必先樹羽翼於同部。故得朝鮮人十，不若得蒙古人一；得蒙古人十，不若得滿洲部落人一：族類同則語言同，水土同，衣冠、居住同，城郭、土著、射獵、習俗同。（註七三）

因爲努爾哈赤含恨起兵，其惱恨集中於明朝統治者，所以他對同族的「野人」女眞諸部，始終採取征撫並用、以撫爲主的策略。這種政策，後來皇太極得以繼承和發展。《清太宗實錄》對這一政策有很好的說明。如皇太極對霸奇蘭等率軍往征黑龍江地方時，諭之曰：

爾等此行，道路遙遠，務奮力直前，愼毋憚勞而稍怠也。俘獲之人，須用善言撫慰，飲食甘苦，一體共之，則人無疑畏，歸附必衆。且此地人民，語音與我國同，携之而來，皆可以爲我用。攻略時，宜語之曰：「爾之先世，本皆我一國之人，載籍甚明，爾等向未之知，是以甘於自外。我皇上久欲遣人，詳爲開示，特時有未暇耳。今日之來，蓋爲爾等計也。」如此諭之，彼有不翻然來歸者乎？爾等其勉體朕意。（註七四）

而且，皇太極對上述政策在不同情況下的實施，有過具體闡述。他對薩爾糾等率兵往攻庫爾喀時說：「如得勝時，勿貪得而輕殺，勿妄取以爲俘。抗拒者，諭之使降；殺傷我兵者，誅之；其歸附者，編爲戶口，令貢海豹皮」。（註七五）顯然，前述政策的最初制定者是努爾哈赤。

努爾哈赤對「野人」女眞的征討，前已略及；其安撫策略——如聯姻、筵宴、賞賜、移民、安置、封官等，在這裏加以簡述。

後金汗對「野人」女眞各部上層人物總是千方百計地施以恩惠，爭取他們歸附自己。他對前來歸順的各部首領，先是親自迎接，大排筵宴；接著是賞賜奴僕、綢緞、牛馬、房田、甲冑；繼又授予各種不同的官職；還把宗室的女兒嫁給他們做妻子；並且答應在他們返回之後，如果受到別部的欺凌和掠奪，便派兵給予保護。建州同「野人」女眞各部逐漸地建立起親戚關係和臣屬關係。他的這種恩施做得極爲細致。如虎爾哈博濟里等路長來歸時，《滿文老檔》記載：「想到在寒冷時博濟里要穿好衣服，所以大英明汗將自己穿的前胸吊貂皮、後背吊猞猁猻皮的皮端罩給他；還想到博濟里從遠處來，乘馬疲敝了，所以給有鞍轡的馬以便騎來」。（註七六）路長們到達建州之後，《清太祖實錄》又記載：「路長各授官有差，其衆俱給奴僕、牛馬、田廬、衣服、器具，無室者並給以妻」。（註七七）他的這一套爭取各部上層人物歸順的辦法，是百試百中、屢行屢效的。

後金汗對「野人」女眞的招撫政策，同烏拉貝勒希占泰的殺掠政策，形成鮮明對照。如朝鮮咸鏡道觀察使李時發在馳啓中，對比努爾哈赤（老酋）和布占泰（忽胡）政策時說：

臣近觀老酋所為，自去年以來，設置一部於南略耳，囊括山外，以為己有，其志實非尋常。今又誘脅水下藩落，欲使遠近之胡盡附於己。江外諸胡積苦於忽胡之侵掠，無不樂附於老酋，故去多以後，投入於山外者其數已多，而此後尤當望風爭附。此胡舉措，實非忽胡之比」。（註七八）

顯然，烏拉貝勒布占泰對「野人」女真之貪婪侵暴政策，與努爾哈赤對「野人」女真之安撫招徠政策不可同日而語。後金汗對「野人」女真的這一政策，《滿文老檔》中有一段詳細的記述，雖文字較長，但讀起來並不乏味：

十月初十日，聽說東海虎爾哈部長納喀達率民百戶來歸，派二百人去迎接，於二十日到達。英明汗去衙門，虎爾哈部人叩頭謁見後賜宴。宴畢，要回家去的人站一行，願留住的人另站一行。優厚賞給願留者為首八人，阿哈（男女）各十對、牛馬各十頭，用豹皮鑲邊的掛蟒緞面的皮襖、長皮端罩、貂皮帽、皂靴、雕花腰帶、蟒緞無扇肩朝衣、蟒緞褂，四季穿的衣服、布衫、褲、褥、衾等；其次的給阿哈（男女）各五對、牛馬各五頭、衣服各五件；再次的給阿哈（男女）各三對、牛馬各三頭、衣服各三件；最末的給阿哈（男女）各一對、牛馬各一頭、衣服各一件。來的百戶人，不論長幼都按等充足地給了。汗親自去衙門賞賜五天，把房屋和生活用品鍋、席、缸、瓶、瓦瓶、杯、碗、碟、匙、筷子、水桶、箕、盆等，全都充足地賞給。看見那群賞給，原說回家的人，又有許多留下不回去了。（註七九）

留下的人托回去的人捎口信給家鄉兄弟親友說：「國之軍士欲攻伐，以殺我等、俘掠我家產，而上以招徠安集爲念，收我等爲羽翼，恩出望外，吾鄉兄弟諸人，其即相率而來，無晚也」！（註八〇）

上引記述雖不免有粉飾之詞，但從中可以看出努爾哈赤精心編導的這場招撫喜劇的演出，獲得了驚人的成功。

後金汗還對歸附的「野人」女眞部民，給予永久的政治與經濟特權，以籠絡更多的部民降順。如他對虎爾哈部歸順部民說：

阿爾奇納、徹齊克墨爾根、巴木布里、色勒交是虎爾哈路的部長，住在東海的島上，與魚、鳥共同生活。拋棄父祖的墳墓、出生地、喝的水，翻山涉水地走一個月的路程來，還有比這更可憐的嗎？這來投順的功勞，從那裏跟隨來的人，其子孫萬代都免納貢賦；若誤犯死罪，免死；若犯罰財物的罪，免罰。永沐仁愛之道。（註八一）

他接著宣布一張享有這種特權的四十七人的名單。按照當時的制度，「把這汗諭寫在文書上，八貝勒以下，諸備卿以上，掛在脖子上」（註八二），儼然像一枚大胸章。

後金汗對招撫的「野人」女眞，遷其部民，編丁入旗，首領授官，分轄其衆。建州由對抗海西、蒙古，進而對抗明朝，其兵源嚴重不足。努爾哈赤將征撫的「野人」女眞部民，大量遷至建州，編入牛彔。如一六〇九年（萬曆三十七年）間，他命在東海地區「盡撤藩胡，得精兵五六千，作爲腹心之軍」。（註八三）這些兵士悍勇、健壯，嫻弓馬、耐飢寒，爲建州軍補充了新生力量。他尤爲信用其首領，如庫爾喀部長郎柱，率先附建州。其子揚古利「日見信任，妻以女（註八四），號爲『額駙』。旗制定，隸滿洲正黃旗」。（註八五）揚古利位僅亞於八貝勒，爲一等總兵官；後來其子塔膽擢內大臣，孫愛星阿官至領侍衞內大臣。其弟冷格里爲左翼總兵官；（註八六）幼弟納穆泰後爲八大臣之一；從弟譚布崇德四年與索海等率兵攻取雅克薩，敗索倫部長博穆博果爾。（註八七）

又如渥集部綏芬路屯長康果禮等率兵壯千餘歸附，「分其衆爲六牛彔，以康果禮、喀克都里、伊勒占、蘇爾體、哈哈納、綽和諾世領牛彔額眞」。（註八八）後努爾哈赤以其弟穆爾哈齊女妻康古禮，號和碩額駙，又以其「能管轄兵，爲三等總兵官，宛三次死罪」。（註八九）皇太極時康果禮位列十六大臣，任護軍統領。康果禮弟喀克都里，也爲三等總兵官，後列八大臣，領正白旗。另一屯長哈哈納，被努爾哈赤妻以宗女，後佐鑲紅旗。其子費揚古以平定吳三桂叛亂功，被康熙帝授爲副都統。（註九〇）而尼馬察部長泰松阿子葉克書，歸附後授爲牛彔額眞。皇太極時位列十六大臣，爲固山額眞；其子道喇，康熙時任固山額眞，等等。實際上對「野人」女眞降民中授官的人遠不止以上數例。據《滿文老檔》第六十七至第七十卷的不完全統計，僅一六二五年（天啓五年，天命十年），對「野人」女眞各部首領及其部民晉官和恩賞的名單多至四百九十二人，約占升賞名單總人數七百八十四人的百分之六十二強。可見努爾哈赤「征撫並用，以撫爲主」政策的明顯效應。

但是，在征撫「野人」女眞時，其軍紀並不像後金汗所「諭旨」的那樣，而是異常殘酷。如一次出征瓦爾喀的八旗軍士，行至必音屯，將居民四人砍去手脚後殺死，又穿刺十九人的耳、鼻。（註九一）

總之，努爾哈赤在統一建州女眞和海西女眞之後，運用且戰且撫、征撫並用、以撫爲主的策略，迅速地統一了「野人」女眞的主要部分。後來他的繼承者皇太極，又經過多次征撫，統一了整個烏蘇里江和黑龍江流域。明代奴兒干都司的轄境，完全被置於後金的管轄之下。後金取代明朝，有力地統治著烏蘇里江和黑龍江流域的廣大地區。

後金汗努爾哈赤在統一建州女眞、海西女眞和「野人」女眞之後，爲了向明朝發動進攻，便着力征撫漠南蒙古諸部。

【附註】

註　一　《清太祖高皇帝實錄》第一卷，第八頁。

註　二　《清太祖高皇帝實錄》第一卷第八頁作「渥集」；《滿洲實錄》第一卷第六頁作「窩集」；《清太祖武皇帝實錄》第一卷第三頁作「兀吉」。

註　三　《滿洲源流考》第十三卷，第四頁。

註　四　《明太宗實錄》第二六卷，永樂元年十二月辛巳。

註　五　劉選民：《清開國初征服諸部疆域考》，《燕京學報》一九三八年，第二三期。

註　六　格・瓦・麥利霍夫：《滿洲人在東北》第四三頁。

註　七　《清史列傳・費英東》第四卷，第一頁。

註 八 《清史稿．巴雅喇傳》：「取屯寨二十，降萬餘人」；《清太祖武皇帝實錄》第一卷第十二頁作「獲人畜萬餘而回」，《滿洲實錄》第二卷第十六頁作「獲人畜萬餘而回」；是知《清史稿．巴雅喇傳》誤。

註 九 《清太祖高皇帝實錄》第三卷，第一頁。

註一〇 何秋濤：《朔方備乘》第四五卷，第六頁。

註一一 《吉林通志》第二十四卷，第二九頁。

註一二 《清太祖高皇帝實錄》第三卷，第九頁。

註一三 《吉林通志》第十二卷載，赫席黑在敦化縣境，俄漠和蘇魯即敦化北之額默和索羅站，佛訥赫拖克索在敦化西北、寧古塔（寧安）西南。

註一四 《滿文老檔．太祖》第一卷，丁未年（萬曆三十五年）三月。

註一五 《圖本檔》第二卷，第十三頁，中國第一歷史檔案館藏。

註一六 《清太祖武皇帝實錄》第二卷第三頁和《滿洲實錄》第三卷第八頁均作「獲人畜二千而回」；但《清太祖高皇帝實錄》第三卷第十二頁作「俘二千人而還」。

註一七 《盛京吉林黑龍江等處標注戰迹輿圖》三排上。

註一八 《滿文老檔．太祖》第一卷，己酉年（萬曆三十七年）十二月。但《清太祖武皇帝實錄》第二卷第四頁和《滿洲實錄》第三卷第十頁均作「獲人畜二千而還」；《清太祖高皇帝實錄》第三卷第十六頁和《清史列傳．扈爾漢》均作「收二千戶而還」。

註一九 《吉林通志》第十二卷，第二二頁。

註二〇　《明太宗實錄》第七七卷，永樂六年三月丁卯。

註二一　《清太祖武皇帝實錄》第二卷第四頁、《滿洲實錄》第三卷第十一頁和《圖本檔》第二卷第十七頁均作「獲人畜萬餘而回」；《清太祖高皇帝實錄》第三卷第十六頁作「俘萬餘人而還」，《清史列傳・額亦都》和《滿文老檔・太祖》庚戌年十二月均作「俘萬人而還」。

註二二　《吉林通志》第十二卷，第二一頁。

註二三　《滿洲源流考》第十三卷，第六頁。

註二四　魏源：《聖武記》第一卷，第七頁。

註二五　《滿文老檔・太祖》第二卷，辛亥年（萬曆三十九年）。

註二六　《滿文老檔・太祖》第二卷，辛亥年（萬曆三十九年）七月。

註二七　《吉林通志》第二四卷，第二八頁。

註二八　《滿文老檔・太祖》第二卷，辛亥年（萬曆三十九年）十二月。

註二九　《滿文老檔・太祖》第三卷，甲寅年（萬曆四十二年）十一月。

註三〇　劉選民：《清開國初征服諸部疆域考》，《燕京學報》一九三八年，第二三期。

註三一　《清太祖武皇帝實錄》第二卷，第七頁。

註三二　《滿文老檔・太祖》第四卷，乙卯年（萬曆四十三年）十二月二十日。

註三三　同上。

註三四　《滿洲實錄》第四卷，第五頁，《清太祖武皇帝實錄》第二卷，第八頁。

註三五　《滿文老檔・太祖》第五卷，天命二年正月十八日。
註三六　《清太祖武皇帝實錄》第二卷，第十頁。
註三七　《滿文老檔・太祖》第五卷，天命二年三月。
註三八　《滿文老檔・太祖》第七卷，天命三年十月初十日。
註三九　《滿文老檔・太祖》第九卷，天命四年六月初八日。
註四〇　《滿文老檔・太祖》第六四卷，天命十年正月初七日。
註四一　《滿文老檔・太祖》第六四卷，天命十年正月二十一日。
註四二　《清太祖高皇帝實錄》第九卷第十一頁載：「庚午，上自東京起行，夜駐虎皮驛。辛未，至瀋陽。初，上命喀爾達、富喀納、塔羽引兵征東海瓦爾喀部。是日，率降附之衆三百三十人歸。」案：庚午爲二十二日，辛未爲二十三日。但是，㈠《滿洲實錄》第八卷第二頁載：「於初三日出東京，駐虎皮驛。初四日，至瀋陽。是日，有前遣去喀爾達……」。㈡《清太祖武皇帝實錄》第四卷第六頁載：「於初三日出東京，宿虎皮驛。初四日，至瀋陽。是日，有前遣去剛兒搭……」。㈢《滿文老檔・太祖》天命十年載：「三月初三，汗向瀋陽遷移，在辰刻從東京出發。給他的父祖墳墓，供杭州細綢，在二衙門殺牛五頭，燒了紙錢。隨後向瀋陽去。在虎皮驛住宿。初四，……在瀋陽的河渡口，出征瓦爾喀的塔羽、喀爾達、富喀納向汗叩頭謁見了。」據上可知，《清太祖高皇帝實錄》此條所係日期誤。
註四三　《滿文老檔・太祖》第六五卷，天命十年四月十三日和十八日。
註四四　《清太祖高皇帝實錄》第九卷，第十三頁。
註四五　《清太祖高皇帝實錄》第九卷，第十八頁。

註四六　稻葉君山：《清朝全史》上㈠，第八八頁。

註四七　《光海君日記》第二三卷，元年十二月丙寅。鼎足山本、太白山本同。

註四八　《滿洲源流考》第十九卷，第一頁。

註四九　《東三省輿地圖說》第二八頁。

註五〇　《盛京吉林黑龍江等處標注戰迹輿圖》五排三下。

註五一　劉選民：《清開國初征服諸部疆域考》，《燕京學報》一九三八年，第二三期。

註五二　黑龍江全長二千九百餘公里，從石勒喀河與額爾古納河滙流處至精奇里江（結雅河）同黑龍江會流處一段，爲黑龍江的上游，烏蘇里江與黑龍江會流處以下至海一段，爲黑龍江的下游，中間的一段，爲黑龍江的中游。

註五三　格・瓦・麥利霍夫《滿洲人在東北》第四七至四八頁載：「儘管在像《努爾哈赤實錄》這樣的文獻資料中有證明此次遠征〔引者注——指後金征討薩哈連部〕的記載，仍不免令人產生一定疑問：此次遠征是否確有其事。」

註五四　《滿文老檔・太祖》第五卷，天命元年七月至十一月。

註五五　額駙：後金和清代制度，皇族女兒的丈夫稱爲「額駙」。

註五六　《清太祖高皇帝實錄》第五卷，第十四頁。

註五七　何秋濤：《朔方備乘》第一卷，第七頁。

註五八　劉選民：《清開國初征服諸部疆域考》，《燕京學報》一九三八年，第二三期。

註五九　《滿洲氏族源流考》，見《聖武記》第一卷，第八頁。

註六〇　《東三省輿地圖說》第二八頁。

註六一　《滿洲源流考》第二〇卷第一頁：「法喇：似車無輪，似榻無足，覆席如龕，引繩如御，利行冰雪中，俗稱扒犂，以其底平似犂。蓋土人爲漢語耳。
註六二　駝鹿，滿語爲kandahan，即堪達漢、犴達罕，是鹿的一種。它體形壯大，頸短尾禿，耳長角白，鼻長下垂。因其肩上凸起很高一塊，狀似駝峰，故漢語稱作駝鹿。
註六三　《清太祖高皇帝實錄》第五卷，第七頁。
註六四　《李朝宣祖實錄》第一四二卷，三十四年十月壬辰。
註六五　《盛京吉林黑龍江等處標注戰迹輿圖》五排一上。
註六六　何秋濤：《朔方備乘》第一卷，第七頁。
註六七　《吉林通志》第十二卷，第二六頁。
註六八　《寰宇通志》第一一六卷，第十一頁。
註六九　《明太宗實錄》第一三一卷，永樂十年八月丙寅。
註七〇　《庫頁島志略》第一卷，第十五頁。
註七一　何秋濤：《朔方備乘》第一卷，第一頁。
註七二　畢恭：《遼東志》第九卷，第五頁。
註七三　魏源：《聖武記》第一卷，第九頁。
註七四　《清太宗文皇帝實錄》第二一卷，第十四至十五頁。
註七五　《清太宗文皇帝實錄》第四八卷，第五頁。

註七六 《滿文老檔・太祖》第六卷，天命三年正月十六日。
註七七 《清太祖高皇帝實錄》第五卷，第九至一〇頁。
註七八 《李朝宣祖實錄》第二〇九卷，四十年三月庚辰。
註七九 《滿文老檔・太祖》第七卷，天命三年十月初十日。
註八〇 《清太祖高皇帝實錄》第五卷，第二六頁。
註八一 《滿文老檔・太祖》第七〇卷，天命十年。
註八二 《滿文老檔・太祖》第六九卷，天命十年。
註八三 《光海君日記》第二三三卷，元年十二月丙寅。
註八四 《清皇室四譜・皇女》載：清太祖生女八、養女及養孫女二，無一嫁與揚古利，疑誤；應爲「妻以族女」。
註八五 《清史稿・揚古利傳》第三一冊，第二二六卷，第九一九一頁。
註八六 《清史稿・冷格里傳》第三一冊，二二七卷，第九二四一頁。
註八七 何秋濤：《朔方備乘》第十四卷，第四頁。
註八八 《清史稿・康果禮傳》第三一冊，第二二七卷，第九二二五頁。
註八九 《滿文老檔・太祖》第六七卷，天命十年。
註九〇 見《清史稿・康果禮傳附哈哈納》，與《清史列傳・費揚古》並非一人。
註九一 《滿文老檔・太祖》第六五卷，天命十年四月。

第五章　征撫蒙古

一、遼東蒙古勢力的衰落

明興元亡之後，元主自北平出塞，遁回蒙古草原。但故元勢力仍有「引弓之士，不下百萬衆」。（註一）元主退回漠北地區，習稱北元。北元蒙古貴族仍維持其舊日統治，實行封建割據。他們不甘心於自己的失敗，不時地犯擾內地，企望重新入居中原，圖謀恢復元朝。明朝爲解除蒙古在北方的威脅，曾多次出兵朔漠，力圖消滅北元勢力。明初，徐達四次北伐（註二），朱棣七次親征（註三），曾取開平，占應昌，敗王保保，降納哈出。明朝擊敗北元勢力，他們逐漸地分別與明朝建立了臣屬關係。

但是，北元勢力雖被擊敗，而未被消滅。這同明太祖對故元勢力的政策不無關係。當明太祖派右丞相徐達攻元大都時，徐達問道：「元都克，而其主北走，將窮追之乎？」明太祖答曰：「元運衰矣，行自澌滅，不煩窮兵。出塞之後，固守封疆，防其侵軼可也」。（註四）蒙古貴族勢力並未因其運衰而自澌，却不斷地騷擾北陲，內犯中原。尤以正統之後，明代邊患益甚。《明史・韃靼傳》載：「當洪、永、宣世，國家全盛，頗受戎索，然畔服亦靡常。正統後，邊備廢弛，聲靈不振。諸部長多以雄傑之姿，恃其暴強，迭出與中夏抗。邊境之禍，遂與明終始云」。（註五）

遼東地區蒙古勢力，爲患酷烈。洪武時，故元丞相納哈出「擁二十萬衆據金山，數窺伺遼」（註六），後被藍玉招降。永樂時，阿魯臺爲瓦剌所敗，「乃率其屬東走兀良哈，駐牧遼塞」（註七）；朱棣以親征阿魯臺，死於榆木川。成化時，蒙古韃靼部長孛來，「誘兀良哈九萬騎入遼河」（註八），縱騎擄掠。至嘉、隆以後，即努爾哈赤青少年時期，遼東蒙古勢力枝蔓紛繁，先後凌替，相互交錯，舉其大者，主要有土蠻部，土蠻爲打來孫長子，其弟爲委正，其長子爲卜言臺周，次子爲介賽，侄爲黃臺吉，族弟爲土墨臺豬等，時土蠻（稱小王子）最強，「控弦十餘萬」（註九），屢躪遼東，「大入小入，歲爲邊患」。（註一〇）速把亥部，速把亥爲虎喇哈赤次子，其季弟爲炒花，其妹夫爲花大。速把亥在嘉靖時徙至遼陽北，連結土蠻等，累略遼塞：「嘉、隆以來，虜患何歲亡之？甚至殺大將軍如艾草菅。甚哉！速把亥之爲禍首也」。（註一一）黑石炭部，黑石炭爲孛只第五子，與速把亥等聯騎，剽掠遼左。瞿九思在《萬曆武功錄．黑石炭列傳》後評論曰：黑石炭「貽我遼左數十年大患，介胄至生蟣蝨」。（註一二）董狐狸部，董狐狸即董忽力，爲革蘭臺第五子，其弟爲兀魯思罕、長禿，駐牧寧前外邊，牧馬遼河，屢犯薊門。阿牙臺皮長子煖兎、次子拱兎，萬曆初年「兩兎尤桀驁甚」。（註一三）此外，有虎墩兎（註一四）、青把都、哈卜愼、長昂等諸部。

當時在遼東地區，同明朝相對抗的政治勢力，主要有蒙古和女眞。而對遼東擄掠最甚者，則爲蒙古諸部貴族的鐵騎。在努爾哈赤起兵前十年，即從萬曆元年至十年，蒙古土蠻、速把亥等部貴族對遼東地區的擾犯，編年縷列（註一五）如下：

一五七三年（萬曆元年），正月黑石炭、速把亥犯遼陽，四月土蠻犯鐵嶺，十月董狐狸之弟兀魯思罕犯寺兒山臺，十二月董狐狸之弟長禿犯邊。同年，明廷升賞遼東獲功陣亡官兵一千一百四十員名，並修築城堡邊牆。（註一六）

一五七四年（萬曆二年），以土蠻、速把亥等犯遼東，金、復、蓋三衞被「殺掠數萬，村堡蕩然」。（註一七）

一五七五年（萬曆三年），正月土蠻、速把亥十萬騎馳遼陽，十一月土蠻、速把亥、炒花等以二萬騎突錦義。

一五七六年（萬曆四年），二月土蠻、黑石炭、速把亥五萬騎飲馬遼河，十月速把亥、炒花、委正等三萬騎犯威遠堡。

一五七七年（萬曆五年），土蠻等幾無月不犯，二月飲馬舊遼陽，五月二十萬衆走淩河。

一五七八年（萬曆六年），正月黑石炭大舉窺塞，十二月速把亥等三萬餘騎犯東昌堡。

一五七九年（萬曆七年），十月土蠻等四萬騎犯前屯。

一五八〇年（萬曆八年），土蠻等「二十餘萬，空巢而來，略廣寧」。（註一八）

一五八一年（萬曆九年），正月大虜二萬餘騎犯遼東，十月土蠻等十餘萬攻廣寧。

一五八二年（萬曆十年），四月速把亥犯義州。

以上史實說明，遼東地區蒙古貴族勢力連年攻掠，形勢嚴重。但是，萬曆初年，張居正爲相，「居正用李成梁鎭遼，戚繼光鎭薊門」。（註一九）李成梁在任遼事二十二年間，率騎迎擊蒙古兵，力戰卻敵，斬殺五千一百八十八級。（註二〇）蒙古騎兵屢受重創，土蠻、速把亥等又相繼死去，其餘部分枝衆多，各相雄長。明廷採取分其枝，納其款，順者市賞，犯邊攻剿的策略，遼東蒙古勢力或受挫，或分化，逐漸地走向衰落，這個歷史的趨勢一直持續下來。

到十六世紀末，遼東地區明朝軍隊同蒙古騎兵鬥爭的結果，歷史在朝著他們各自願望相反的方向發展。雖然，蒙古貴族興兵屢犯，嚴重地削弱明朝遼軍的力量；同時，李成梁「前後大捷共計十次，斬首五六千級」（註二一），又沉重地打擊蒙古諸部等。但是，他們相互爭鬥的結果，尤其是李成梁的戰功，恰爲努爾哈赤做了「嫁衣裳」。因爲土蠻等和李成梁厮殺的結局，不僅雙方都退出了角鬥場，而且爲努爾哈赤登上歷史舞臺鋪平了道路。

二、同科爾沁部聯姻

明代後期蒙古已逐漸形成三大部：生活在蒙古草原西部直至準噶爾盆地一帶的漠西厄魯特蒙古，生活在貝加爾湖以南、河套以北的漠北喀爾喀蒙古，生活在蒙古草原東部、大漠以南的漠南蒙古。漠南蒙古與後金接壤，因此後金最早同漠南蒙古發生政治聯繫。

後金興起，努爾哈赤決意征撫漠南蒙古。這是因爲，首先，漠南蒙古同海西關係密切，如葉赫貝勒「金臺什孫女爲虎墩兎婦」（註二二），征撫漠南蒙古有助於女眞內部的統一。其次，漠南蒙古位置於後金的右翼，只有征撫漠南蒙古，才能解除進入遼瀋地區的後顧之憂。再次，漠南蒙古的林丹汗和炒花等，與明締結了共同抵禦後金的盟約，只有拆散這個聯盟，才能內犯明朝。復次，征服漠南蒙古，可以打通進入長城的走廊。最後的一個原因是，後金爲奪取明統，深感兵力不足，需征撫蒙古，擴充八旗兵源。

漠南蒙古自明初以來，已經蒙受二百餘年兵燹之難。明朝政府與故元勢力之間、蒙古各部封建主之間長期無休止的戰爭，導致了蒙古族經濟的破壞和部民生活的貧困，使勞動人民陷於「爨無釜」、「衣無帛」的悲慘境遇。蒙古族人民要求結束封建割據局面，渴望得到安定統一。但是，明朝後期政治腐敗，無力重新統一蒙古地區；蒙古貴族長期內訌，也無法實現其內部統一。因此，努爾哈赤征撫蒙古，既利用了蒙古人民渴求統一的願望，又利用了蒙古封建王公分裂割據的條件。時蒙古封建王公在進行分裂爭鬥，從一己利益出發，忽而聯合一些封建主去反對另外一些封建主；忽而覆雨翻雲，昨天的敵人變成了今天的盟友，昨天的盟友又變成了今天的敵人。努爾哈赤利用漠南蒙古各部的分裂和內訌，對於各部蒙古封建王公，有的分化瓦解，有的武力征討，或者征撫並用，先後逐一征撫漠南蒙古。這場鬥爭，先從漠南蒙古的科爾沁部開始。

漠南蒙古的科爾沁部，駐牧在嫩江流域。它東鄰葉赫，西南界扎魯特部，南至彰武、接喀爾喀部，

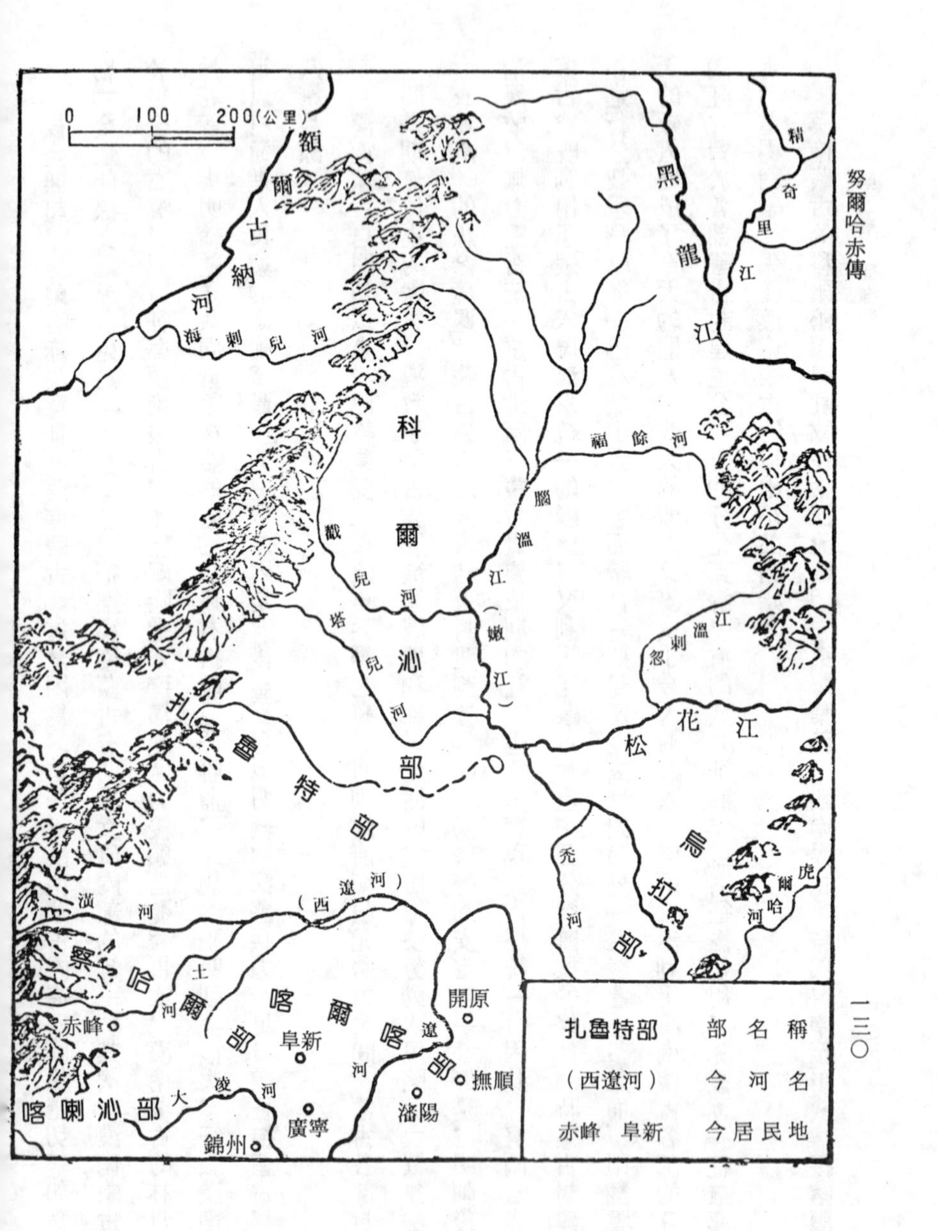

明朝後期東部漢南蒙古諸部示意圖

北臨嫩江上游地區。科爾沁部爲同察哈爾部爭雄，就與勢力較強的葉赫、烏拉結盟。一五九三年（萬曆二十一年），科爾沁部明安貝勒率蒙古兵萬騎，參加以葉赫爲首的九部聯軍，兵敗後尷尬地逃回。翌年，「北科爾沁部蒙古貝勒明安、喀爾喀五部貝勒老薩，始遣使通好」。（註二三）科爾沁部初次遣使建州。此後，「蒙古各部長遣使往來不絕」。（註二四）

科爾沁部雖然在古勒山之役遭到失敗後，遣使建州和好，但並不認輸。一六〇八年（萬曆三十六年）三月，建州兵往攻烏拉部的宜罕阿麟城，「科爾沁蒙古翁阿岱貝勒與烏拉布占泰合兵」（註二五），科爾沁軍遙望建州兵強馬壯，自知力不能敵，便撤兵請盟，聯姻結好。努爾哈赤從總的鬥爭利益出發，不念科爾沁兩次動兵的舊惡。他說：「俗言：『一朝爲惡而有餘，終身爲善而不足』」。（註二六）建州同意與科爾沁棄舊怨，結姻盟。一六一二年（萬曆四十年），努爾哈赤聞科爾沁貝勒的女兒博爾濟錦氏「頗有豐姿，遣使欲娶之。明安貝勒遂絕先許之婿，送其女來」。（註二七）努爾哈赤以禮親迎，大宴成婚。明安貝勒是蒙古封建王公中第一個與建州聯姻者，對後世影響深遠。其後，一六一五年（萬曆四十三年）正月，努爾哈赤又娶科爾沁孔果爾貝勒女博爾濟錦氏爲妻。（註二八）

恩格斯有一句名言：對封建王公說來，「結婚是一種政治的行爲，是一種借新的聯姻來擴大自己勢力的機會；起決定作用的是家世的利益，而決不是個人的意願」。（註二九）建州女眞貴族同科爾沁蒙古王公聯姻，便是一個很好的例證。努爾哈赤不僅娶科爾沁兩貝勒的女兒爲妻，他的兒子也相繼納蒙古王公的女兒做妻子。僅一六一四年（萬曆四十二年），努爾哈赤的四個兒子，即次子代善娶扎魯特部鐘嫩貝勒女爲妻，第五子莽古爾泰娶扎魯特部納齊貝勒妹爲妻，第八子皇太極娶科爾沁部莽古思貝勒女爲妻（註○三），第十子德格類娶扎魯特部額爾濟格貝勒女爲妻。（註三一）爾後，第十二子阿濟格娶科爾沁部孔果爾女爲妻（註三二），第十四子多爾袞娶桑阿爾寨臺吉女爲妻。（註三三）在努爾哈赤時，同科爾沁聯姻十次，其中娶入九次，嫁出一次。爾後其子皇太極在位時，同科爾沁聯姻十八次，其中娶入十次，嫁出八次。蒙古科爾沁部等與後金政權，通過聯姻，鞏固同盟，以便加強自己的勢力，來對抗察哈爾部。

察哈爾部林丹汗爲統一漠南蒙古，防止後金擴張，先後討伐與後金結盟的科爾沁等部。這種爲淵驅魚的作法，更加促使科爾沁投附後金。科爾沁部粵巴臺吉遣使送信至建州，報告察哈爾部「在結冰、草枯以前，將夾擊科爾沁」（註三四），請求努爾哈赤出兵援助。後察哈爾部林丹汗圍攻粵巴臺吉的駐地格勒珠爾根城。粵巴向後金告急，努爾哈赤派其子莽古爾泰和皇太極率精騎五千前往援救，林丹汗解圍西走。粵巴親自跪見努爾哈赤，努爾哈赤把舒爾哈齊第四子圖倫的女兒嫁給粵巴做妻子。隨後，努爾哈赤與粵巴刑白馬黑牛，祭告天地，盟誓結好。從粵巴的誓言中，可以看出蒙古貴族內部的紛爭及粵巴投附後金的原因。其誓言曰：

我以公忠之心，向察哈爾、喀爾喀。自扎薩克圖汗以來，我科爾沁諸貝勒，無纖微過惡，欲求安好而不可得。殺伐我，侵掠我，殆無已時。將我科爾沁諸貝勒翦除無遺，其後我達賴臺吉，以無辜被殺。介賽又以兵來殺我六貝勒。我欲相安無事，而彼不從。將無辜之人，恣行殺掠；

吾等拒之，又謂我敢於相抗。察哈爾、喀爾喀，合兵而來，欲行殺掠，仰蒙天祐，又賴皇帝助我，幸而獲免。我不敢忘天祐及皇帝助，以故來此，與皇帝會，昭告天地，訂盟好。（註三五）

努爾哈赤的誓言則明確地表示，他同粵巴結盟，是爲了對抗察哈爾部及與察哈爾訂有盟約的明朝。其誓言曰：

> 我以公直處世，被明及察哈爾、喀爾喀輒肆凌侮，不能堪，乃昭告於天，天祐我。又察哈爾、喀爾喀合兵，侵掠科爾沁粵巴臺吉，粵巴臺吉亦蒙天祐。今粵巴臺吉怨恨察哈爾、喀爾喀二部落，來此共謀國事，乃天以我兩人被困厄，俾相合也。……（註三六）

粵巴與努爾哈赤俱以「受害者」的身分，在渾河岸，對天焚香，貢獻犧牲，行三跪九叩首禮，宣誓言，結盟好。

後金汗還以召見、賞賚、賜宴等形式，撫綏科爾沁封建王公。一六一五年（萬曆四十三年）九月，科爾沁貝勒明安第四子桑噶爾齋臺吉至建州，送馬三十四，叩頭謁見。努爾哈赤賜給甲十副，並厚賞緞、布。（註三七）同年十月，明安貝勒長子伊格都齊臺吉又至建州，送馬四十四，叩頭謁見。努爾哈赤賜給甲十五副，並厚賞緞、布。（註三八）次年十二月，明安貝勒次子哈坦巴圖魯臺吉帶馬匹至建州叩謁（註三九）；又次年，明安貝勒第五子巴特瑪臺吉帶僚友五十人，送馬五十四，到建州叩謁。（註四〇）他們都受到努爾哈赤的賞賜。一六一七年（萬曆四十五年，天命二年）正月，科爾沁明安貝勒到建州「朝貢」，努爾哈赤對其岳翁，郊迎百里，行馬上抱見禮，設野宴洗塵。入城後，「每日小宴，越一日大宴」（註四一），留住一月。當明安返回時，他又送行三十里，騎兵列隊，夾道歡送，厚贈禮物，至爲隆重。明安後隸滿洲正黃旗。其子多爾濟爲額駙，後授內大臣，預議政；幼子朗素後官至領侍衞內大臣；孫鄂齊爾後管鑾儀衞事，授領侍衞內大臣。（註四二）

一六二二年（天啓二年，天命七年）二月，明安帶領兀爾宰圖、鎖諾木等十六貝勒及喀爾喀等部臺吉，「各率所屬軍民三千餘戶，並驅其畜產」（註四三），歸附後金。從此別立「蒙古一旗」（註四四），奠定了爾後蒙古八旗的基礎。（註四五）同時，由於蒙古科爾沁部歸附後金最早，博爾濟錦氏與愛新覺羅氏爲懿親。清太祖、太宗、世祖和聖祖先後有四后、十三妃出自科爾沁等部。蒙古科爾沁部博爾濟錦氏影響清初五朝四帝的政治，其中以皇太極孝莊文皇后博爾濟錦氏尤爲突出。

因此，漠南蒙古科爾沁部成爲後金的政治同盟和軍事支柱。努爾哈赤採用分化撫綏和武力征討的兩手政策，在蒙古科爾沁部得到完全的成功。

後金汗在與科爾沁部聯姻的同時，又與喀爾喀部會盟。

三、與喀爾喀部會盟

漠南蒙古五鄂拓克喀爾喀部，主要駐牧在西拉木倫河、遼河上游流域和今遼寧阜新蒙古族自治縣一帶。它東界海西女眞葉赫部，西接察哈爾部，南近廣寧，北爲科爾沁部。喀爾喀部分裂爲五個鄂拓克（註四六），即五部——巴林、扎魯特、翁吉拉特、烏齊埒特和巴岳特。喀爾喀五部之間，時而互相聯合，時而又彼此傾軋，爭掠頻繁，內訌不休，因而大大削弱了自己。努爾哈赤利用他們之間的矛盾，進行分化瓦解，逐部爭取，以達到自己的目的。

喀爾喀巴岳特部達爾漢貝勒子恩格德爾，率先歸附建州。一六○五年（萬曆三十三年），恩格德爾進馬二十四以朝。（註四七）一六○六年（萬曆三十四年）十二月，恩格德爾引領喀爾喀五部之使，「進駝馬來謁，尊太祖為昆都侖汗（即華言恭敬之意），從此蒙古相往不絕」。（註四八）努爾哈赤為進一步籠絡恩格德爾，一六一七年（萬曆四十五年，天命二年），將舒爾哈齊第四女嫁給他做妻子，稱巴岳特格格。恩德格爾成為後金的「額駙」。他受到後金汗的特殊禮遇。天命九年（一六二四年）正旦，恩格德爾與巴岳特格格來朝，努爾哈赤御八角殿，其朝拜順序，《滿文老檔》載：

大貝勒先叩頭，第二恩格德爾額駙率衆蒙古貝勒叩頭，第三阿敏貝勒、第四莽古爾泰貝勒、第五四貝勒、第六阿濟格阿哥、第七多鐸阿哥、第八阿巴泰阿哥，……（註四九）

恩格德爾朝覲後，要求偕公主留居建州。後金汗允其所請，並與之盟誓，誓詞曰：

皇天眷祐，俾恩格德爾，遠離其父及昆弟，懷德而來，以我為父，以我諸子為昆弟，棄其生長之鄉，視我土如其土焉。若不念其歸附，撫以恩，穹蒼不佑，殃必及矣。今天作之合，俾為我婿，以恩撫之，天其眷佑。（註五○）

後金汗對恩格德爾等，除聯姻、賜劵（註五一）、盟誓和宴賞外，還賜給莊田奴僕：賞給恩格德爾及其弟莽果爾代，「七男丁的諸申莊各二個，十個男丁的尼堪莊各二個，在手下使喚的諸申（男女）各五對，運水砍柴的尼堪（男女）各五對。（註五二）使他們成爲後金的封建主。

恩格德爾及其弟莽果爾代被授爲總兵官，後隸滿洲正黃旗。（註五三）恩格德爾子額爾克戴青，順治時列議政大臣，管鑾儀衞，任領侍衞內大臣，爵至一等公。

但是，喀爾喀諸部對後金的政治態度並不完全一致。努爾哈赤對蒙古喀爾喀五鄂拓克，既利用他們內部的矛盾，又利用他們同察哈爾及其同明朝的矛盾，區別對待，逐部瓦解。後金瓦解喀爾喀的一個重要辦法是，對其逃人或歸附者宴迎、賞賚、安置、封官、結親。他們來到建州後，經濟生活、政治權利和社會地位，均較前有著明顯的提高。這就吸引更多的蒙古人逃歸或投附後金。《滿文老檔》中這類記載觸目皆是。如一六二一年（天啓元年，天命六年）十一月二十一日，有蒙古喀爾喀部男女九十六人，帶馬一四、牛三十六頭、羊四十七隻、車十六輛逃至後金；後金「汗親自去衙門，爲來的逃人擺宴」。（註五四）

對歸附的喀爾喀臺吉更爲禮遇。一六二一年（天啓元年，天命六年）十一月，喀爾喀古爾布什和莽果爾臺吉率所屬六百戶，驅趕牲畜投附後金。《清太祖高皇帝實錄》對這件事作了詳細記載：

上御殿，二臺吉朝見畢，大宴之。各賜：貂裘三，猞猁猻裘二，虎裘二，貉裘二，狐裘一，貂鑲朝衣五，鑲獺裘二，鑲青鼠裘三，蟒衣九，蟒緞六，緞三十五，布五百，金以兩計者十，銀以兩計者五百，雕鞍一，沙魚皮鞍七，玲瓏撒袋一，撒袋兼弓矢者八，甲冑十，童僕、牛馬、房舍、田畝及一切器具等物畢備。上以女（註五五）妻臺吉古爾布什，賜名靑卓禮克圖。給以滿洲牛彔一、凡三百人，並蒙古牛彔一，授爲總兵。又以族弟濟白里杜濟獲女，妻臺吉莽果爾，亦授爲總兵。（註五六）

上引大段文字說明，努爾哈赤不惜愛女、金銀、官爵、財物、房田和奴僕，以瓦解喀爾喀部。

儘管後金對喀爾喀諸部的分化瓦解措施初奏效驗，但喀爾喀扎魯特部貝勒介賽仍堅持與後金對抗。在喀爾喀五部中，介賽騎兵衆，牲畜多，最強盛。他自恃兵強馬壯，與明朝「三次立誓」（註五七），曾奪取後金已給聘禮的葉赫金臺石貝勒之女，又襲擊建州村屯、囚縶後金使臣。一六一九年（萬曆四十七年，天命四年）七月，後金汗統兵奪取鐵嶺時，喀爾喀貝勒介賽、扎魯特貝勒巴克等領兵萬餘人，埋伏在城外高粱地裏，配合明軍同八旗軍作戰。努爾哈赤命衆貝勒大臣，率兵奮擊介賽軍，介賽兵敗，八旗軍追至遼河。是役，擒獲介賽（註五八）及其二個兒子、二個弟弟、三個女婿、諸貝勒、諸將二十餘人，兵二百人。（註五九）後金獲取大勝。但努爾哈赤沒有殺死介賽，而把他囚在城樓內，作爲人質，以爭取同該部結盟。（註六〇）兩年後，喀爾喀部以牲畜萬頭贖介賽，並送其二子一女爲質。後金汗與介賽盟誓，設宴賜賞，命諸貝勒送介賽至十里以外，並以其所質之女與大貝勒代善爲妻，結爲姻盟。（註六一）

經過對喀爾喀諸部的籠絡、瓦解、戰爭、結姻等，終於使喀爾喀五部在政策上發生了重大變化：

由聯合明朝抗禦後金，轉變爲聯合後金對抗明朝。這集中地表現爲後金與喀爾喀五部的會盟。一六一九年（萬曆四十七年，天命四年）十一月，努爾哈赤命大臣額克星格、綽護爾、雅希禪、庫爾纏和希福五人，攜帶誓詞，與喀爾喀五部貝勒的使臣，會於岡干色得里黑孤樹處，對天刑白馬，對地宰黑牛，設酒一碗、肉一碗、土一碗、血一碗、骨一碗，對天地盟誓曰：

今滿洲十旗執政貝勒，與蒙古國五部執政貝勒，蒙天地眷佑，俾我兩國相與盟好，合謀幷力，與明修怨。如其與明釋舊恨，結和好，亦必合謀，然後許之。若滿洲渝盟，不偕五部落貝勒合謀，先與明和，或明欲敗二國之好，密遣離間而不相聞，皇天后土，其降之罰，奪滿洲十旗執政貝勒算，濺血，蒙土，暴骨以死。若明欲與蒙古五部落貝勒和好，密遣離間，不以其言告我滿洲英明皇帝者，五部落執政貝勒：杜稜洪巴圖魯、粵巴戴青、厄參、巴拜、阿索忒晉、芒古爾代、厄布格德衣臺吉、烏巴什杜稜、古爾布什、代達爾漢、莽古爾代戴青、畢登土、葉爾登、綽虎爾、達爾漢巴圖魯、恩格德爾、桑阿拉寨、布他齊杜稜、桑阿喇寨、巴呀喇土、朶勒濟、內齊、衞徵、俄爾寨土、布爾哈土、額滕、厄爾濟格等衆貝勒，皇天后土，亦降之罰，奪其算，濺血，蒙土，暴骨以死。吾二國同踐盟言，天地祐之，其飲是酒，食是肉，二國執政貝勒，尙克永命，子孫百世，及於萬年，二國如一，共享太平。（註六二）

上面所引後金與喀爾喀五部誓詞，連篇累牘，色彩神秘，但它淸楚地表明，努爾哈赤的策略是滿蒙聯合，以明爲敵。雖然後來這個聯盟有過反覆，但所列喀爾喀五部二十七位貝勒、臺吉的長名單，確是努爾哈赤對漠南蒙古政策的一個勝利。然而，漠南蒙古的察哈爾部，却仍聯合明朝，抗禦後金。因此，後金汗對漠南蒙古的注意力轉向察哈爾部。

四、向察哈爾部進擊

漠南蒙古的察哈爾部，即插漢、擦漢兒。（註六三）察哈爾爲蒙古語「邊」的音譯；明嘉靖時達賚遜庫登汗受俺答汗逼迫徙牧於遼東邊外，以地近邊而得部名。先是，巴圖孟克曾被推擧爲大元可汗，即達延汗。達延汗統一東部蒙古各部，迫使瓦喇西遷，以漠南、漠北地區爲左右翼六萬戶分封子弟，並設帳於察哈爾部。此後察哈爾部領主世襲蒙古汗位，號稱蒙古各部的共主。後來蒙古可汗實際上成了察哈爾部的汗。察哈爾部林丹汗（一五九二至一六三四年），名庫圖克圖汗，明人稱作虎墩兎，是達延汗七世孫。他駐帳廣寧以北，被達延汗的幽靈所糾纏，力圖繼承大元可汗的事業，稱雄蒙古。

時明朝、後金和察哈爾部，都要統一遼東地區。但後金勢力的擴張威脅著察哈爾部，察哈爾部的強大又妨礙後金撫綏漠南蒙古；而在明朝看來，察哈爾部與後金相比較，主要威脅來自後金。因此，在明朝、後金和察哈爾部的鼎足矛盾中，明廷與後金的矛盾是主要的。後金爲著對抗明朝，必須先征撫察哈爾部；明朝爲了對付後金，便利用林丹汗與努爾哈赤的矛盾，同察哈爾部聯合抵禦後金的進攻。明朝聯合林丹汗，共同抵禦後金，其條件是增加對林丹汗的歲幣（註六四），並把原由明朝直接給予漠南東部蒙古諸部的歲幣，轉交給林丹汗控制。明廷每年給林丹汗銀四千兩，後增至四萬兩。

林丹汗「帳房千餘」（註六五），部衆繁衍，兵力強盛，依恃明朝，對後金態度驕橫。一六二〇年（萬曆四十八年，天命五年）正月，後金汗遣使齎書報察哈爾部林丹汗。其書曰：

閱察哈爾汗來書，稱四十萬蒙古國主、巴圖魯成吉思汗，致書水濱三萬滿洲國主、神武英明皇帝云云。爾奈何以四十萬蒙古之衆，驕吾國耶？我聞明洪武時，取爾大都，爾蒙古以四十萬衆，敗亡殆盡，逃竄得脫者，僅六萬人，且此六萬之衆，又不盡屬於爾，屬鄂爾多斯者萬人，屬十二土默特者萬人，屬阿索忒、雍謝布、喀喇沁者萬人，此右三萬之衆，固各有所主也，於爾何與哉？即左三萬之衆，亦豈盡爲爾有？以不足三萬人之國，乃遠引陳言，驕語四十萬，而輕吾國爲三萬人，天地豈不知之！

其書又曰：

吾固不若爾四十萬之衆也，不若爾之勇也，因吾國之少且弱也。遂仰蒙天地眷佑，以哈達、輝發、烏喇、葉赫曁明之撫順、淸河、開原、鐵嶺等八處，悉授予焉！

其書復曰：

昔吾未征明之先，爾曾與明構兵，盡失其鎧胄、駝馬、器械，僅得脫去。其後再構兵，格根戴青貝勒之從臣，並十餘人被殺，毫無所獲而回。爾侵明者二，有何虜獲，克何名城，敗何勁旅乎？夫明豈眞以此賞厚汝耶？以我征伐之故，兵威所震，男子亡於鋒鏑，婦女守其孤嫠，明畏我，姑以利誘汝耳！且明與朝鮮，言語雖殊，服制相類，二國尙結爲同心；爾與我，言語雖殊，服制亦類，爾果有知識，來書宜云：「明、吾深仇也，皇兄征之，天地眷佑，俾墮其城，破其衆，願與天地眷佑之主合謀，以伐深仇之明。如是立言，豈不甚善與」！（註六六）

這封筆鋒犀利的齎書，努爾哈赤試圖祭起元順帝的亡靈，並歷數其兵敗之辱，以激發林丹汗的隱憤，拆散察哈爾部與明朝的聯盟；並通過炫耀八旗軍威，拉攏察哈爾部倒向後金一邊，共同對抗明朝。但是，林丹汗與努爾哈赤在遼東地區現實利益的衝突，塗抹了孛兒只斤氏與朱姓貴族歷史矛盾的舊帳。林丹汗以械囚其來使，對努爾哈赤齎書作出回答。

然而，林丹汗在作繭自縛。他掠土地，刼牛羊，窮奢極欲，暴虐無道，「怠休悖慢，耳目不忍睹聞」。（註六七）他自恃士馬強盛，橫行漠南，破喀喇沁，滅土默特。但其內部分崩離析。察哈爾的敖漢部、奈曼部的使者，往來於後金（註六八）；林丹汗之孫扎爾布臺吉、色楞臺吉逃往科爾沁，從科爾沁至後金，向努爾哈赤叩首行禮。（註六九）林丹汗爲抵禦努爾哈赤，從一六二六年（天啓六年，天命十一年）起，先後討伐與後金結爲姻盟的科爾沁部等。科爾沁等部在後金軍援助下，打退了林丹汗的軍事進攻。

後金在奪占遼瀋地區，臣服漠南蒙古科爾沁、喀爾喀等部之後，便向察哈爾部林丹汗發動軍事攻勢。努爾哈赤之子皇太極，統領滿洲八旗和投順後金的科爾沁、喀爾喀、喀喇沁、敖漢、奈曼等部蒙古騎兵，於一六三二年（崇禎五年，天聰六年），大舉進攻察哈爾部。後金軍進至西喇木倫河，吹螺吶喊，鐵騎奔突，林丹汗兵敗西走。一六三四年（崇禎七年，天聰八年），林丹汗後敗遁至青海大草灘，患痘症而死。次年，後金軍繼續追擊察哈爾部餘衆，俘獲林丹汗之子額哲並獲「制誥之寶」。察哈爾部被後金吞并。隨著林丹汗的走死，漠南蒙古西部的鄂爾多斯部、土默特部、雍謝布部等也相繼降附後金。

察哈爾部被後金征服，明朝失去北面屏障，邊事越發不可收拾。《明史・韃靼傳》載：「明未亡，而插先斃，諸部皆折入於大清。國計愈困，邊事愈棘，朝議愈紛，明亦遂不可爲矣」！（註七〇）

在征撫漠南蒙古過程中，努爾哈赤的一個大手段是，不僅利用蒙古諸部封建主之間的矛盾，而且利用該部各個封建王公之間的內訌，採取不同策略，加以區別對待，從而一個王公一個王公地、一部一部地降服。漠南蒙古降順後金，進「九白之貢」（註七一），表示臣服。後金征撫漠南蒙古，組成蒙古八旗，打通從西北進入中原的道路，改變後金與明朝的力量對比，占領更爲廣濶的地域，擁有更爲雄厚的兵員，在戰略上取得優勢地位。

伴隨著統一女眞各部和征撫漠南蒙古事業的發展，努爾哈赤着手創建八旗制度，制定無圈點老滿文。

【附註】

註　一　《明史紀事本末》中華書局，第一册，第十卷，第一四九頁。

註　二　《明史・太祖紀二》載徐達四次北伐爲：洪武三年、洪武五年、洪武六年和洪武十四年。

註　三　《明史・太祖紀三》和《明史・成祖紀二》、《明史・成祖紀三》載朱棣七次親征爲：洪武二十三年、洪武二十九年、永樂八年、永樂十二年、永樂二十年、永樂二十一年和永樂二十二年。

註　四　《明史・徐達傳》第十二册，第一二五卷，第三七二七頁。

註　五　《明史・韃靼傳》第二八册，第三二七卷，第八四九四頁。

註　六　《明史・韃靼傳》第二八册，第三二七卷，第八四六五頁。

註　七　《明史・韃靼傳》第二八册，第三二七卷，第八四六九頁。

註　八　《明史・韃靼傳》第二八册，第三二七卷，第八四七二頁。

註　九　《萬曆武功錄・土蠻列傳上》載：「土蠻，打來孫長男也，所部皆朶顏蟒惠伯戶、鵝毛、壯兎等，控弦之士六萬，最精壯。嘉靖中，移徙黃河北，常引速把亥入海、蓋、開原。頃之，大會矮塔必、兀魯臺周十餘萬騎，祭旗纛，聲欲入河東廣寧，後從長勇堡、靜遠堡入，殺略瀋陽迤南、遼陽迤北。……是歲嘉靖三十八年也」。即努爾哈赤出生之年。

註一〇　瞿九思：《萬曆武功錄・卜言臺周……列傳》第十卷，第十三頁。

註一一　瞿九思：《萬曆武功錄・速把亥列傳》第十二卷，第二八頁。

註一二　瞿九思：《萬曆武功錄・黑石炭列傳》第十三卷，第十一頁。

註一三　瞿九思：《萬曆武功錄・煖兎拱兎列傳》第十三卷，第二三頁。

註一四　《明史・韃靼傳》載：「虎墩兎者，居插漢兒地，亦曰插漢兒王子，元裔也。其祖打來孫，始駐牧宣塞外，俺答方強，懼爲所幷，乃徙帳於遼，收福餘雜部，數入掠薊西，四傳至虎墩兎，遂益盛。」

註一五　據《明神宗實錄》、《萬曆武功錄》和《明史・韃靼傳》等。

註一六　《明神宗實錄》第十五卷、萬曆元年七月丙申：兵部侍郎汪道昆奏：「閱過遼東全鎮修完城堡一百三十七座，鋪城九座，關廂四座，路臺、屯堡、門角、臺圈、烟墩、山城一千九百三十四座，邊牆二十八萬二千三百七十三丈九尺，路壕二萬九千九百四十一丈，俱各堅固，足堪經久。」

註一七　《明神宗實錄》第三〇卷，萬曆二年十月丁巳。

註一八　瞿九思：《萬曆武功錄・土蠻列傳上》第十卷，第二一頁。

註一九　《明史・張居正傳》第十九冊，第二一三卷，第五六四六頁。

註二〇　據《明史・李成梁傳》統計。

註二一　《明神宗實錄》第一四一卷，萬曆十一年九月己亥。

註二二　《明史・韃靼傳》第二八冊，第三二七卷，第八四九二頁。

註二三　《清太祖高皇帝實錄》第二卷，第十九頁。

註二四　《滿洲實錄》第二卷，第十五頁。

註二五　《滿文老檔・太祖》第一卷，戊申年（萬曆三十六年）三月。

註二六　《滿洲實錄》第三卷，第十頁。

註二七　《清太祖武皇帝實錄》第二卷，第四至五頁。

註二八　《滿文老檔・太祖》第四卷，乙卯年（萬曆四十三年）正月。

註二九　《馬克思恩格斯全集》人民出版社，第二一卷，第九一至九二頁。

註三〇 《清皇室四譜》第二卷載：清太宗皇太極后妃十四人，其中蒙古族七人：孝端文皇后，博爾濟錦氏，科爾沁貝勒莽古思女；孝莊文皇后，博爾濟錦氏，科爾沁貝勒塞桑女，爲孝端文皇后之侄女，是清世祖福臨的生母；敏惠恭和元妃，博爾濟錦氏，爲孝莊文皇后之姐；懿靖大貴妃，博爾濟錦氏，阿霸垓額齊克諾言貝勒女；康惠淑妃，博爾濟錦氏，阿霸垓博第塞楚祜爾塔布囊女；側妃，博爾濟錦氏，扎魯特巴雅爾圖戴青女。另有庶妃，奇壘氏，察哈爾部人。清世祖福臨后妃十九人，其中蒙古族六人：廢后，博爾濟錦氏，科爾沁吳克善親王女，孝莊文皇后之侄女；孝惠章皇后，博爾濟錦氏，科爾沁貝勒綽爾濟女，爲世祖廢后之從侄女；恭靖妃，博爾濟錦氏，鄂爾特尼郡王博羅特女；淑惠妃，博爾濟錦氏，孝惠章皇后之妹；端順妃，博爾濟錦氏，阿霸垓布達希臺吉女；悼妃，博爾濟錦氏，科爾沁曼珠習禮親王女，孝惠章皇后之姑。蒙古科爾沁博爾濟錦氏，影響清太祖、太宗、世祖和聖祖四朝政治，尤以世祖、聖祖兩朝爲甚。

註三一 《清太祖高皇帝實錄》第四卷，第十二頁。

註三二 《清太祖武皇帝實錄》第四卷，第三頁。

註三三 《清太祖高皇帝實錄》第九卷，第七頁。

註三四 《滿文老檔．太祖》第六五卷，天命十年八月初九日。

註三五 《清太祖高皇帝實錄》第十卷，第十三頁。

註三六 《清太祖高皇帝實錄》第十卷，第十二頁。

註三七 《滿文老檔．太祖》第四卷，乙卯年（萬曆四十三年）九月。

註三八 《滿文老檔．太祖》第四卷，乙卯年（萬曆四十三年）十月。

註三九　《滿文老檔·太祖》第五卷，天命元年十二月。

註四〇　《滿文老檔·太祖》第五卷，天命二年十月十四日。

註四一　《清太祖武皇帝實錄》第二卷，第一〇頁。

註四二　《清史稿·明安傳》第三一册，第二二九卷，第九二七三頁。

註四三　《清太祖高皇帝實錄》第八卷，第十四頁。

註四四　《清史稿·明安傳》第三一册，第二二九卷，第九二七二頁。

註四五　「蒙古牛彔」始見於《滿洲實錄》第七卷第六頁載：天命六年十一月喀爾喀古爾布什臺吉歸後金，努爾哈赤「以聰古圖公主妻古爾布什，賜名青卓禮克圖，給滿洲一牛彔三百人，并蒙古一牛彔，共二牛彔，授爲總兵。」

註四六　鄂拓克，爲蒙古語的漢譯，是蒙古兀魯思（萬戶）下小領地的名稱，又是兀魯思的基本軍事單位。十七世紀以後，鄂拓克變成爲封建領地的名稱——旗，旗就取代「鄂拓克」一詞。

註四七　《清太祖高皇帝實錄》第三卷，第九頁。

註四八　《清太祖武皇帝實錄》第二卷，第二頁。

註四九　《滿文老檔·太祖》第六〇卷，天命九年正月初一日。

註五〇　《清太祖高皇帝實錄》第九卷，第二頁。

註五一　賜劵，卽免罪劵，其制詞曰：「若罪爾恩格德爾，惟篡逆，乃罪；此外一切罪屬誤犯，念異地來歸之婿，俱勿罪。

註五二　《滿文老檔·太祖》第六一卷，天命九年正月二十一日。

註五三　《清史稿·恩格德爾傳》第三一册，第二二九卷，第九二七七頁。

註五四　《滿文老檔・太祖》第二九卷，天命六年十一月二十一日。

註五五　《清皇室四譜》第四卷第四頁載，此女爲努爾哈赤幼女，即第八女。

註五六　《清太祖高皇帝實錄》第八卷，第十頁。

註五七　《滿文老檔・太祖》第二五卷，天命六年八月初八日。

註五八　《清太祖高皇帝實錄》第六卷第二一頁載：「上一夕夢天鵝、白鶴及衆鳥，翱翔上下，上羅之，得白鶴一，曰：『得蒙古介賽矣！』呼未竟，遂覺。……翌日，復語衆貝勒，皆對曰：『此吉兆也』！」後果擒介賽。這說明努爾哈赤把擒獲介賽看作一件大事。

註五九　《滿文老檔・太祖》第十五卷，天命五年四月十七日。

註六〇　祁韵士：《皇朝藩部要略》第一卷《內蒙古要略》。

註六一　《清太祖高皇帝實錄》第八卷，第九頁。

註六二　《清太祖高皇帝實錄》第六卷，第三三至三五頁。

註六三　《明神宗實錄》第三七三卷，萬曆三十年六月戊申：「擦漢腦兒，原係元裔，住牧舊大寧熬母林等處，部落蕃衍，介在薊、遼之間。」

註六四　歲幣：即明朝每年以賞賜的名義，給蒙古王公定額的物資和金銀。

註六五　《明神宗實錄》第三七三卷，萬曆三十年六月戊申。

註六六　《清太祖高皇帝實錄》第七卷，第二至四頁。

註六七　《明史・韃靼傳》第二八冊，第三三二七卷，第八四九三頁。

註六八　《滿文老檔・太祖》第三八卷，天命七年三月初六日。

註六九　《滿文老檔・太祖》第六五卷，天命十年八月初十日。

註七〇　《明史・韃靼傳》第二八册，第三二七卷，第八四九四頁。

註七一　九白之貢：以八匹白馬、一匹白駝進貢，叫做「九白之貢」。見福格《聽雨叢談・九白》。

第六章　創建八旗和制定滿文

一、創建八旗制度

努爾哈赤創建八旗制度，是我國滿族發展史上一件大事，也是他的一大功績。八旗制度的發生和發展，有一個漫長的過程。它始於女眞氏族的狩獵制度生產組織。《滿洲實錄》記其起源道：

前此，凡遇行師出獵，不論人之多寡，照依族寨而行。滿洲人出獵開圍之際，各出箭一枝，十人中立一總領，屬九人而行，各照方向，不許錯亂，此總領呼爲牛彔（漢語大箭）額眞（額眞漢語主也），於是以牛彔額眞爲官名。（註一）

牛彔，爲滿語 niru 的對音，是箭或大箭的意思；額眞，爲滿語 ejen 的對音，是主的意思。牛彔額眞即大箭主，原是狩獵時的十人之長，起源甚早，後演變而成爲官名。隨著女眞社會生產的發展，牛彔組織日益擴大。到女眞社會出現階級分化和階級對抗之後，牛彔不僅是狩獵生產組織，而且衍變成奴隸主貴族發動掠奪戰爭或進行軍事防禦的工具。

女眞的軍事組織，早見於《金史．兵志》載：「金之初年，諸部之民無它徭役，壯者皆兵，平居則聽以佃漁射獵習爲勞事，有警則下令部內，及遣使詣諸孛堇征兵，凡步騎之仗糗皆取備焉。」其軍事組織形式，「部卒之數，初無定制，至太祖即位之二年，即以二千五百破耶律謝十，始命以三百戶爲謀克，謀克十爲猛安。繼而諸部來降，率用猛安、謀克之名以授其首領而部伍其人」。（註二）

建州女眞的軍事組織，在努爾哈赤六世祖猛哥帖木兒時即已有之。時其軍隊分爲左軍、右軍和中軍。據朝鮮《李朝世宗實錄》記載：「猛哥帖木兒生時，如有興兵之事，則必使凡察領左軍，權豆領右軍，自將中軍，或分兵與凡察，故一部之人，素不賤惡」。（註三）但是，這段記述過於簡略，也未見牛彔額眞的記載。到一五八三年（萬曆十一年）努爾哈赤起兵，攻克圖倫城，「當是時，兵百人，甲十三副」。（註四）這百人軍隊的組織細節，沒有留下文字記載。

牛彔額眞成爲官名，最早見諸於《滿洲實錄》和《清太祖實錄》一五八四年（萬曆十二年）的記載。努爾哈赤起兵已經一年，他的軍隊至少發展到五百人：「上率兵五百，征董鄂部主阿海巴顏」。（註五）因軍隊較多，便出現三百人一牛彔的軍事組織。《清太祖高皇帝實錄》載：

擢鄂爾果尼、羅科爲牛彔額眞，統轄三百人。（註六）

從此，牛彔額眞已經不是出師行獵的臨時性的十人之長，而成爲女眞的一種官名。牛彔不僅是圍獵組織，同時也是軍事組織。

一五八九年（萬曆十七年），努爾哈赤統一建州女眞的戰爭已經進行六年，他隨著統治區域的擴大，管轄部民的增多，以及王權的建立，便組織了一支軍隊。這支軍隊，當時分爲四個兵種：環刀軍、鐵錘軍、串赤（註七）軍和能射軍。這僅見於《李朝宣祖實錄》，現抄錄如下：

左衞酋長老乙可赤兄弟，以建州衞酋長李以難等爲麾下屬。老乙可赤則自中稱王，其弟則稱船將。多造弓矢等物，分其軍四運：一曰環刀軍，二曰鐵錘軍，三曰串赤軍，四曰能射軍。間間練習，脅制群胡。（註八）

老乙可赤即努爾哈赤，降建州衞酋長李亦難等，隸之麾下。他多造弓矢，分爲四軍，練習騎射，嚴定軍紀。四軍編制，實即後來四旗、八旗的基礎。

建州四軍的軍隊數量，《李朝宣祖實錄》記載，一五九二年（萬曆二十年），「奴兒哈赤部下原有馬兵三、四萬，步兵四、五萬，皆精勇慣戰」。（註九）但這話出自建州貢民馬三非等之口，可能有所誇大。三年後，朝鮮通事河世國到費阿拉，大概目睹：「老乙可赤麾下萬餘名，小乙可赤麾下五千餘名，常在城中，而常時習陣千餘名，各持戰馬着甲，城外十里許練兵。而老乙可赤戰馬則七百餘匹，小乙可赤戰馬四百餘匹，並爲考點矣」。（註一〇）這時努爾哈赤已統一建州女眞，上述目測數字較爲可靠。一五九六年（萬曆二十四年），明朝官員余希元到費阿拉，入城前，有建州騎兵四五千左右成列隨行；又有「步兵萬數，分左右列立道旁者，至建州城而止」。（註一一）由上推算，當時建州的步騎兵約有二、三萬人。這些軍隊，已按旗編制。《滿洲實錄》在記述一五九三年（萬曆二十一年）古勒山之役時，作如下記載：

太祖兵到，立陣於古埒山險要之處，與赫濟格城相對。令諸王大臣等各率固山兵，分頭預備。（註一二）

而《清太祖高皇帝實錄》也作了同樣記載：

上至古勒山，對黑濟格城，據險結陣。令各旗貝勒大臣，整兵以待。（註一三）

據上可知，努爾哈赤早已將建州士兵編成各旗。（註一四）並已早有軍旗。一五九六年（萬曆二十四年），朝鮮人申忠一到費阿拉，所見建州軍旗：

旗用青、黃、赤、白、黑，各付二幅，長可二尺許。（註一五）

努爾哈赤始設四旗一事，清朝有的史籍（註一六）係於一六〇一年（萬曆二十九年）。據《清太祖高皇帝實錄》所載：

上以諸國徠服人衆，復編三百人爲一牛彔，每牛彔設額眞一。先是，我國凡出兵校獵，不計人之多寡，各隨族黨屯寨而行。獵時，每人各取一矢，凡十人，設長一，領之，各分隊伍，毋敢紊亂者。其長稱爲牛彔額眞。至是，遂以名官。（註一七）

實際上，努爾哈赤在這一年對建州軍隊進行了一次整編。他「復編三百人爲一牛彔」，每牛彔設額眞一員，或並畫一旗色，以黃、白、紅、藍四色爲旗的標誌。這次重要改革，爲爾後八旗制度的確立奠下基礎。

一六一五年（萬曆四十三年）十一月，努爾哈赤除建州外，已統一哈達、輝發和烏拉，史載其降俘烏拉卒騎，「不下數萬人」（註一八）；又征撫大量東海女眞部民。建州幅員益廣，步騎增多，「歸附日衆，乃析爲八」（註一九），除原有四旗，再增設四旗，共爲八旗。《清太祖高皇帝實錄》載：

上旣削平諸國，每三百人設一牛彔額眞，五牛彔設一甲喇額眞，五甲喇設一固山額眞，每固山額眞左右設兩梅勒額眞。初設有四旗，旗以純色爲別，曰黃、曰紅、曰藍、曰白。至是添設四旗，參用其色鑲之，共爲八旗。（註二〇）

《滿文老檔》對牛彔額眞以下官員，記述更爲具體：

牛彔額眞以下設岱子二人、章京四人和噶珊撥什庫四人。四名章京分領三百男丁編成的達旦。（註二一）

牛彔額眞，後稱牛彔章京，入關後稱佐領。（註二二）岱子，爲滿語daise 的對音，是副職的意思。章京，爲滿語janggin 的對音，是辦事員的意思。噶珊撥什庫，噶珊爲滿語gašan 的對音，是村的意思；撥什庫爲滿語bošokū 的對音，是領催的意思；噶珊撥什庫即村領催，後稱領催。達旦，爲滿語tatan 的對音，是窩鋪的意思，相當於連，後被取消。甲喇額眞，其滿語體爲jalan i ejen，jalan 原意爲草節、竹節之節，爲承啓固山額眞與牛彔額眞之間的官職，轄五個牛彔，所以滿文又稱sunja niru i ejen ，意爲五牛彔之主，後稱甲喇章京，入關後稱參領。固山額眞，固山爲滿語gūsa的對音，是旗的意思；其滿語體爲gūsa i ejen ，意爲旗之主，後稱固山章京，入關後稱都統。梅勒額眞，梅勒爲滿語meiren 的對音，是兩側、副手的意思；其滿語體爲meiren i ejen，意爲副（旗）主，後稱梅勒章京，入關後稱副都統。

固山是滿洲戶口和軍事編制的最大單位。（註二三）每個固山各有特定顏色的旗幟，所以漢語譯固山爲旗。原有四旗，用黃、白、紅、藍四種顏色作旗幟。增添的四旗，將原來旗幟周圍鑲上一條邊，黃、白、藍三色旗幟鑲紅邊，紅色旗幟鑲白邊，成了八種不同的旗幟。（註二四）不鑲紅邊的黃色旗幟稱爲整黃旗，即整幅的黃旗，習稱正黃旗；鑲紅邊的黃色旗幟稱爲鑲邊黃旗（註二五），習稱鑲黃旗，俗寫廂黃旗。其他三色旗幟也是一樣。合起來稱爲八旗。（註二六）

八旗制度首先是軍事制度。

八旗軍在創立的初期，是一支勇敢善戰的軍隊。《清太祖高皇帝實錄》對八旗制度的軍事性質，作了明確的記載：

> 行軍時，地廣，則八旗並列，分八路；地狹，則八旗合一路而行。隊伍整肅，節制嚴明，軍士禁喧囂，行伍禁攙越。當兵刃相接時，被堅甲、執長矛大刀者，爲前鋒；被輕甲、善射者，從後衝擊；俾精兵立他處，勿下馬，相機接應。每預籌方略，了如指掌，戰則必勝。（註二七）

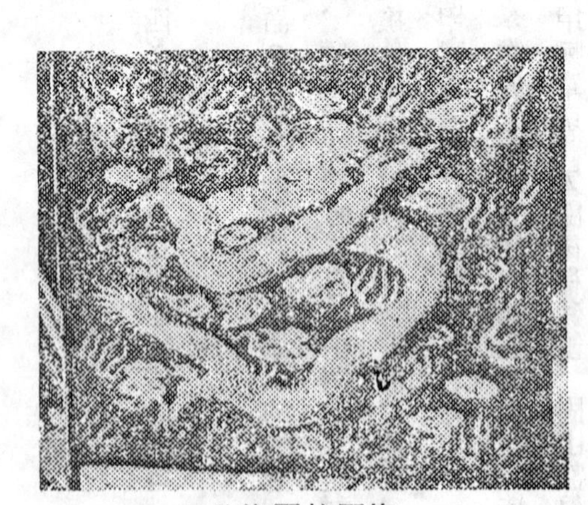

八旗軍的軍旗

這裏除記述八旗軍的軍容軍紀整肅、攻戰克敵制勝外，還記載八旗軍在兵種上分爲三等，即長甲軍、短甲軍和巴牙喇，後來演變成前鋒、驍騎和護軍等。護軍即精兵，時稱巴牙喇。巴牙喇，爲滿語 bayara 的對音，意爲精兵或護軍。其首領爲 bayarai jalan i janggin，漢語音譯爲巴牙喇甲喇章京，後稱護軍參領。朝鮮稱巴牙喇爲拜阿羅，據朝鮮人李民寏所見：「胡語呼拜阿羅軍者，奴酋之手下兵也，五千餘騎，極精勇云（七將皆有手下兵，而未詳其數）」。（註二八）巴牙喇是從各牛彔中選拔的精壯，兵驍馬驃，甲堅劍利，在努爾哈赤奪取撫順、沈陽、遼陽等戰役中，發揮了重要的作用。（註二九）

當時，努爾哈赤不僅是八旗軍的最高統帥，而且親領兩黃旗，其次子代善領兩紅旗（註三〇），其第五子莽古爾泰領正藍旗，其第八子皇太極領鑲白旗，其長孫杜度領正白旗，其侄阿敏領鑲藍旗。（註三一）每旗所屬牛彔、每牛彔所屬兵卒，也多未劃一。據李民寏經眼所記：

> 胡語呼八將爲八高沙，奴酋領二高沙，阿斗、于斗總其兵，如中軍之制；貴盈哥亦領二高沙，奢、夫羊古總其兵；餘四高沙，曰紅歹是，曰亡古歹，曰豆斗羅古（紅破都里之子也），曰阿未羅古（奴酋之弟小乙可赤之子也，小乙可赤有戰功、得衆心，五六年前爲奴酋所殺）。一高沙所屬柳累（胡語柳累云者，如哨軍之制）三十五，或云四十五，或云多寡不均。一柳累所屬三百名，或云多寡不均，共通三百六十柳累。（註三二）

高沙即固山，貴盈哥爲代善，紅歹是爲皇太極，亡古歹爲莽古爾泰，豆斗羅古爲杜度，阿未羅古爲阿斂，柳果即牛彔。努爾哈赤通過其子侄及親信，統領八旗軍隊。

八旗軍是一支以騎兵為主的軍隊。八旗軍雖然步兵衆多，開始沒有火器，用皮弦木箭、短劍鈎槍，射程近、威力弱；但是，它却以鐵騎角勝。八旗騎兵的戰馬飼養，欄裏不蔽風雪溽暑，不餵菽粟，野外牧放，能耐飢渴。出征時，兵士乘馬，帶上自備軍器和數天乾糧，驅騎馳突，速戰速決；利用行軍或戰鬥的閒暇，脫繮放牧，不需後勤。李民寏又說：

胡中之養馬，罕有菽粟之餵。每以馳騁為事，俯身轉膝，惟意所適；暫有卸鞍之暇，則脫靮而放之。欄內不蔽風雪寒暑，放牧於野，必一人驅十馬。養飼調習，不過如此。而上下山坂、飢渴不困者，實由於順適畜性也。

我國之養馬異於是，寒冽則厚被之，雨雪則必避之，日夜羈縻，長在櫪下，馳騁不過三四百步。菽粟之秣，昏晝無闕，是以暫有飢渴，不堪馳步，少遇險仄，無不顛蹶。且不作騸，風逸踶齧，不順鞭策，尤不合戰陣也。（註三三）

上引後金與朝鮮戰馬的對比，實際上也反映了後金同明朝戰馬的對比。後金騎兵，兵悍馬壯，兵皆鐵甲，馬也披甲。騎兵作戰時，分作「死兵」和「銳兵」兩種：「死兵在前，銳兵在後。死兵披重甲，騎雙馬衝前，前雖死而後仍復前，莫敢退，退即銳兵從後殺之。待其衝動我陣，而後銳兵始乘其勝衝鋒」。（註三四）這說明八旗軍騎兵的勇敢與頑強。每當努爾哈赤下令吹角螺、鳴號炮，發動進攻時，八旗軍的騎兵，衝鋒，厮殺，摧堅，陷陣；鐵騎奔馳，衝突蹂躪，無與爭鋒，所向披靡。

相反，明朝軍隊習於平原作戰，長於施放火器。他們臨陣時，擺列方陣，彎弓揮刀，士氣不高，行動遲緩。但後金騎兵有兩個顯著的特點：一個是速度快，另一個是力量大。從某種意義來說，戰爭就是作戰雙方速度和力量的競賽。因此，行動慢、擺方陣的明朝步兵，與速度快、力量大的後金騎兵交鋒之後，明軍未及再裝彈藥時，努爾哈赤的騎兵已衝陷方陣，倏來倏往，任意橫行。所以，袁崇煥說：明朝「兵不利野戰，只有憑堅城、用大炮一策」。（註三五）然而，八旗兵攻城時，先用楯車（註三六）運載登城士卒到城下，豎起罩著牛皮的筒梯（註三七），軍士冒矢石沿梯魚貫登城。有時從城下挖洞，兵士穴城而入。也有時「則每於馬上人持一袋土，一時俱進，積於城下，則頃刻與城平，而人馬踐踏踰越」（註三八），取得攻城的勝利。

八旗軍又是一支嚴格訓練的軍隊。努爾哈赤重視軍事訓練，提高軍隊素質，培養勇敢精神，熟諳弓馬技藝。在費阿拉有很大的操場，天天操練兵馬。練兵時，他常親自檢查戰馬的膘情，馬肥壯者賞酒，馬羸瘦者鞭責。練兵除演習槍、刀、騎、射外，還進行「水練」和「火練」——練習跳澗的叫做水練，練習越坑的叫做火練；優秀者受賞，怯劣者斬首。努爾哈赤之所以嚴格軍訓，是因爲他深知武藝對一個兵士之重要。他自己便是一個弓馬精熟、武藝超群的射手。如《清太祖高皇帝實錄》記載一個努爾哈赤「百步穿柳」的故事：

初，上出迎時，至洞城之野。有乘馬佩弓矢過者。上問左右曰：「誰也？」左右曰：「此董鄂部人，善射，部中無出其右，所稱善射鈕翁金是也。」上召鈕翁金至，指百步外柳，命之射。

鈕翁金發五矢中其三，上下相錯。上發五矢，皆中。衆視之，五矢所集，僅五寸許。衆共嘆爲神技云。（註三九）

稱贊努爾哈赤彎射神技顯係溢詞，但他五箭連中，衆矢環聚，確實技藝超群。

八旗軍還是一支嚴軍紀、明賞罰的軍隊。《易經．師》曰：「師出以律，失律凶也。」努爾哈赤從建軍之初，便軍律嚴、賞罰明。他制定不成文軍令，並規定：「從令者饋酒，違令者斬頭」。（註四〇）到一六一五年（萬曆四十三年），努爾哈赤把軍紀、賞罰制度化：

克城破敵之後，功罪皆當其實：有罪者，即至親不貫，必以法治；有功者，即仇怨不遺，必加升賞。用兵如神，將士各欲建功，一聞攻戰，無不忻然，攻則爭先，戰則奮勇，威如雷霆，勢如風發，凡遇戰陣，一鼓而勝。（註四一）

上述記載如「用兵如神」云云，出自清朝文人的謳歌。但是，他確有一套辦法，在每次戰後核察軍士戰功。如據朝鮮滿浦僉使鄭忠信至赫圖阿拉所目擊云：

軍卒則盔上有小旗以爲認。每部各有黃甲二統，青甲二統，紅甲二統，白甲二統。臨戰則每隊有押隊一人，佩朱箭，如有喧呼亂次、獨進獨退者，即以朱箭射之。戰畢查驗，背有朱痕者，不問輕重斬之。戰勝則收拾財畜，遍分諸部，功多者倍一分。（註四二）

努爾哈赤在每次戰後，「賞不逾日，罰不還面」。（註四三）按功行賞，依罪懲罰，兵士們齊一心志，統一戰力，奮勇征殺，有進無退。

有人總結努爾哈赤的騎兵，在作戰時有進無退的原因，說道：「只以敢進者爲功，退縮者爲罪（面帶槍傷者爲上功；凡大小胡人之所聚，面頸帶搬〔瘢〕者甚多，其屢經戰陣可知）。有功則賞之以軍兵，或奴婢、牛馬、財物；有罪則或殺，或囚，或奪其軍兵，或奪其妻妾、奴婢、家財，或貫耳，或射脅下。是以臨陣有進無退云」。（註四四）在某種意義上說，努爾哈赤是以掠財賞功，酷刑罰罪，來維持一支強大的八旗鐵騎。

關於後金軍隊的嚴酷刑罰，可從《滿文老檔》中選擇兩件事情加以說明：後金軍攻撫順城時，在前面的人豎梯登城，後面的人沒有跟上，先上的人被射死。命將後面沒有跟上的伊賴，削掉鼻子，罰爲阿哈。又有蘇克達的舒賽牛彔的阿奇，擅離兵營，去殺鷄燒著吃，另四人知道後和阿奇一起吃燒鷄。他們五人被清河的明兵殺了。命割取阿奇屍體的肉，分給各牛彔傳觀，以警效尤。（註四五）儘管八旗軍的軍紀嚴酷，但兵士因參戰能得到物質利益，仍把出征視同節日：「出兵之時，無不歡躍，其妻子亦皆喜樂，惟以多得財物爲願。如軍卒家有奴四、五人，皆爭偕赴，專爲搶掠財物故也」。（註四六）因此，誘之以利，繩之以法，這是努爾哈赤統轄八旗軍隊的兩項措施。

八旗軍不僅勇敢善戰、長於騎射、勤加訓練、號令嚴肅、卒伍整齊、賞罰分明，而且「最工間諜」。（註四七）努爾哈赤爲了刺探明軍的指揮、部署、數量、軍器、城邑、士氣、糧秣等情報，曾利用明降將李永芳，每月化銀一百兩，收買與明遼東官員有交往的劉保，按月遞送情報。（註四八）他還曾派諜工男扮女裝，設計焚燒明軍在海州的糧草。（註四九）努爾哈赤以善用諜工，對遼東明軍的虛實動靜，瞭如指掌。在《三朝遼事實錄》一書中，明朝兵部尙書兼遼東經略王在晉，對努爾哈赤善用諜工屢有記述，如：

奴遣奸細探三岔，破聯舡，陰圖金酋寨。（註五〇）

開原未破，而奸細先潛伏於城中，無亡矢遺鏃之費，而成摧城陷陣之功。（註五一）

奴酋多遣奸細，潛伺內境。（註五二）

奴中間諜，無地不有。（註五三）

奴酋最狡，善用奸細，我之動靜，無不悉知。（註五四）

賊之奸細，混入其中，如瀋陽攻陷，皆由降夷內應，其明驗也。（註五五）

奴素善愚我，而我並無一事愚奴。（註五六）

奴自清、撫、開、鐵以及河東、西之陷，何者不由奸細之潛伏？其用計最詭，用財最廣，用人最密，故破奴之法，莫要於查奸細。（註五七）

努爾哈赤用最詭詐的計謀，最豐厚的財物，最秘密的手段，派遣諜工，刺探敵情，取得指揮戰爭的主動權。

八旗制度不僅是軍事制度，而且是行政制度。努爾哈赤旣以旗統兵，又以旗統人。八旗的軍事職能前已述及，其社會職能，又包括政治、民政、宗族三個方面：

八旗是政權組織。後金的政權組織分爲三級——固山、甲喇和牛彔。固山額眞、甲喇額眞、牛彔額眞，既是軍事長官，又是行政長官。他們出則統領軍隊，入則統轄部民。八旗各有旗主，各置官屬，各領人民。它的基層單位爲牛彔，牛彔額眞是本牛彔人民的「父母官」。後金汗通過各級額眞，統治其人民：

> 凡有雜物收合之用，戰鬥力役之事，奴酋令於八將，八將令於所屬柳累將，柳累將令於所屬軍卒，令出不少遲緩。（註五八）

後金汗同各級額眞是君臣隸屬關係。一六二一年（天啓元年，天命六年）二月，薩爾滸城營築竣工，努爾哈赤升殿聚諸王大臣曰：

> 君明乃成國，國治乃成君。至於君之下有王，王安即民安，民安即王安。故天作之君，君恩臣，臣敬君，禮也。（註五九）

可見後金八旗中的君臣等級是很森嚴的。努爾哈赤依靠八旗的固山額眞、甲喇額眞和牛彔額眞等各級官吏，組成統治後金人民的政治機器。

八旗也是民政組織。固山、甲喇和牛彔，既是軍事編制單位，也是戶口編制單位。編入八旗的人戶，稱爲旗人。牛彔額眞及其屬下村領催等官員，掌管本牛彔、本村屯的民政事務，諸如登記戶籍，查勘田地，分配財物，經營房宅，收納賦稅，攤派勞役，拘捕逃人，埋葬死人，料理婚娶，排解糾紛，淸理衞生，送往迎來（註六〇）等。

八旗又是宗族組織。女眞族到努爾哈赤時代，仍保留有氏族殘餘形態。雖然牛彔早已變成軍事組織和行政組織，但牛彔額眞多爲一族之長或衆族之長。一個牛彔往往是一個大宗族，牛彔額眞即成爲該族的族長。如康果禮先世居那木都魯，以地爲氏。康果禮等率兵壯一千餘人歸服努爾哈赤，努爾哈赤命康果禮等「分轄其衆，爲世管佐領六，隸滿洲正白旗」。（註六一）康果禮既統轄所屬部衆，又爲其族的族長。尤其是東海女眞部民降服後，努爾哈赤即以其首領委任官職，統領所屬部民。這種牛彔額眞，既爲軍事長官，也爲行政長官，又爲該族的族長。所以《光緒會典》載有「每佐領下，每設族長，管束同族之人，其獨小族，即令兼管」。（註六二）因此，牛彔額眞也是族長或總族長。但後來招服日衆，情況有所不同，同一牛彔內不僅有滿洲人，也有蒙古人和漢人等。儘管如此，牛彔額眞仍管本牛彔內的宗族事務。

八旗制度不僅是軍事制度、行政制度，而且是經濟制度。這主要表現在後金汗和固山額眞除指揮作戰和管理行政外，還占有土地、奴僕、牲畜，管理生產，分配財物。

八固山共同占有土地。胡貢明奏議稱：「有人必八家分養之，地土必八家分據之」。（註六三）這雖是努爾哈赤死後六年的奏議，但反映其在世時八固山占有土地、奴僕和牲畜的事實。後面將較詳細地敍述後金的土地所有制問題，這裏姑且從簡。

牛彔額眞也組織生產。八旗制下的部衆，「出則爲兵，入則爲民；耕戰二事，未嘗偏廢」。（註六四）即跨馬從戎時，按軍隊的編制馳騁征戰；解甲卸鞍後，又按軍隊的編制從事生產。軍卒返屯後，修整器具，治理家業，耕種田地，牧放馬匹。牛彔額眞又成爲生產的管理者。一六一三年（萬曆四十一年），努爾哈赤命「一牛彔各出男丁十人，牛四頭，墾荒屯田，悉蠲貢賦」。（註六五）以後隨著歸幷的土地和人口日漸增多，便組織莊田進行生產。牛彔額眞是本牛彔生產的組織者。後來由於丁口增加，牛彔下的民戶「三丁抽一」（註六六），即每戶如有三名男丁，抽一人去作戰，另二人稱餘丁，在家從事生產勞動。隨著戰爭的頻繁，兵士不再棄戈務農，而變成職業軍人：「軍卒則但礪刀劍，無事於農畝者」。（註六七）牛彔額眞指揮軍事職能逐漸加強，組織生產職能日趨減弱。

此外，八旗還是分配擄掠財富的基本單位。如一六一八年（天命三年）四月十五日攻取明撫順諸城堡，次日，努爾哈赤就在甲版野地設營，按旗分配「俘獲」三十萬人畜。（註六八）他還將在戰爭中擄獲大量的人口、牲畜、金銀、布帛，按八旗分賜與貝勒和各級額眞等。如薩爾滸之役後，將繳獲的戰利品堆放八處，按八旗進行分配。（註六九）

女眞社會歷史發展與生產關係所產生的獨特社會結構——八旗制度，旣有利於其社會生產力的發展，又有利於滿族共同體的形成。努爾哈赤通過八旗把分散的女眞部民組織起來，管理女眞的農業、畜牧業、採集業、漁獵業和手工業生產，促進了女眞社會生產力的提高。同時，隨著對瓦爾喀、虎爾哈、卦勒察、薩哈連、達斡爾、蒙古人、漢人等的征附，得到一部人就編爲一牛彔。（註七〇）努爾哈赤把各部女眞人等都包容在旗制之中，加速了滿族共同體的形成。天命初年，已發展到約二百個牛彔。（註七一）除滿洲八旗之外，一六二一年（天啓元年，天命六年）始設蒙古牛彔（註七二），一六二二年

（天啓二年，天命七年），始設蒙古旗。（註七三）一六二九年（崇禎二年，天聰三年），已有「蒙古二旗」。（註七四）一六三五年（崇禎八年，天聰九年），始分設蒙古八旗（註七五），旗色與滿洲八旗相同。一六三一年（崇禎四年，天聰五年），努爾哈赤的繼承人皇太極將滿洲八旗中的漢人撥出，另編一旗。（註七六）漢軍初名烏津超哈，爲滿語 ujen cooha 的對音；ujen是重的意思，cooha是兵的意思，ujen cooha 意爲重兵，因其多使用大炮等重型武器而得名，後稱漢軍，以黑色爲旗幟。一六三七年（崇禎十年，崇德二年），分設漢軍爲二旗。（註七七）一六三九年（崇禎十二年，崇德四年），又增設漢軍二旗，旗色爲純皂（黑）、皂鑲黃、皂鑲白、皂鑲紅。（註七八）一六四二年（崇禎十五年，崇德七年），漢軍擴充爲八旗（註七九），旗色改爲與滿洲八旗、蒙古八旗相同，取消了黑色。從此，實際有滿洲八旗、蒙古八旗、漢軍八旗，共二十四旗（註八〇），但習慣上仍統稱之爲八旗。

努爾哈赤創建八旗制度，以它作綱，把女眞社會的軍事、行政、生產、宗族統制起來。女眞各部的部民，被按軍事方式，分爲三級，加以編制。女眞社會就像馬克思所說的，「是按軍事方式組織成的，像軍事組織或軍隊組織一樣」。（註八一）努爾哈赤用軍事方法管理行政、管理經濟，使女眞社會軍事化。因此，在努爾哈赤統治時期，整個女眞社會就是一座大兵營。這一點，也正是努爾哈赤統治時期女眞社會的一個重要特徵。努爾哈赤以八旗作紐帶，把渙散的女眞各部聯結起來，形成一個組織嚴密的、生氣勃勃的社會整體，在當時歷史條件下是有積極意義的。克勞塞維茨在《戰爭論》中說：「戰鬥與生活合一的民族與社會必強。」努爾哈赤時期的女眞民族和女眞社會，是戰爭與生活合一的民族，也是戰鬥與生活合一的社會。這正是他崛起東北地區，統一女眞各部，施行社會改革和屢敗明朝軍隊的重要原因之一。但是，他通過八旗制度，加強了對女眞奴隸、農奴、部民的軍事統治和軍事獨裁，從而給女眞勞動人民戴上一副沉重的枷鎖。而八旗軍入關之後，對中原地區人民實行野蠻掠奪與軍事統治，推行高壓政策，影響了社會的前進。

在創建八旗制度的過程中，努爾哈赤主持制定了無圈點的老滿文。

二、制定老滿文

努爾哈赤主持制定無圈點老滿文，是我國滿族發展史上又一件大事，也是他的另一大功績。

滿文是滿族語言的符號。滿語，屬阿爾泰語系。我國同屬於阿爾泰語系的北方少數民族，又分成不同的語種，這在語言學上叫做語族。它主要分爲三個語族：即阿爾泰語系突厥語族，包括維吾爾語、哈薩克語、柯爾克孜語、烏孜別克語等；阿爾泰語系蒙古語族，包括蒙古語、達斡爾語、布里亞特語、裕固語等；阿爾泰語系滿語族（註八二），包括滿語、鄂溫克語、鄂倫春語、錫伯語、赫哲語等。滿族的先世女眞人，講的就是阿爾泰語系滿族語的語言。

女眞族在金代參照漢字創制了女眞文。它有女眞大字和女眞小字兩種。女眞大字爲完顏希尹所造，金太祖於一一一九年（天輔三年）頒行。《金史・完顏希尹傳》載：

金人初無文字，國勢日強，與鄰國交好，乃用契丹字。太祖命希尹撰本國字，備制度。希尹乃依倣漢人楷字，因契丹字制度，合本國語，制女直字。天輔三年八月，字書成，太祖大悅，命頒行之。賜希尹馬一匹、衣一襲。其後熙宗亦制女直字，與希尹所制字俱行用。希尹所撰謂之女直大字，熙宗所撰謂之小字。（註八三）

金熙宗於一一三八年（天眷元年），制成「女直小字」（註八四），後殺完顏希尹。一一四五年（皇統五年），「初用御制小字」（註八五），女眞小字頒行。一一六四年（大定四年），金世宗「詔以女直字譯書籍」（註八六），後設女眞進士科，而「用女直文字以爲程文」（註八七），並在中都設女眞國子學，諸路設女眞府學，以新進士充教授。到一一八三年（大定二十三年）九月，譯「易、書、論語、孟子、老子、揚子、文中子、劉子及新唐書」（註八八）成，命頒行之。而所譯《史記》、《漢書》和《貞觀政要》等書，也已流行。

但是，女眞字是在變換了契丹大字的基礎上創制的，而契丹大字又依仿了漢字，所以女眞字是一種方塊字，與蒙古拼音文字有所不同。隨著金亡元興，蒙古族成爲統治民族，蒙古語與女眞語又同屬於阿爾泰語系，在女眞地區先是蒙古文和女眞文並行，爾後女眞文逐漸衰落下去。到元朝末年，懂女眞文的人已經爲數不多。

明初，著名的《永寧寺碑記》，是用漢文、蒙古文和女眞文三種文字鐫刻的，其中女眞文的書寫人爲「遼東女眞康安」。（註八九）明成祖招撫女眞吾都里、兀良哈、兀狄哈時，「其敕諭用女眞書字」。（註九〇）但是，明中葉以後，女眞人已不懂女眞文。如《明英宗實錄》記載：

玄城衞指揮撒升哈、脫脫木答魯等奏：「臣等四十衞無識女直字者，乞自後敕文之類第用達達字。」從之。（註九一）

達達字即蒙古文字。這說明到十五世紀中葉，女眞文字已失傳，而借用蒙古文字。不僅明朝與女眞的敕書用蒙古文，而且朝鮮同建州的公文也用蒙古文。如一四九〇年（弘治三年），朝鮮兵曹通書建州右衞酋長羅下的公文，「用女眞字，〔以〕蒙古文翻譯書之」。（註九二）

努爾哈赤興起之後，建州與明朝和朝鮮的公文，由漢人龔正陸用漢文書寫，「凡寫文書，皆出於此人之手」。（註九三）努爾哈赤會蒙古文，又粗通漢文，唯獨缺少女眞文字。所以，他在女眞社會中的公文和政令，則先由龔正陸用漢文起草，再譯成蒙古文發出或公布：「時滿洲未有文字，文移往來，必須習蒙古書，譯蒙古語通之」。（註九四）女眞人講女眞語，寫蒙古文，這種語言與文字的矛盾，已不能滿足女眞社會發展的需要，甚至已經成爲滿族共同體形成的一個障礙。努爾哈赤爲著適應建州社會軍事、政治、經濟和文化迅速發展的需要，遂倡議並主持創制作爲記錄滿族語言的符號——滿文。一五九九年（萬曆二十七年）二月，努爾哈赤命額爾德尼和噶蓋創制滿文。《清太祖高皇帝實錄》載：

> 上欲以蒙古字制爲國語頒行。巴克什額爾德尼、扎爾固齊噶蓋辭曰：「蒙古文字，臣等習而知之。相傳久矣，未能更制也」！
>
> 上曰：「漢人讀漢文，凡習漢字與未習漢字者，皆知之；蒙古人讀蒙古文，雖未習蒙古字者，

亦皆知之。今我國之語，必譯爲蒙古語讀之，則未習蒙古語者，不能知也！如何以我國之語制字爲難，反以習他國之語爲易耶？」

額爾德尼、噶蓋對曰：「以我國語制字最善，但更制之法，臣等未明，故難耳！」

上曰：「無難也！但以蒙古字，合我國之語音，聯綴成句，即可因文見義矣。吾籌此已悉，爾等試書之。何爲不可？

於是，上獨斷：將蒙古字制爲國語，創立滿文，頒行國中。滿文傳布自此始。（註九五）

前錄引文，努爾哈赤說明兩點：其一，創制滿文的意義在於，使滿族的語言與文字臻於統一；其二，創制滿文的方法是，參照蒙文字母，協合女眞語音，拼讀成句，撰制滿文。

究竟怎樣以蒙文字母，聯綴女眞語音呢？據一六三三年（天聰七年）滿文舊檔記載：

初無滿字。父汗在世時，欲創制滿書，巴克什額爾德尼辭以不能。父汗曰：「何謂不能？如阿字下合媽字，非阿媽乎？額字下合諤字，非額諤乎？吾意已定，汝勿辭」。

上述記載，《滿洲實錄》和《清太祖武皇帝實錄》均錄入，但《清太祖高皇帝實錄》對用蒙文拼寫的記述，付諸闕如。上面引文中的「父汗」即努爾哈赤。其用蒙文拼寫滿語的方法如：蒙古文字母ᠠ（阿，a）和ᠮᠠ（媽，ma），拼讀起來就是ᠠᠮᠠ（阿媽，ama；滿語意父親）。用ᠡ（額，e）和ᠮᠡ（諤，me），拼讀起來就是ᠡᠮᠡ（額諤，eme；滿語意母親）。

於是，額爾德尼和噶蓋遵照努爾哈赤提出的創制滿文的基本原則，仿照蒙古文字母，根據滿語音特點，創制滿文。這種草創的滿文，沒有圈點，後人稱之爲「無圈點滿文」，或「老滿文」。從此，滿族有了自己的拼音文字。滿文制成後，努爾哈赤下令在統一的女真地區施行。

額爾德尼和噶蓋，在努爾哈赤指導下撰制滿文，他們是滿族傑出的語言學家。額爾德尼，滿洲正黃旗人，姓納喇氏，世居都英額，少年明敏，兼通蒙古文和漢文。他投歸建州後，被賜號巴克什。巴克什，爲滿語 baksi 的對音，是學者、博士的意思。額爾德尼隨從努爾哈赤「征討蒙古諸部，能因其土俗、語言、文字，傳宣詔令，招納降附，著有勞績」。（註九六）額爾德尼一生雖建樹武勛，但其主要功績爲創制滿文。與額爾德尼同時創制滿文的噶蓋，姓伊爾根覺羅氏，世居呼納赫，屢次立功，「位亞費英東」。（註九七）他受命制滿文，同年被殺。噶蓋死後，額爾德尼「遵上指授，獨任擬制」（註九八），滿文制成，後亦被殺。（註九九）《八旗通志》稱其「年四十三歲，緣事正法」。（註一〇〇）額爾德尼雖以微末受誅，其功業卻與世長存。清太宗曾諭文館儒臣云：「額爾德尼乃一代傑出之人」！（註一〇六）這個評價是公允的。

努爾哈赤主持下由額爾德尼和噶蓋創制的無圈點滿文，在統一的女真地區推行三十三年，發揮了巨大的作用。但是，初創滿文缺乏經驗，同時蒙古語和滿語的語音又存在差別，因而無圈點滿文有一些亟待改進的問題。如字母數量不夠，清濁輔音不分，上下字無別，字形不統一，語法不規範，結構不嚴謹。因此，一六三二年（崇禎五年，天聰六年）皇太極又命巴克什達海改進老滿文。《滿文老檔》記載：

十二字頭原無圈點，上下字無別，故塔、達、特、德，扎、哲，雅、葉等字雷同不分，如同一體。書中平常語言，視其文義，尚易通曉。至於人名、地名，常致錯誤。（註一〇二）皇太極命達海對無圈點滿文，「可酌加圈點，以分析之，則音義明曉，於字學更有裨益矣」。（註一〇三）達海，滿洲正藍旗人，世居覺爾察，以地爲氏。他「九歲讀書，能通滿、漢文義。弱冠，太祖高皇帝召直文館（註一〇四），凡國家與明及蒙古、朝鮮詞命，悉出其手；有詔旨應兼漢文音者，亦承命傳宣，悉當上意。旋命譯《明會典》及《素書》、《三略》」。（註一〇五）後達海與納扎通奸，擬罪當死；但努爾哈赤惜才，命殺死納扎，將達海鎖柱拘禁。（註一〇六）清太宗時，達海爲文館領袖，受命改進無圈點滿文。他「酌加圈點，又以國書與漢字對音未全者，於十二字頭正字之外增添外字，猶有不能盡協者，則以兩字連寫，切成其切音，較漢字更爲精當，由是國書之用益備」。（註一〇七）達海又譯《通鑑》、《六韜》、《孟子》、《三國誌》（註一〇八）、《大乘經》、《刑部會典》、《素書》、《萬寶全書》、《三略》等，因勞成疾，未竟而卒，年僅三十八歲。巴克什達海一生勤敏清廉，死殮時「求靴無完者」（註一〇九），連一雙完好的靴子也沒有。達海巴克什短暫而勤奮的一生，對滿漢文化交流作出了重大貢獻。尤以改進無圈點滿文爲有圈點滿文，則是其一生中最傑出的業績。所以史載「達海以增定國書，滿洲群推爲聖人」。（註一一〇）

達海在整理額爾德尼、噶蓋所創制的無圈點老滿文時，主要作了如下改進：

第一，編制「十二字頭」。《國朝耆獻類徵》載：「達海繼之，增爲十二字頭」。（註一一一）《

清史稿・達海傳》也載：「達海治國書，補額爾德尼、噶蓋所未備，增爲十二字頭」。（註一一二）達海爲便於教授滿文，編制了「十二字頭」（註一一三）（詳見後文）

第二，字旁各加圈、點。例如，蒙古文「ha」與「ga」讀音沒有區別，但滿語「aha」（阿哈）爲「奴隸」，而「aga」（阿戛）爲「雨」。達海在「ha」與「ga」旁各加圈、點，即把老滿文的（aha，阿哈，意爲奴）加圈，寫成，而把老滿文的（aga，阿戛，意爲雨）加點，寫成。這樣，因其各加圈、點，而使「奴」和「雨」兩字有所區別。

第三，固定字形。對字母的書寫形式加以固定，使之規範化。如在老滿文中，元音u的詞首、詞中、詞尾共有十餘種寫法；但在新滿文中，其詞首、詞中、詞尾基本上各有一種寫法。

第四，確定音義。改進字母發音，固定文字含義。如在老滿文中，元音o、u、ū經常相互混用，輔音k、g、h書寫有時完全相似；在新滿文中，o、u、ū則加以區別，k、g、h的字形書寫也各不相同。

第五，創制特定字母。設計了十個專爲拼寫外來語（主要是漢語）的特定字母，以拼寫人名、地名等。

經過達海改進後的滿文，後人稱之爲「有圈點滿文」或「新滿文」，於是滿文較前更爲完備。（註一一四）

改進後的滿文，按語言學音素來說，有六個元音字母，二十二個輔音字母，十個專門用作拼寫外來語的特定字母，共三十八個字母。字母不分大小寫，但元音字母以及輔音與元音相結合所構成音節，出現在詞首、詞中、詞尾或單獨使用時，都有不同的書寫形式。還有過去習稱滿語「十二字頭」，即：六個元音和輔音與元音拼成的複合音（約相當於漢語拼音的音節），共一百三十一個，這就是「第一字頭」；而「第一字頭」內的各個音節分別與元音及輔音「i」、「r」、（ ）「n」、「y」或「q'或k'」、（ ）「s」、「t」、「b」、「o」、「l」、「m」相結合所構成的音節，共十一個字頭。以上總合爲十二個字頭。「十二字頭」籠統地包括了滿文中的元音、輔音、特定字母以及其他音節。

滿文的語法，名詞有格、數的範疇，動詞有體、態、時、式等範疇。句子成分的順序是，謂句在句子最後，實語在動詞謂語之前，定語在被修飾詞語之前。

滿文的書寫，字序從上到下，行序從左向右。

由努爾哈赤主持，額爾德尼和噶蓋撰制的無圈點老滿文，流傳至今的歷史文獻主要爲《滿文老檔》。（註一一五）據《滿文老檔》記載，創制滿文爲學校教育提供了重要手段，努爾哈赤下達文書，在八旗中選擇師傅，學辦學校，令青少年入學讀書。《滿文老檔》載努爾哈赤的文書云：

> 鍾堆、博布赫、薩哈連、吳巴泰、雅興噶、瀾貝、扎海、洪岱，選爲八旗的師傅。要對你們的徒弟們，認眞地教書，使之通文理。這便是功。如入學的徒弟們不勤勉讀書，不通文理，師傅要治罪。入學的徒弟們如不勤勉學習，師傅要向諸貝勒報告。八位師傅不參與各種的事。（註

（一一六）

滿文的創制，促進了後金教育事業的發展。

滿文的創制和頒行，是滿族文化發展史上的里程碑。從此，滿族人民有了自己的文字，可以用它來交流思想，書寫公文，記載政事，編寫歷史，傳播知識，翻譯漢籍。這不僅加強了滿族人民的思想交流，而且促進了滿漢之間的文化交流。滿文撰制後在女眞地區的推行，使女眞各部和女眞人民之間的交往更爲密切，這對滿族共同體的形成，無疑是一條重要的精神紐帶。特別是後金統治者，用滿文翻譯大量的漢文典籍，汲取中原封建王朝統治經驗，加速了滿族社會的封建化。同時，滿文記錄和保存了大量的文化遺產，豐富了中華民族的文化寶庫。

滿族文字的創制，八旗制度的確立，從精

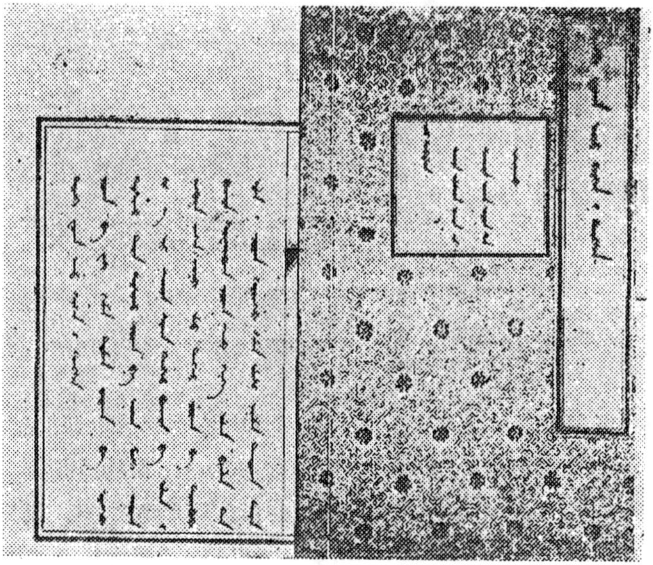

《滿文老檔》書影

神上和物質上，準備了後金政權的建立。

【附註】

註　一　《滿洲實錄》第三卷，第三至四頁。
註　二　《金史·兵志》中華書局標點本，第三册，第四四卷，第九九二頁。
註　三　《李朝世宗實錄》第八二卷，二十年七月辛亥。
註　四　《清太祖高皇帝實錄》第一卷，第十三頁。
註　五　《清太祖高皇帝實錄》第一卷，第二十頁。
註　六　《清太祖高皇帝實錄》第一卷，第二二頁。
註　七　李民寏：《建州聞見錄》：鐵弗皮牌，以張牛皮四五重爲楯牌，矢不能穿。「串赤」可能就是鐵弗皮牌。
註　八　《李朝宣祖實錄》第二三卷，二十二年七月丁巳。
註　九　《李朝宣祖實錄》第三〇卷，二十五年九月甲戌。
註一〇　《李朝宣祖實錄》第六九卷，二十八年十一月戊子。
註一一　《李朝宣祖實錄》第七三卷，二十九年三月甲申。
註一二　《滿洲實錄》第二卷，第十四頁。
註一三　《清太祖高皇帝實錄》第二卷，第十七頁。
註一四　《清太祖武皇帝實錄》第一卷，第十一頁。

註一五　《李朝宣祖實錄》第七一卷，二十九年正月丁酉。

註一六　乾隆《清會典則例》第一七一卷載：「太祖高皇帝辛丑年，滿洲生齒日繁，諸國歸服人衆，設四旗以統之，以純色爲辨，曰黃旗、曰白旗、曰紅旗、曰藍旗」。

註一七　《清太祖高皇帝實錄》第三卷，第六頁。

註一八　《光海君日記》第七九卷，六年六月丙午。

註一九　昭槤：《嘯亭雜錄》第十卷，第十三頁。

註二〇　《清太祖高皇帝實錄》第四卷，第二十頁。

註二一　《滿文老檔・太祖》第四卷，乙卯年（萬曆四十三年）十一月。

註二二　鄭天挺：《探微集・牛彔額眞》中華書局，第一四一頁。

註二三　乾隆《清會典・八旗都統》第九五卷：「按行軍旗色，以定戶籍，設官分職，以養以教，而兵寓其中。」

註二四　《光海君日記》第一六九卷，十三年九月戊申所記八旗顏色爲：
(1)黃旗無畫，(2)黃旗畫黃龍，(3)赤旗無畫，(4)赤旗畫青龍，
(5)白旗無畫，(6)白旗畫黃龍，(7)青旗無畫，(8)青旗畫黑龍。

註二五　《明清史料》甲編第一本第五頁，載明《廂邊紅旗備御祝世胤奏本》卽爲一例證。

註二六　金德純：《旗軍志》，不分卷，第一頁。

註二七　《清太祖高皇帝實錄》第四卷，第二十頁。

註二八　李民寏：《建州聞見錄》第三一頁。

註二九 《滿洲實錄》第四卷，第十頁；第六卷，第十三頁；第七卷，第三頁。
註三〇 李民寏：《建州聞見錄》載：代善掌黑旗。
註三一 《光海君日記》第一六九卷，十三年九月戊申。
註三二 李民寏：《建州聞見錄》第三〇頁。
註三三 李民寏：《建州聞見錄》第三七頁。
註三四 陳仁錫：《無夢園集・山海紀聞二・紀奴戰法》。
註三五 《明史・袁崇煥傳》第二二册，第二五九卷，第六七一一頁。
註三六 楯車：是一種攻防兩用的戰車，形似雙輪手推車，前面安設高厚木板，以避矢鏃。
註三七 筒梯：是一種攻城用的長梯，蒙牛皮，似筒狀，以蔽矢石；有輪，可拖拽行進。
註三八 《李朝宣祖實錄》第六九卷，二十八年十一月庚寅。
註三九 《清太祖高皇帝實錄》第二卷，第七頁。
註四〇 《李朝宣祖實錄》第二三卷，二十二年七月丁巳。
註四一 《滿洲實錄》第四卷，第六頁。
註四二 《光海君日記》第一六九卷，十三年九月戊申。
註四三 《孫臏兵法・將德篇》，文物出版社，第一〇九頁。
註四四 李民寏：《建州聞見錄》第三四頁。
註四五 《滿文老檔・太祖》第六卷，天命三年四月二十六日。

註四六　李民寏：《建州聞見錄》第三三至三四頁。
註四七　王在晉：《三朝遼事實錄》第一卷，第二四頁。
註四八　王在晉：《三朝遼事實錄》第四卷，第二九頁。
註四九　王在晉：《三朝遼事實錄》第一卷，第四二頁。
註五〇　王在晉：《三朝遼事實錄》第一卷，第十五頁。
註五一　王在晉：《三朝遼事實錄》第一卷，第二二頁。
註五二　王在晉：《三朝遼事實錄》第二卷，第十六頁。
註五三　王在晉：《三朝遼事實錄》第三卷，第二九頁。
註五四　王在晉：《三朝遼事實錄》第三卷，第三七頁。
註五五　王在晉：《三朝遼事實錄》第四卷，第十四頁。
註五六　陳仁錫：《無夢園集・紀奴奸細》。
註五七　王在晉：《三朝遼事實錄》第八卷，第十八頁。
註五八　李民寏：《建州聞見錄》第三三頁。
註五九　《滿洲實錄》第六卷，第十一頁。
註六〇　《滿文老檔・太祖》第四七卷，天命八年三月十三日。
註六一　《清史列傳・康果禮》第四卷，第十二頁。
註六二　《光緒會典》第八四卷，第一〇頁。

註六三　《天聰朝臣工奏議》卷中，淸初史料叢刊本，第三〇頁。
註六四　《淸太宗文皇帝實錄》第七卷，第五頁。
註六五　《滿文老檔・太祖》第三卷，癸丑年（一六一三年）。
註六六　《淸太宗文皇帝實錄》第十七卷，第十五頁。
註六七　李民寏：《建州聞見錄》第三一頁。
註六八　《滿文老檔・太祖》第六卷，天命三年四月十六日。
註六九　《滿文老檔・太祖》第九卷，天命四年四月初三日。
註七〇　吳振棫：《養吉齋叢錄》第一卷：「國初，各部長率屬來歸，授之佐領，以統其衆者，曰勳舊佐領；率衆歸城，功在旗，常賜戶口者，曰優異世管佐領；僅同兄弟族里來歸，授之以職者，曰世管佐領；戶少丁稀，合編左領，兩姓三姓，迭爲是官者，曰互管佐領；各佐領撥出餘丁，增編佐領，爲公中佐領。」
註七一　孟森：《八旗制度考實》，《淸史講義》，第三〇頁。
註七二　《滿洲實錄》第七卷，第六頁。
註七三　《滿文老檔・太祖》第四〇卷，天命七年三月二十九日。
註七四　《淸太宗文皇帝實錄》第五卷，第三八頁。
註七五　《淸太宗文皇帝實錄》第二二卷，第十七頁。
註七六　王先謙：《東華錄》天聰五年正月乙未。
註七七　《淸太宗文皇帝實錄》第三七卷，第三〇頁。

註七八　《清朝文獻通考》第一七九卷，第七頁。

註七九　《清太宗文皇帝實錄》第六一卷，第七頁。

註八〇　乾隆《清會典》第九五卷載：「始立四旗，重爲八旗，合滿洲、蒙古、漢軍爲二十四旗，制度備焉。」

註八一　馬克思：《資本主義生產以前各形態》人民出版社，第八頁。

註八二　另有一種意見：把滿語列爲阿爾泰語系通古斯—滿語族。

註八三　《金史·完顏希尹傳》第五册，第七三卷，第一六八四頁。

註八四　《金史·熙宗紀》第一册，第四卷，第七二頁。

註八五　《金史·熙宗紀》第一册，第四卷，第八一頁。

註八六　《金史·徒單鎰傳》第七册，第九九卷，第二一八五頁。

註八七　《金史·選舉一》第四册，第五一卷，第一一三〇頁。

註八八　《金史·世宗紀下》第一册，第八卷，第一八四頁。

註八九　《明代奴兒干永寺碑記校釋》，《中央民族學院學報》，一九七六年，第一期。

註九〇　《李朝太宗實錄》第五卷，三年六月辛未。

註九一　《明英宗實錄》第一一三卷，正統九年二月甲午。

註九二　《李朝成宗實錄》第二四一卷，二十一年六月戊子。

註九三　《李朝宣祖實錄》第一二七卷，三十三年七月戊午。

註九四　《滿洲實錄》第三卷，第二頁。

註九五　《清太祖高皇帝實錄》第三卷，第二頁。

註九六　《清史列傳・額爾德尼》第四卷，第九頁。

註九七　《清史稿・額爾德尼傳附噶蓋傳》第三一冊，第二二八卷，第九二五四頁。

註九八　《清史列傳・額爾德尼》第四卷，第九頁。

註九九　《滿文老檔・太祖》第五〇卷，天命八年五月。

註一〇〇　《八旗通志初集》第二三六卷《額爾德尼傳》載：「天聰八年，額爾德尼巴克什奉命迎察哈爾歸附之衆」云云。

查《清太宗實錄》第二一卷第八頁載：「先是，遣額爾德尼囊蘇喇嘛、哈爾松阿，往迎察哈爾圖歸附之衆，至是還。」是知，額爾德尼與額爾德尼囊蘇喇嘛並非爲一人。尚有一證，即《清太宗實錄》第十六卷第六頁載：「…額爾德尼遂遵諭編成滿書。我國初無滿字，額爾德尼乃一代傑出之人，今也則亡，彼所造之書，義或有在，其後巴克什庫爾纏所增。」以上二證表明，《八旗通志初集・額爾德尼傳》上載誤矣。

註一〇一　《清太宗文皇帝實錄》第十六卷，第六頁。

註一〇二　《滿文老檔・太宗》第四五卷，天聰六年正月十七日。

註一〇三　《清太宗文皇帝實錄》第十一卷，第十九頁。

註一〇四　《清史稿・達海傳》載：「太宗始置文館，命分兩直：達海及剛林、蘇開、顧爾馬渾、托布戚譯漢字書籍，庫爾纏、吳巴什、查素喀、胡球、詹霸記注國政。」是知清太祖時尚未置文館。

註一〇五　《清史列傳・達海》第四卷，第十頁。

註一〇六　《滿文老檔・太祖》第十四卷，天命五年三月二十五日。

註一〇七　《清史列傳・達海》第四卷，第十頁。

註一〇八　實爲羅貫中的《三國演義》。

註一〇九　《清史稿・達海傳》第三一册，第二二八卷，第九二五七頁。

註一一〇　《清史稿・達海傳》第三一册，第二二八卷，第九二五八頁。

註一一一　李桓：《國朝耆獻類徵・達海傳》第一卷，第十四頁。

註一一二　《清史稿・達海傳》第三一册，第二二八卷，第九二五七頁。

註一一三　《滿文老檔・太宗》第四五卷，天聰六年正月十七日。

註一一四　清軍入關後，滿族人民逐漸採用漢文，滿文的使用範圍越來越小。現在滿族都使用漢語文，只有黑龍江省的愛琿縣、富裕縣等地的部分滿族人還能講滿語。但滿文圖書今存一千零一十五種，滿文檔案僅中國第一歷史檔案館藏爲一百五十二萬八千二百二十八件（册）。

註一一五　《滿文老檔》是用無圈點老滿文和有圈點新滿文兩種字體書寫的清努爾哈赤和皇太極兩朝的編年體史料長編。後在乾隆四十年，命將原來無圈點字檔和有圈點字檔，重抄和轉抄各正、草二部，共四部。每部裝訂爲二十六函，一百八十本。由清內閣大庫庋藏，現存中國第一歷史檔案館。乾隆四十三年，又命各重抄一部，其函、本同前，藏盛京崇謨閣，現存遼寧省檔案館。至是，《滿文老檔》共有七部。但《舊滿洲檔》原檔一部，四十册，現存臺灣。

註一一六　《滿文老檔・太祖》第二四卷，天命六年七月十一日。

第七章　建立後金政權

一、萬曆朝的衰落腐敗

努爾哈赤建立後金，自踐汗位，這是他政治生涯的轉折點，也是建州與明朝關係史上的轉折點。像一切事物總是要在一定條件下，各向著其相反方向轉化一樣，明朝和建州、漢族和滿族的中央與地方、統治民族與被統治民族的關係，也要在一定條件下發生轉化。這個轉化的條件是女眞的統一和明朝的衰落。在我國封建社會裏，每當階級矛盾、民族矛盾以及統治集團內部矛盾激化而皇權衰微的時候，總要出現地方割據。其中有農民武裝割據，有封建軍閥割據，也有民族政權割據。明萬曆帝，柄政腐敗。《廿二史劄記》載：「論者謂明之亡，不亡於崇禎，而亡於萬曆」（註一）萬曆朝的衰落腐敗，爲努爾哈赤衝決臣屬關係的網羅，建立後金民族割據政權，準備了外部條件。

正值努爾哈赤建立後金政權的明朝萬曆年間，社會矛盾空前激化，土地兼并日益劇烈。以皇帝、貴族、畹戚、權臣爲代表的大小地主集團，更加瘋狂地掠奪土地。明神宗萬曆帝的皇莊占地二百一十萬畝。其弟翊鏐，生四歲而封，占田「多至四萬頃」。（註二）而其子福王分封，「括河南、山東、湖廣田爲王莊，至四萬頃。群臣力爭，乃減其半」。（註三）至於縉紳豪富，占田少者數百畝，多至數千畝，乃至萬畝。地主兼并土地，莊田侵奪民業，大量自耕農破產。土地高度集中在遼東地區的表現，是軍屯制的破壞。明初，遼東實行軍屯制，各衞屯軍領之於衞所。後來，邊外屢遭兵燹，屯軍多有逃死；屯田多爲軍官占奪，屯法盡壞。有的軍官隱丁占地：

> 一戶之丁，以百口計矣；一官之地，以千畝計矣。（註四）

有司對軍丁慘毒搜括，漁斂無已，「遼卒不堪，脅衆爲亂」。（註五）遼東地區軍屯破壞，兵無月糧，差役煩苛，悲苦萬狀。朝鮮領議政李元翼目覩遼東一帶，疲弊已極，「財殫力竭，萬無生理，聞見慘然」！（註六）

萬曆朝不僅土地高度集中，而且後期政治腐敗。以皇帝、宦官、王公、佞臣爲代表的大地主官僚集團，已成爲統治階級內部最反動、最寄生、最腐朽的集團。萬曆朝後期，主昏臣庸，宦寺當國，黨爭日烈，腐敗至極。萬曆帝二十幾年不御朝政，以久病虧衰之軀，高臥深宮之中，日與宮女、太監厮混。一切奏章多留中不下，因而閣部大臣也都遇事敷衍，即如朝廷會議，大都流爲故套。朱國禎《湧幢小品》記：

> 朝廷會議，皆成故套。先一日，應該衙門於各該與議官，通以手本畫知。至期集於東闕，該衙門印官，首發一言，或班行中一、二人，以片言微語，略爲答問，遂輪書題稿，再揖而退。既出闕門，尚不知今日所議爲何事，或明知其事不言，出門嘖嘖，道其狀以告人者」。（註七）

萬曆帝既深居簡出，不理政事，又擲金如土，揮霍無度：鄭貴妃生子，賜宮中賞銀十五萬兩（註八）；生日壽節，賞銀二十萬兩（註九）；潞王就國，用珠寶銀三十萬兩（註一〇）；營建定陵，「費至八百餘萬」（註一一）；皇子諸王册封、冠婚、袍服費銀一千二百餘萬兩（註一二）；採辦珠寶用銀，多至二千四百萬兩。浩繁億萬，入不敷出，便派人四出搜括百姓脂膏。稅監高淮在遼東即是一例。輔臣朱賡等請撤遼東稅使疏云：

> 高淮在遼東，萬般克剝，敲骨吸髓，年甚一年。遼人既缺其當與之月糧，又受此無名之徵權，當抵不過，窮極計生，遂率合營男婦數千人，北走投虜。（註一三）

但疏入留中不報。遼東軍民，怨聲沸騰，聚衆數千人攻圍高淮。高淮酷虐，多次激變：

> 夫激變之事，不數月間，一見於前屯，再見於松山，三見於廣寧，四見於山海關，愈猖愈近。又各鎮額餉，屢請不發。以此飢軍，合於亂衆，臣等更不知其禍之所終極也。（註一四）

萬曆朝後期不僅政治腐敗，且邊備廢弛。遼東巡按御史胡克儉曾在奏疏中指出：「國之大事在邊，邊之大事在欺」。（註一五）遼東軍官上下欺誑，左右盤結，驕奢淫佚，尅扣兵餉，殺民冒功，軍紀敗壞。如官兵偷賣火藥，朝鮮平安道觀察使朴東亮狀啓稱：

> 自遼陽至鎮江，其間許多鎮堡，官上火藥暗裏偷出，或五六百斤，或千餘斤。本國買賣人處夜間潛賣。以此，其價雖歇，所偷愈多。數年來遼陽一帶火藥，盡皆見失。鎮堡之官，亦不以時點檢，徒閉虛庫。（註一六）

又如殺民冒功，據載：

若投誠之住牧者，與虜之所使住邊及擺撥哨探者，投虜潛歸，跋涉千里，飢餓數十日，歷萬死一生而來者，皆我黎民也，一切殺之。然此猶曰在外也，若往來懷挾之弊。民謠曰：「帶著人頭去殺賊」，蓋葬者不能保其墳，獨行者不能留其首，慘酷猶甚。又幷其陣亡之軍，一概割首以報數。（註一七）

明朝遼軍在一次戰鬥中，攻圍不克，死傷衆多，「因無虜功，割死軍五百五十餘顆報驗」，竟以封賞。

明朝遼東軍備廢弛的一個重要原因，是總兵李成梁驕縱貪黷，苛索殃民。《萬曆邸鈔》中記載閱視遼左給事中侯先春劾李成梁疏。這封一六〇二年（萬曆二十年）四月的奏疏，因不多見，轉錄如下：

李成梁負國厚恩，斂民深怨。齒衰力憊，久慚專閫之司；髮短心長，日事營家之計。在市場則歲選良馬千匹，扣索官價四五萬兩，大司馬輸馬價以入邊，祇塡溪壑之欲；在鹽課則歲占鹽目萬引，又受獻納三四萬，大司農開鹽引以充餉，徒供壟斷之私。寬甸、清河等處歲科軍餉銀三萬兩，買納年例參五千餘斤矣。又派民屯每家十斤或五七斤，計價銀二三萬兩。科派者心腹夏守茂、謬（繆）惟等，收受者家人李定也。家之肥、民之瘠矣！開原、伍奠等處，歲獻貂皮一千五百張，各將領家獻沙金二十餘兩矣。又派住戶金三千兩，商販貂皮三千張，計直不下二萬餘兩。散派者心腹張文學及謝三等，收受者亦家人李定也。財之聚、怨之府矣！遇地方失事，則會各路將領，每出銀五百，名曰謝部禮，計一次則收萬金，盡入私囊；而謝部等費或幾千金，或萬金，則出自本營將官。如李寧失事，則出銀四蒲包可推也。遇朝廷賞賚，則以衣物、皮張等項，分給各軍一半，名曰搭對。計每次所領萬金，半充私囊。而升一官，封缺千兩或五百兩，各有定額。如近日戴良棟之升參將，則得銀一千兩可質也。兩年間凡虜入矣，而任其殺掠數日，擄去人民十餘萬，端坐海州城郭，何異門庭之寇？三年凡三出塞矣，而坑我勁卒千人，甲馬奚止五六千；積屍遍野荒丘，誰招口外之魂？怯戰殃民，全鎮恨深入骨；剝軍耗國，兩河地已無皮。惟是財足彌縫，智工結納。是以殺擒日亟，生聚日疏，而報捷之封章，日肩摩於闕下；功名寖盛，爵祿寖崇，而生民之命脈，寖告蹙於邊彊（疆）。（註一八）

疏入，李成梁解任。後他又任遼東總兵官。雖然李成梁早年戰功卓著，但他居功驕橫，窮奢極麗。下面摘錄一段材料：

平遼伯李成梁父子五人，相繼掌兵柄，勁卒數萬，雄視絕塞，附郭十餘里，編戶鱗次，樹色障天，不見城郭。妓者至二千餘人，以香囊數十綴於鞶襪帶，而貫以珠寶，一帶之費，至三四十金，數十步外即香氣襲人，窮奢極麗。每未、申時，夾道皆弦管聲矣」！（註一九）

李成梁父子環任，驕奢淫逸，姑容羈媚，建州得益。明兵部尚書李化龍疏言：

然遼事之壞，自李成梁父子，盤據三十餘年。結納要津，羈媚奴虜，部伍之籍，皆厮養之名，太倉半入私囊，間常襲殺近境屯種屬夷，斬其首功，躐爵甘餌者，又從而擁戴之，以致養成禍患。奴得偵我虛實，愈肆驕逞。（註二〇）

明遼東重臣熊廷弼在總結此段歷史時道：

昔建州諸夷，若王兀堂、王杲、阿臺輩嘗分矣，而合之則自奴酋始，使之合則自李寧遠始。何則？正統間，海、建勾北虜也先爲患，卒被奪去敕書，失貢市利。不能過活，乞哀守臣，請補給，或十數道、三五道，各自入貢，勢莫能一也。自寧遠爲險山參將，以至總兵，誘此間彼，誘彼間此，專以搶殺爲事，諸部或絕或散。而是時奴酋之祖曰教場，父曰他失。他失者阿臺婿也。其襲阿臺也，寧遠實誘使之。已而城下，並殺其父祖，而奴酋請死，寧遠顧死各家敕書無所屬，悉以與奴酋，且請爲龍虎將軍以寵之。於是奴酋得以號召東方，盡收各家故地遺民，歸於一統，而建州之勢合矣。自建州之勢合，而奴酋始強；自五百道之貢賞入，而奴酋始富。（註二一）

然而，遼事之壞，責在明廷。李成梁不過是明朝潰爛肌體上的一個膿包。直到八十三歲才解任的遼東總兵官李成梁，曾把打擊目標集中指向蒙古騎兵，而努爾哈赤以「退地、鐫盟、減夷、修貢」賺取信任，得以從容統一諸部女真，勢漸強大。明朝有見識的兵部尚書李化龍，在分析建州「列帳如雲，積兵如雨，日習征戰，高城固壘」（註二二）的軍事形勢後斷言：「中國無事必不輕動，一旦有事爲禍首者，必此人也」——（註二三）

此人就是對明朝採取兩面政策的努爾哈赤。

二、對明朝的兩面政策

努爾哈赤從含恨起兵到建立後金政權，走過了三十三年的路程。在這段漫長的道路上，他不僅要處理女眞族內部的關係，而且要處理建州同明廷的關係。建州與明朝的關係是地方與中央的關係。這種關係的建立，要有兩個前題：其一是統治階級的共同利益，其二是兩方力量的懸殊對比。建州與明廷這種既同一又矛盾的關係，決定了努爾哈赤對明朝的政治態度。總的說來，明朝對努爾哈赤採取一面政策—接受進貢、遣侯宴待；不動干戈，施恩撫綏。但努爾哈赤對明朝採取兩面政策—既朝貢稱臣，表示忠順；又暗自稱雄，發展勢力。在這裏，把努爾哈赤同明朝的關係，作一簡要的回述。

一五八三年（萬曆十一年），努爾哈赤父祖被明軍誤殺，他表面上遷怒於尼堪外蘭：「害我祖、父者，尼堪外蘭所構也」（註二四）；內心裏雖埋藏著仇恨明朝的怒火，却接受明廷封指揮使職（註二五），而對明朝佯示忠誠。

一五八九年（萬曆十七年），努爾哈赤雖統一建州本部，但他仍表示「忠於大明，心若金石」。（註二六）並斬木札河部頭人克五十以獻。據《東夷考略》載：

有住牧木札河部夷克五十等，掠柴河堡，射追騎，殺指揮劉斧，走建州。宣諭奴酋。即斬克五十以獻，乞升賞。（註二七）

努爾哈赤斬獻克五十，以表示忠於明廷。明廷以努爾哈赤送歸漢人，斬獻叛夷，父祖殉忠，晉升他爲都督僉事。（註二八）關於明廷與建州的微妙關係，《明神宗實錄》有如下記載：

惟建州奴酋者勢最強，能制東夷。其在建州，則今日之王臺也。既屢送回被擄漢人，且及牛畜，又斬犯順夷酋克五十獻其級，而慕都督之號益切，則內向誠矣！及查其祖、父，又以征逆酋阿臺爲我兵嚮導，並死於兵火。是奴兒哈赤者，蓋世有其勞，又非小夷特起而名不正者也。查得《大明會典》內一款，建州、毛憐〔等〕三大衞夷人，如有送回搶擄男婦者，止許給賞，不願賞〔者〕，量升千百戶、指揮，存留都督名邑〔義〕，以待能殺犯順夷酋，以執縛爲惡夷人與報事、引路、殺賊有功者。此盟府之典，用以信外夷而安封疆者也。若錄奴酋父、祖死事之功，即當與之都督亦不爲過，而獻斬逆酋之級，則又與明例合矣。奏入，上從其請，准與都督僉事。

此奴賊受我殊恩之始也。（註二九）

上錄薊遼督撫按的奏文，至少說明兩方面問題：

明朝方面，薊遼督撫張國彥、顧養謙會言，對努爾哈赤要「因其勢，用其強，加以賞賚，假以名號，以夷制夷，則我不勞而封疆可無虞也」。（註三〇）後來歷史發展證明，這只是一廂情願。

建州方面，努爾哈赤汲取王臺、尼堪外蘭與王杲、王兀堂的教訓——前者依恃明朝來統一女眞，終成泡影；後者對抗明朝去統一女眞，兵敗身殞。努爾哈赤則走著一條同上述兩種極端相折衷的道路。他從這種政策中得好處：既借明廷封賞，提高自己在女眞諸部中的聲威；又借明廷信任，幾乎未受明軍干擾而統一女眞各部。努爾哈赤受明廷封爲都督僉事表明，他對明朝採取的兩面政策初奏成效。努爾哈赤爲感激明廷的封賜，揚鞭策馬，察視形勝，首入京師，進貢謝恩。

一五九〇年（萬曆十八年）四月，都督僉事努爾哈赤率領一百零八人，裝載著人參、貂皮、東珠、蜂蜜等貢市方物，經撫順，進山海關，到北京朝貢。《明神宗實錄》記載：

建州等衞女直夷人奴兒哈赤等一百八員名，進貢到京，宴賞如例。（註三一）

明廷的常例宴賞，如指揮使受賞彩緞一表裏，絹四匹，折紗絹一匹，素紵素衣一套，靴襪各一雙等；賞賜之外，又舉行宴會。宴會後，開市貿易三天。努爾哈赤到北京朝貢，同時進行貿易，獲取財貨，開濶眼界，增長見識，了解明廷虛實，學習中原文化，而且也是他臣屬明朝的標誌。

一五九二年（萬曆二十年）八月，努爾哈赤奏文求封龍虎將軍。（註三二）龍虎將軍被女眞視爲崇勛，因爲在努爾哈赤之前，只爲哈達部長王臺所膺。據《明神宗實錄》記載：「建州衞都督（註三三）奴兒哈赤等奏文四道，乞升賞職銜、冠服、敕書，及奏高麗殺死所管部落五十餘名。命所司知之，並賜宴如例」。（註三四）這次努爾哈赤是否親自入京求封，因記載疏略，無所確知。又據同書之內閣文庫本記載：

建州等衞都督等官奴兒哈赤等，進上番文，乞討金頂大帽、服色及龍虎將軍職銜，下所司議行。（註三五）

上錄引文雖載努爾哈赤求封龍虎將軍「下所司議行」，但因李成梁剛遭劾奏辭職，遲遲未予實授。直至一五九五年（萬曆二十三年），努爾哈赤才得償夙願。如《明神宗實錄》載薊遼督臣蹇達疏言：

奴兒哈赤忠順學好，看邊效力，於二十三年加升龍虎將軍。（註三六）

孟森《清太祖由明封龍虎將軍考》一文，也力主萬曆二十三年封努爾哈赤爲龍虎將軍說：

而至龍虎將軍之封，則《清實錄》固未書，《明實錄》亦不見（註三七），惟明代諸家記載，皆言萬曆二十三年，加奴兒哈赤龍虎將軍秩，視王臺時。馬晉允《皇明通紀輯要》且著其時爲二十三年八月，茅瑞徵《建州夷考》，沈國元《皇明從信錄》則皆渾言二十三年，王在晉《三朝遼事實錄》亦敘爲二十年之後三年。（註三八）

此外，如《山中聞見錄》、《建州私志》等書，也記載努爾哈赤於萬曆二十三年被加升龍虎將軍。努爾哈赤既表示忠順明廷，便先後多次至北京進貢，據《明神宗實錄》記載：

一五九三年（萬曆二十一年）閏十一月：

建州衞女直夷人奴兒哈赤等赴京朝貢，上命賞宴如例。（註三九）

一九五七年（萬曆二十五年）五月：

建州等衞都督、指揮奴兒哈赤等一百員名，進貢方物，賜宴賞如例。（註四〇）

一五九八年（萬曆二十六年）十月：

宴建州等衞進貢夷人奴兒哈赤等，遣侯陳良弼待。（註四一）

一六〇一年（萬曆二十九年）十二月：

宴建州等衞貢夷奴兒哈赤等一百九十九名，侯陳良弼待。（註四二）

這次進貢，據載：「建州奴兒哈赤，補進二貢，咬思阿等夷，於三河各驛，索要布匹、鞋襪，倍於正額，鎖拏馬頭、車戶，擅行拷打」。（註四三）因貢事與明廷爭議，六年未親至京朝貢。

一六〇八年（萬曆三十六年）十二月：

頒給建州等衞女直夷人奴兒哈赤、兀勒等三百五十七名，貢賞如例。（註四四）

一六一一年（萬曆三十九年）十月：

頒給建州等衞補貢夷人奴兒哈赤等二百五十名，各雙賞、絹匹、銀鈔。（註四五）

一六一五年（萬曆四十三年）三月：

薊遼督撫奏稱，邇日奴酋自退地鐫碑之後，益務爲恭順。此番進貢，止大針等一十五名，夫以千五百之貢夷，而減至於十有五名，豈不惟命是從哉！（註四六）

這次進貢，《明神宗實錄》未載努爾哈赤親往，但《國榷》記載：

建州、海西衞奴兒哈赤等入貢，建州日強，每入貢，千五百人，橫索車價，毆驛卒，當事裁之。令在邊給賞，至是止十五人。（註四七）

儘管這次努爾哈赤或並未到京進貢，或化裝進貢至京，但他在建立後金之前的二十餘年間，平均每三年到北京進貢一次。（註四八）他一面向明廷朝貢稱臣，表示忠順；一面又興兵統一女眞各部，稱王稱汗。特別是他多次到京師，「往來窺探，夷險熟知」（註四九），親見明朝政局虛實，熟悉明代典章制度，了解中原經濟文化，察訪遼東明軍戍守，爲實現其對明廷的兩面政策而往來奔走。

努爾哈赤對明廷的兩面政策，蒙住了明朝昏主庸臣的眼睛，不僅使明軍三十餘年未對建州軍進行過一次「圍剿」，而且連薊遼督撫到一六一五年（萬曆四十三年），還奏稱他「惟命是從」！努爾哈赤對明朝採取兩面政策的成功，為他在赫圖阿拉稱汗做了重要準備。

三、在赫圖阿拉稱汗

努爾哈赤在赫圖阿拉稱汗，建立後金政權，需要有兩個相互依存、不可分割的基本因素：一個是明朝的腐朽衰敗，另一個是女真的統一強大。明朝的腐朽衰敗是其建立政權的外部條件，而女真的統一強大則是其建元稱汗的內在根據。但是，這兩個基本因素的結合，既要有歷史發展的機遇，也要有傑出人物的才能。努爾哈赤的傑出，在於他利用明朝衰敗的歷史趨勢，制定出諸如對明廷採取兩面策略等一系列行之有效的政策，促使滿族崛起，從而實現了上述兩個基本條件的統一。

努爾哈赤黃衣稱汗，建立後金，有一個歷史發展的過程。他沿著通向汗位寶座的階梯，不聲不響地、一步一步地拾級而上。

第一步，「定國政」。一五八七年（萬曆十五年），努爾哈赤在起兵四年大體上統一建州本部之後，在費阿拉圍築城柵，建衙門樓臺。這年六月二十四日：

定國政，凡作亂、竊盜、欺詐，悉行嚴禁。（註五〇）

從此，努爾哈赤在蘇克素滸河地區，初步建立起政治權力。這是後金政權的雛型。

第二步，「自中稱王」。一五八九年（萬曆十七年），努爾哈赤一面受明封爲都督僉事，一面在費阿拉「自中稱王」。朝鮮平安兵使轉書建州女眞人童坪者等言：

老乙可赤則自中稱王，其弟則稱船將。（註五一）

努爾哈赤在建州本部女眞人中自己稱王，建立王權。

第三步，稱「女直國建州衛管束夷人之主」。努爾哈赤在大敗葉赫九部聯軍，受明封爲龍虎將軍，完全統一建州女眞之後，一五九六年（萬曆二十四年）在與朝鮮南部主簿申忠一回帖中稱：

女直國建州衛管束夷人之主佟奴兒哈赤稟，爲夷情事：蒙你朝鮮國、我女直國二國往來行走營〔學〕好，我們二國，無有助兵之禮理。（註五二）

努爾哈赤的王權範圍已擴展至整個建州女眞。但是，他既自稱「女直國」，又署「建州左衛之印」，這個矛盾怎樣解決呢？下一步就來解決這個矛盾。

第四步，自稱「建州等處地方國王」。努爾哈赤統一建州女眞之後，又創制滿文，吞幷哈達，設立四旗，遂於一六〇三年（萬曆三十一年）遷至赫圖阿拉。赫圖阿拉爲滿語 hetu ala 的對音，hetu 意爲橫，ala 意爲崗，赫圖阿拉就是橫崗的意思，明稱「蠻子城」（註五三），後淸稱興京。興京的滿文體爲 yenden hoton。yenden 意爲興旺；hoton 意爲城。yenden hoton 漢譯意爲興京。赫圖阿拉位置在蘇克素滸河與加哈河之間，即今遼寧省新賓老城。《淸太祖高皇帝實錄》記載：

上自虎攔哈達南岡，移於祖居蘇克蘇滸河、加哈河之間，赫圖阿喇地，築城居之。（註五四）兩年以後，他又命在「赫圖阿喇城外，更築大城環之」。（註五五）赫圖阿拉成爲努爾哈赤崛起的基地。同年，朝鮮《東國史略事大文軌》記載，努爾哈赤在赫圖阿拉向明遼東總兵官李成梁呈文稱：

有我奴兒哈赤收管我建州國之人，看守朝廷九百五十餘里邊疆。（註五六）

同年十一月十一日，努爾哈赤又致書朝鮮邊將，自稱：

建州等處地方國王佟，爲我二國聽同計議事，說與滿蒲官鎭節制使知道，……。（註五七）

以上說明這時努爾哈赤旣稱「建州國」，也稱「國王」，從而使其王權又提高一步。

第五步，稱「昆都侖汗」。一六〇六年（萬曆三十四年）蒙古恩格德爾引領喀爾喀五部貝勒之使臣，到赫圖阿拉謁見努爾哈赤，「尊太祖爲昆都侖汗（即華言恭敬之意（註五八））」。（註五九）努爾哈赤被尊稱爲恭敬汗（註六〇），這旣爲他自稱後金汗做了輿論準備，又爲他登臨汗位做了預演。

第六步，建元稱汗。努爾哈赤建元稱汗，是建州由小變大、由弱變強的一個重要政治標誌。這就表明，努爾哈赤有「射天之志」（註六一），要奪取明統。在《滿文老檔》中載有一份文書，記錄女眞貴族關於王朝隆替的大段議論：

由大變小，由小變大，這種古今興亡的事例是很多的。過去桀王暴虐無道，僅有七十里的成湯起兵，獲得了桀王的天下。紂王暴虐無道，僅有五百里的文王起兵，獲得了紂王的天下。秦始皇暴虐無道，泗上亭長漢高祖起兵，獲得了秦始皇的天下。大遼天祚帝，要我們的金太祖起舞，因沒有起舞便要殺害他；金太祖憤恨起兵，獲得大遼皇帝的天下。宋徽宗收容金汗征討的遼臣張覺，因而導致宋金戰爭，徽宗、欽宗父子被俘，後送到東方的五國城。金末代汗在蒙古成吉思汗來叩見時，看到他的像貌，便要殺害他；成吉思汗起兵，獲得金汗的天下。明朝萬曆皇帝暴虐無道，干涉異國的事務，以是為非，以非為是，背理裁斷，天以為非。（註六二）

儘管上引論述充滿唯心史觀，但其撰者却力圖從中演繹出一個結論：萬曆帝暴虐無道，努爾哈赤應當建元稱汗。

一六一六年（萬曆四十四年），努爾哈赤在赫圖阿拉稱汗，建立後金軍事政權。努爾哈赤的登極典禮，後來經過幾次纂修的《清太祖高皇帝實錄》，作了詳細記載：

天命元年，丙辰，春正月，壬申朔，四大貝勒代善、阿敏、莽古爾泰、皇太極及八旗貝勒大臣，率群臣集殿前，分八旗序立。上升殿，登御座。衆貝勒大臣率群臣跪，八大臣出班，跪進表章，近侍侍衞阿敦、巴克什額爾德尼接表。額爾德尼跪上前，宣讀表文，尊上為覆育列國英明皇帝。於是，上乃降御座，焚香告天，率貝勒諸臣，行三跪九叩首禮。上復升御座，衆貝勒大臣，各率本旗，行慶賀禮。建元天命，以是年為天命元年。（註六三）

努爾哈赤這年五十八歲，他在隆重的禮儀中，登上汗位，建元天命。

但是，《清太祖高皇帝實錄》的上述記載，同《滿文老檔》對勘，有三處明顯的改動：其一是突出了「四大貝勒」的地位。其二是稱「英明皇帝」。《滿文老檔》所載為「（amba）genggiyen han」（註六四），漢音譯爲「（安巴）庚寅汗」，或譯爲「（大）英明汗」。（註六五）其三是稱「建元天命」。努爾哈赤在建立後金天命政權時，並未做大的聲張。因爲後金天命政權雖已建立，但與明朝相比仍處於劣勢。他一生謹愼，不尙侈談。直至一六一九年（萬曆四十七年，天命四年）取得薩爾滸大捷之後，後金天命政權的建立，才出現在朝鮮和明朝的記載裏。如李民寏《柵中日錄》三月十五日記：「後金國王敬達朝鮮國王七宗惱恨事」。（註六六）趙慶男在《亂中雜錄續錄》中，載三月二十一日（註六七）「後金國王奉書於朝鮮國王」（註六八）事。《光海君日記》四月十九日，載後金與朝鮮的文書，經朝鮮詳察後回啓：

胡書中印迹，令解篆人申如櫂及蒙學

努爾哈赤在赫圖阿拉稱汗

通事翻解，則篆樣番字，俱是「後金天命皇帝〔印〕」七個字。（註六九）

又如明朝根據朝鮮咨報，官私記載都略晚於朝鮮。沈國元《皇明從信錄》和王在晉《三朝遼事實錄》都在同年五月記載了後金天命政權的建立。王在晉五月二十九日記：

朝鮮咨報，奴酋僭號後金國汗，建元天命，指中國為南朝，黃衣稱朕，詞甚侮嫚。（註七〇）

《明神宗實錄》六月十九日載，禮科給事中兀詩教題努爾哈赤僭號疏：「近如朝鮮咨報所云，輒敢建國、改元、稱朕。（註七一）

以上六例說明，努爾哈赤在赫圖阿拉稱汗，建立天命政權，遲至一六一九年（萬曆四十七年，天命四年），始見自稱後金。而《滿文老檔》於一六一六年（萬曆四十四年，天命元年）記努爾哈赤登汗位之事，並無「建元天命」之文。其後金始為建州自稱，並非後來史稱後金。不久又稱金（或大金）。（註七二）

四、後金的社會結構

後金的社會結構，在統治者中主要有農奴主階級和奴隸主階級，在被統治者中則主要有農奴階級和奴隸階級。後金社會的統治者集團，按其社會地位與財產多寡，又分為不同的等級。努爾哈赤統治後金社會，主要是依靠統治階級中的一批新興軍事農奴主貴族。他們主要由以下幾種人組成：

第一種人，是宗室貴族。這些人主要為愛新覺羅宗室，特別是努爾哈赤的子侄。努爾哈赤在世時，年滿十六歲的兒子有十二人：褚英、代善、阿拜、湯古代、莽古爾泰、塔拜、阿巴泰、皇太極、巴布泰、德格類、巴布海和阿濟格。還有他的弟侄穆爾哈齊、舒爾哈齊、阿敏和濟爾哈朗等。他們多轄有很多的牛彔。如一六二一年（天啓元年，天命六年）的《滿文老檔》記載，僅濟爾哈朗、湯古代和阿巴泰三人，就占有一百零一牛彔，另有三百七十五甲。（註七三）在努爾哈赤子侄中，逐漸形成四大貝勒，即大貝勒代善，其滿文體爲 daisang beile；二貝勒阿敏，其滿文體爲 amin beile；三貝勒莽古爾泰，其滿文體爲 manggūltai beile；和四貝勒皇太極，其滿文體爲 hong taiji de-ile。四大貝勒又稱四和碩貝勒。和碩，爲滿文 hoso 的對音，是東南、東北、西南、西北四方或四角的意思。hosoi beile 意爲一方之貝勒。稍後，又逐漸形成八和碩貝勒，或稱八固山貝勒、八執政貝勒。但是，其中以四大貝勒權勢最爲顯赫。努爾哈赤的子侄們，不僅手握兵權，而且占有大量的土地、奴僕、牲畜、金銀和財物。如努爾哈赤對元妃佟佳氏所生的長子褚英和次子代善，各給予「部衆五千戶，牲畜八百群，銀一萬兩，敕書八十道」。（註七四）以後隨著軍事上的不斷勝利，他們占有更多的財富，形成後金汗以下最大的軍事農奴主貴族。

第二種人，是軍功貴族。這些人包括八旗的固山額眞、梅勒額眞、甲喇額眞、牛彔額眞等。他們多早年歸順努爾哈赤，如《清太祖高皇帝實錄》載：

時（萬曆十六年，（公元一五八八年——引者）蘇完部主索爾果率本部軍民來歸，上以其子費英東爲一等大臣；又董鄂部主克轍巴顏之孫何和里，亦率本部軍民來歸，上以長女妻之，授爲一

等大臣；又雅爾古寨扈喇虎，因殺其族人率軍民來歸，上以其子扈爾漢爲養子，賜姓覺羅，亦授爲一等大臣。（註七五）

費英東後來娶努爾哈赤長子褚英之女爲妻。他們同努爾哈赤結親緣戚，分掌兵權。費英東、額亦都、何和里、安費揚古、扈爾漢爲後金的五大臣。努爾哈赤對這些勛戚重臣和各級額眞，按其軍功大小分賜大量的土地、牲畜、奴僕、布帛等。據朝鮮李民寏到赫圖阿拉所見，將官的農莊多至五十餘所，馬四「千百爲群」。（註七六）他們跟隨努爾哈赤南征北戰，傷痕遍體，傾心效力，「始終盡瘁」（註七七），逐漸形成後金的軍事農奴主貴族。

第三種人，是蒙古貴族。這部分人主要是指歸降努爾哈赤的蒙古貝勒臺吉。如明安達禮，世居科爾沁，早年隨父歸努爾哈赤，授爲牛彔額眞（註七八），後爲正白旗蒙古固山額眞，官至兵部尚書、議政大臣。布顏代，爲蒙古兀魯特部貝勒，歸附後金，「尚主爲額駙」（註七九），後爲鑲紅旗蒙古固山額眞。明安、古爾布什、莽果爾代等前已述及。這些蒙古貝勒臺吉等，投附努爾哈赤之後，不僅成爲軍事貴族，而且成爲大農奴主。以恩格德爾爲例。恩格德爾原是蒙古巴岳特部的小臺吉，他率先歸順努爾哈赤後，不但稱爲額駙，還被賜與大量的土地與奴僕。僅錄《滿文老檔》的兩次記載：一六二二年（二啓二年，天命七年），努爾哈赤把「平虜堡民四百三十男丁，給蒙古恩格德爾額駙」（註八〇）；並命額駙和格格出門，要演吹喇叭、奏鎖吶的禮儀。順便補充一句，格格爲滿語 gege 的對音，是公主、姐姐的意思。這裏專指舒爾哈赤第四女、恩格德爾妻子巴岳特格格。第二年，努爾哈赤又允諾在恩格德爾定居赫圖阿拉時，賜與恩格德爾及其妻、弟、子「總計八千男丁，一年征收銀五百二十兩，糧八百八十斛，當差一百四十人，牛七十頭，護衛兵丁一百四十人」。（註八一）這些受努爾哈赤恩封爲勛貴的蒙古貝勒臺吉，後爲蒙古八旗的各級額眞，成爲後金政權的重要支柱。

第四種人，是漢軍貴族。這些人主要是明朝投降後金的官將、生員、商人等，如李永芳、佟養眞、佟養性、石廷柱、李思忠、金永和、王一屏、孫德功、張大猷、李國翰、范文程、寧完我、鮑承先等。由於漢人降服日衆，後來別置漢軍，組成八旗鼎足之一的漢軍八旗，從而逐漸形成漢軍貴族。漢軍貴族既是後金政權的重要支柱，也是後金汗統治遼瀋地區的社會基礎。這類人如佟養眞，遼東人，原係商人，早年與其從弟養性向後金「潛輸款」（註八二），後携家眷及族屬投歸努爾哈赤。他以從征遼陽功，被授爲游擊世職。不久在奉命駐守鎭江時，以身殉後金。努爾哈赤命其子佟圖賴襲世職，官至都統。其女爲順治帝福臨妃，係康熙帝生母，後封爲孝康皇后。佟圖賴被贈爲一等公，其長子佟國綱於「編審册內俱開爲滿洲」（註八三），曾與索額圖同俄國訂立《尼布楚條約》，後在出擊噶爾丹的烏蘭布通之役中陣亡；其次子佟國維，官至領侍衞內大臣、議政大臣。國維之女爲康熙帝孝懿皇后；子隆科多宣諭傳位世宗之遺命，雍正初爲總理事務四大臣之一。努爾哈赤招降漢人而形成的漢軍貴族，從佟氏一門看，對清初政治影響實爲深巨。

又如李永芳，遼東鐵嶺人，爲明撫順所游擊。曾於一六一三年（萬曆四十一年）在撫順所教場，與努爾哈赤相見。（註八四）後努爾哈赤率兵攻撫順，李永芳出城降。「太祖伐明取邊城，自撫順始；

明邊將降太祖，亦自永芳始」。（註八五）努爾哈赤想以李永芳爲誘餌，瓦解明朝邊將，對他盡力厚待：

仍依明制，設大小官屬，令李永芳統轄；上復以子臺吉阿巴泰之女妻永芳，授爲總兵官。（註八六）

李永芳後隨努爾哈赤拔青河、克鐵嶺，下瀋陽、占遼陽，以軍功進三等總兵官，成爲後金的漢軍貴族。但是，儘管李永芳效忠於後金汗，仍不免受到歧視：諸子被捆綁（註八七），自己遭喝斥——一次因議兵進取與貝勒阿敏意見相左，阿敏怒斥道：「爾蠻奴，何得多言！我豈不能殺爾耶」！「撫順額駙」李永芳尚且如此，其他明朝降金官將的境遇則更可想而知。

另如范文程，將在以下文臣中敘述。

此外，還有依附和服務於後金軍事農奴主階級的文臣。他們撰制滿文，通使往來，左右贊襄，參與籌劃，對女眞各部的統一，滿族共同體的形成，後金政權的建設，滿、蒙、漢的文化交流，都起了重要作用。如額爾德尼、噶蓋（註八九）、達海、尼堪和希福等，多兼通滿、漢、蒙古文字，被賜號巴克什。後尼堪官至理藩院尚書，希福官至內弘文院大學士，都躋身顯貴。

在後金的文臣中，也有漢族儒生。除前已敘及的龔正陸外，范文程又是一例。范文程，瀋陽人，曾祖總，官至明兵部尚書。他少時爲縣學生員，喜好讀書，聰穎敏捷，沉著剛毅。八旗兵陷撫順，二十一歲的范文程，降順後金。後努爾哈赤見范文程儀表豐偉，熟知世務，又是范總曾孫，便予以任用。努爾哈赤取遼陽、度三岔、攻西平、下廣寧，范文程侍皆在軍旅。皇太極崇德初，范文程被資以心膂，授爲秘書院大學士，「時文程所領皆樞密事，每入對，必漏下數十刻始出，或未及食、息，復奉召入」。（註九〇）後來，設反間計，誣袁崇煥、離間明朝君臣關係，進軍山海、直取京師，傳檄而定大河南北，廢除三餉、編行保甲、招墾而行屯政興農，重大政策，經綸籌劃，都出自范文程或由其參與帷幄。

除漢族儒臣外，還有蒙古族醫士。如綽爾濟：

天命中，率先歸附。善醫傷。時白旗先鋒鄂碩與敵戰，中矢垂斃，綽爾濟爲拔鏃，傅良藥，傷尋瘉。都統武拜身被三十餘矢，昏絕，綽爾濟令剖白駝腹，置武拜其中，遂甦。有患臂屈不伸者，令先以熱鑊熏蒸，然後斧椎其骨，揉之有聲，即瘉。（註九一）

蒙古族醫士綽爾濟等具有民族特點與地方色彩的高超技藝，贏得了人們的尊敬，被譽爲「神醫華陀」。（註九二）後來清代稱創傷骨科醫生爲「蒙古醫士」。

綜上所述，由宗室貴族、軍功貴族、蒙古貴族、漢軍貴族以及依附他們的文臣幹吏等，所組成的統治者集團，是努爾哈赤統治後金社會的政治楨桿與階級基礎。

在後金社會與統治者相對立的被統治者中，也有不同的階級和等級，他們主要有以下幾種人組成：

第一種人是農奴。他們的來源，或由奴隸轉化，或從諸申分化，或係部民遷徙，或爲遼瀋農民。農奴是後金社會的一個基本階級。八旗軍進入了遼瀋地區後，農奴階級的隊伍空前擴大。如將官農莊多至有五十餘所，「奴婢耕作，以輸其主」。（註九三）這裏的奴婢即農奴，是後金汗統治「民」的主體部分。第二種人是牧民。後金的牧民既包括建州的，也包括蒙古的。漢南蒙古地區，在元明時期進入封建制社會。後金轄區的蒙古牧民多爲牧奴，而後金的牧民，也多爲牧奴。第三種人是工匠。農奴、牧民、工匠是後金社會創造物質財富的主要勞動者。第四種人是阿哈。阿哈爲滿語 aha 的對音，其階級地位即是奴隸。阿哈有時稱包衣阿哈，爲滿語 booi aha 的對音，booi 意爲家裏的，包衣阿哈是家裏之奴隸的意思。他們在後金社會中的地位如同牛馬，是正在消亡的階級。第五種人是部民。這主要是指「野人」女眞中未被遷往建州而處於氏族制的居民，他們向後金汗納貢稱臣。

此外還有諸申。諸申爲滿語 jusen 的對音。它在建州女眞奴隸制中，是「一任自意行止，亦且田獵資生」（註九四）的平民。隨著建州社會由奴隸制向封建制過渡，諸甲逐漸地發生分化：有的上升爲軍事農奴主，有的降爲阿哈，其中大部分轉化爲「旣束行止，又納所獵」的農奴。他們耕田納賦，披甲從征，出差服役，生活貧苦。但總的說來，其生活狀況還是比奴隸制下的自由民有所改善。

上面僅就後金社會被統治者農奴、牧民、阿哈、部民以及諸申的地位，作了扼要的介紹，後面將在第十章另作敘述。

後金社會存在著農奴主與農奴、奴隸主與奴隸、貴族與諸申等矛盾，努爾哈赤怎樣維護其統治呢？

五、後金汗的統治術

努爾哈赤面對著後金社會階級的衝突，民族的糾紛，他採用軍事鎭壓、政治籠絡、物質賞賜、法律制裁和思想痲醉等手段，以加強其統治。本節著重介紹努爾哈赤以立法布令和思想痲醉來控制其臣民的情況。

後金汗努爾哈赤重視立法治民。他諭衆貝勒大臣曰：「爲國之道，存心貴乎公，謀事貴乎誠。立法布令，則貴乎嚴。若心不能公、棄良謀、慢法令之人，乃國之蠹也，治道其何賴焉」！（註九五）努爾哈赤的「公」與「誠」且不去評論，但立法布令、整肅嚴明却是他治國、治軍、治民的一貫思想。先是，建州社會沒有成文法，其不成文法使人毛骨悚然。據申忠一所見云：

奴酋不用刑杖，有罪者，只以鳴鏑箭脫其衣而射其背，隨其罪之輕重而多少之；亦有打腮之罰云。（註九六）

但是，無論成文法或不成文法，沒有審判機關是不能保證法制執行的。隨著努爾哈赤王權的不斷提高，需要建立審理和懲罰機關。一六一五年（萬曆四十三年），努爾哈赤設置理政聽訟大臣五人，扎爾固齊（即理事官）十人，並對審理程序作了規定：

（國人）凡有聽斷之事，先經扎爾固齊十人審問；然後言於五臣，五臣再加審問；然後言於諸貝勒，衆議既定，奏明三覆審之事；猶恐尙有寃抑，令訟者跪上前，更詳問之，明核是非。（註九七）

九旗軍占領瀋、遼之後，努爾哈赤再諭各貝勒、大臣，要每五天聚集一次，對天焚香叩頭，在審理衙門對各種罪犯進行審判。時有受賄、荒怠之事，所以規定不許向有罪者索銀，在審案時也不許喝燒酒、吃佳餚。（註九八）並明令允許各地可以到赫圖阿拉告狀伸寃——如屬實，給予免罪；如誣告，反坐定讞。

在執法時，努爾哈赤強調要按法規辦事，雖子弟侄孫觸法不貸。據《滿文老檔》記載，一次他的侄子濟爾哈朗、宰桑武和孫子岳托、碩托，因得扈爾漢分與的財物而獲罪。努爾哈赤命他們在赫圖阿拉的都堂衙門裏，穿上女人的衣服、短袍、裙子，加以羞辱。並劃地爲牢，監禁三天三夜。他還親去四位貝勒幽坐的地方，叱責諸侄孫，向他們臉上啐唾沫。（註九九）後金汗如此大動肝火，故作姿態，顯然想利用這件區區瑣事，既懲儆子侄，又嚴誡諸臣。不過，勛臣如罹重罪，他們因軍功而獲得的免死券，仍可得到赦免。

建州的刑法極爲慘酷。下面舉幾個例子。住在廣寧的三個八旗兵被蒙古人殺死，命將犯人兩手釘在木頭上，兩脚捆在驢腹下，騎著驢子押解到赫圖阿拉行刑。（註一〇〇）阿納的妻子烙家婢的陰部，命刺其耳、鼻。（註一〇〇）另如男人盜竊，妻子要規勸、告發；否則，其妻要脚踏赤紅火炭，頭頂灼熱鐵鍋，處以死刑。（註一〇二）伊蘭奇牛彔的工匠茂海，因奸污編戶漢人婦女，命將他殺死後，碎屍八段，八旗每旗分屍一段，懸掛示衆。（註一〇三）但是，隨著女眞社會的巨大進步，又受到明朝遼東刑法的影響，酷刑被逐漸廢止。如一六二二年（天啓二年，天命七年）六月，後金宣布「廢除刺鼻耳之刑」。（註一〇四）

爲著鞏固後金政權，加強法制，努爾哈赤還指令翻譯《刑部會典》和《明會典》。他在下達給阿敦、李永芳的文書中，要他們將明朝的「各種法規律例，寫在文書裏送上；拋棄其不適當的條文，而保留其適當的條文」。（註一〇五）後來，其子皇太極仿照明朝有關典章，制定出《登基〔極〕後議定會典》。會典的前二十條，都是有關和碩親王、多羅郡王、多羅貝勒、固山貝子、固倫公主、和碩公主、多羅格格、固山格格等的等級名號，效法漢族封建倫常，改革滿族舊習。皇太極繼承努爾哈赤的法制思想，制定典章，這對後金封建生產關係的發展，滿洲政權的鞏固，都是有積極作用的。

後金汗努爾哈赤不僅重視立法布令，而且重視加強思想統治。他利用喇嘛教取代薩滿教，作為麻醉部民的精神鴉片。薩滿教，薩滿又稱珊蠻、薩莫、薩嗎、叉媽，為滿語 Saman 的對音，是巫祝的意思。產生於原始社會末期並為奴隸主貴族服務的薩滿教，已不能適應滿族社會由奴隸制向封建制變遷的需要。恩格斯說：「歷史上的偉大轉折點有宗教變遷相伴隨」。（註一〇六）這是一句至理名言。同樣，滿族社會歷史的重大轉折，也有宗教變遷相伴隨。因為原始的薩滿教，不適應於滿族封建主對農奴和降附蒙古族人民進行思想統治的需要。而喇嘛則既能懷柔蒙古族人民，又能成為駕馭滿族農奴和奴隸的一條繮繩。因此，努爾哈赤在征撫漠南蒙古的過程中，汲取蒙古封建主統治經驗，把長期在蒙古地區流行的喇嘛教加以推崇，作為馴服滿族人民和籠絡蒙古人民，維護後金軍事農奴主統治的精神工具。

喇嘛教是我國佛教的一支。佛教傳入西藏以後，在它和當地原有的本教長期互相影響的過程中，逐漸採取了喇嘛教的形式。喇嘛教黃派首領宗喀巴（註一〇七），創立複雜的寺院等級制度，制定喇嘛教寺院的清規戒律。後來由於西藏新興封建領主的扶持，黃教派逐漸取代紅教派（註一〇八）而成為執政教派，並傳入蒙古族地區。喇嘛教按佛教信條，宣揚生命即是苦難，擺脫苦難的方法是修行。它勸說被壓迫者群衆，要聽天由命，放棄鬥爭，安分守己，忍受苦難，以換取來世的幸福。喇嘛教的這一套說教及其宗教等級制，恰恰符合後金新興封建主的需要。

努爾哈赤模仿喇嘛教的語言，勸諭道：

> 所謂福，就是成佛。在今世苦其身，盡其心，那麼在來世能生在一個好地方，福便得到了。（註一〇九）

以努爾哈赤爲首的女眞貴族，也以喇嘛教的信徒自居。據李民寏在赫圖阿拉所見云：

> 奴酋常坐，手持念珠而數之。將胡則頸繫一條巾，巾末懸念珠而數之。（註一一〇）

崇奉喇嘛教，便要興建喇嘛廟。一六一五年（萬曆四十三年）四月，努爾哈赤授意在赫圖阿拉城東高地，修建喇嘛寺。《清太祖高皇帝實錄》記載：「始建佛寺及玉皇諸廟於城東之阜，凡七大廟，三年乃成」（註一一一），從興建工程所用的時間，可知建築之宏偉，工程之浩大。進入遼瀋地區後，他曾發布過保護廟宇、違者治罪（註一一二）的汗諭。他對蒙古大喇嘛，「二聘交加，腆儀優待」（註一一三），遣使迎至後金傳教。烏斯藏（西藏）人大喇嘛干祿打兒罕囊素，即「不憚跋涉，東歷蒙古，」來至遼陽。後金汗努爾哈赤對大喇嘛干祿打兒罕囊素，「敬禮尊師，培（倍）常供給」。（註一一四）一六二一年（天啓元年，天命六年）八月，干祿打兒罕囊素大喇嘛死去，努爾哈赤敕令修建寶塔以爲紀念。他又命派六十三戶諸中種地納糧，以供香火。（註一一五）

努爾哈赤大力提倡喇嘛教，使其原有的薩滿教受到某種程度的壓抑。薩滿教與喇嘛教便發生了矛盾。在滿族中關於《薩滿與喇嘛鬥法的傳說》，則是這一矛盾的影子。（註一一六）

但是，努爾哈赤雖力倡喇嘛教，在女眞內部仍設堂子祭天。古勒山之役臨戰前，努爾哈赤「率諸貝勒大臣詣堂子拜」（註一一七）祝。在費阿拉城有祭天之所。（註一一八）在赫圖阿拉，「立一堂宇，繞以垣牆，爲禮天之所，凡於戰鬥往來，奴酋及諸將胡必往禮之」。（註一一九）堂子祭天禮俗，延及有清一代。

後金汗努爾哈赤，一手持法令，一手捧佛經，動之以殘酷刑法，誘之以憧憬來世，威慈並濟，硬軟兼施，加強了對後金人民的統治。

努爾哈赤既創建八旗制度，又建立後金政權，軍事上不斷取得勝利，政治上日益強大鞏固；同時，後金與明朝的矛盾也趨向激化。明朝與建州的矛盾，時隱時現達三十六年之久，終因後金汗努爾哈赤公然犯順而爆發了薩爾滸大戰。

【附註】

註一 趙翼：《廿二史箚記》第三五卷，第七九七頁。

註二 《明史・諸王五》第十二册，第一二〇卷，第三六四八頁。

註三 《明史・食貨一》第七册，第七七卷，第一八八九頁。

註 四 《明神宗實錄》內閣文庫本，第三七卷，萬曆三十七年五月辛巳朔。
註 五 《明史・食貨一》第七册，第七七卷，第一八八五頁。
註 六 《李朝宣祖實錄》第一〇八卷，三十二年正月辛卯。
註 七 朱國禎：《湧幢小品》第八卷，第三頁。
註 八 《萬曆邸鈔》第一册，第三一五頁。
註 九 《萬曆邸鈔》第一册，第四一二頁。
註一〇 《萬曆邸鈔》第一册，第四〇九頁。
註一一 《明史・禮志十二》第五册，第五八卷，第一四五三頁。
註一二 《明史・王德完傳》第二〇册，第二三五卷，第六一三二頁。
註一三 《明神宗實錄》內閣文庫本，第三六卷，萬曆三十六年四月丁丑。
註一四 《明神宗實錄》第四四六卷，萬曆三十六年五月甲寅。
註一五 《萬曆邸鈔》第一册，第五五六頁。
註一六 《李朝宣祖實錄》第二〇一卷，三十九年七月癸未。
註一七 《萬曆邸鈔》第一册，第五五六至五五八頁。
註一八 《萬曆邸鈔》第一册，第六六〇至六六四頁。
註一九 王一元：《遼左見聞錄》鈔本，不分卷。
註二〇 《明神宗實錄》內閣文庫本，第四〇卷，萬曆四十年正月乙巳。

註二一　熊廷弼：《答友人》，《明經世文編》第四八〇卷，第五二八七頁。

註二二　《明神宗實錄》第四八四卷，萬曆三十九年六月丁亥。

註二三　同上。

註二四　《清太祖高皇帝實錄》第一卷，第十一頁。

註二五　《建州私志》載：努爾哈赤「以祖、父故，予指揮使職，勢埒南關。」《東夷考略・女直考》、《萬曆武功錄・奴兒哈赤列傳》等書所記略同。

註二六　孟森：《明清史論著集刊》上冊，第二一〇頁。

註二七　茅瑞徵：《東夷考略・建州》第十六頁。

註二八　《明神宗實錄》第二一五卷，萬曆十七年九月乙卯。

註二九　《明神宗實錄》內閣文庫本，第十七卷，萬曆十七年九月辛亥。

註三〇　同上。

註三一　《明神宗實錄》第二二二卷，萬曆十八年四月庚子。

註三二　《明史・職官一》：龍虎將軍爲武職散階正二品。

註三三　張鴻翔在《燕京學報》第三八期《奴兒哈赤受明封賞考實》一文中，據此及《清太祖武皇帝實錄》辛卯年（萬曆十九年）「太祖曰，坐受左都督敕書」，以及《萬曆武功錄・奴兒哈赤列傳》的「贊曰」認爲，努爾哈赤受明封爲左都督。但徵引瞿文「宜拜大都督而稱忠順也」時，將「宜」字刪掉，而含義全非。又據《皇明通紀輯要》卷二十：萬曆二十三年八月，總督侍郎張國彥奏，「奴兒哈赤保塞有功，得升都督，上命升爲龍虎將軍」。「宜拜」與「得升」都是蓋然詞，而不是實封。

註三四 《明神宗實錄》第二五一卷，萬曆二十年八月丁酉。

註三五 《明神宗實錄》內閣文庫本，第二〇卷，萬曆二十年八月丁酉。

註三六 《明神宗實錄》內閣文庫本，第三六卷，萬曆三十六年二月癸未。

註三七 《明神宗實錄》屢載有關努爾哈赤爲龍虎將軍事，如：第二五一卷，萬曆二十年八月丁酉；內閣文庫本第二〇卷，萬曆二十年八月丁酉；內閣文庫本第三十六卷，萬曆三十六年二月癸未；第五七七卷，萬曆四十六年十二月乙丑；第五七八卷，萬曆四十七年正月丁未，內閣文庫本第四十七卷，萬曆四十七年正月辛未；第五八〇卷，萬曆四十七年三月癸卯；第五八〇卷，萬曆四十七年三月戊申。

註三八 孟森：《明清史論著集刊》上册，第一八七頁。

註三九 《明神宗實錄》內閣文庫本，第二一卷，萬曆二十一年閏十一月丁亥。

註四〇 《明神宗實錄》第三一〇卷，萬曆二十五年五月甲辰。

註四一 《明神宗實錄》第三二七卷，萬曆二十六年十月癸酉。

註四二 《明神宗實錄》第三六六卷，萬曆二十九年十二月乙丑。

註四三 《明神宗實錄》第三七三卷，萬曆三十年六月戊申。

註四四 《明神宗實錄》第四五三卷，萬曆三十六年十二月乙卯。

註四五 《明神宗實錄》第四八八卷，萬曆三十九年十月戊寅。

註四六 《明神宗實錄》第五三〇卷，萬曆四十三年三月丁未。

註四七　談遷：《國榷》第八二卷，第五〇八〇頁。

註四八　努爾哈赤在萬曆二十九年十二月之後到三十六年十二月之前，未到京朝貢。談遷《國榷》第八〇卷，第四九六六頁載：「禮部左侍郎李庭機代兵部，減車價，建人爭之，久不貢。李庭機遣序班李維葵往詰之。維葵勸論，仍補貢。」萬曆三十四年十二月戊戌，其弟舒爾哈齊至京補貢。

註四九　《明神宗實錄》第三七三卷，萬曆三十年六月戊申。

註五〇　《滿洲實錄》第二卷，第七頁。

註五一　《李朝宣祖實錄》第二九卷，二十二年七月丁巳。

註五二　申忠一：《建州紀程圖記》，圖版十五。

註五三　《明神宗實錄》第五二四卷，萬曆四十二年九月壬戌。

註五四　《清太明高皇帝實錄》第三卷，第七頁。

註五五　《清太祖高皇帝實錄》第三卷，第八頁。

註五六　朝鮮《東國史略事大文軌》第四六卷，第十六頁；轉引自《清史論叢》，文海出版社，第一集，第二三頁。

註五七　朝鮮《東國史略事大文軌》第四六卷，第二九頁；轉引自《清史論叢》，文海出版社，第一集，第二四頁。

註五八　「卽華言恭敬之意」，是解釋「昆都侖」的，應在「昆都侖」三字的後面、「汗」字的前面；《清太祖武皇帝實錄》和《滿洲實錄》此處均欠妥。

註五九　《清太祖武皇帝實錄》第二卷，第二頁。

註六〇　《清太明高皇帝實錄》第三卷第九頁，將「昆都侖汗」譯爲「神武皇帝」，似欠妥。

註六一 《光海君日記》第一三三卷，十年十月戊辰。

註六二 《滿文老檔・太祖》第四一卷，天命七年四月十七日。

註六三 《清太祖高皇帝實錄》第五卷，第一至二頁。

註六四 《滿文老檔・太祖》第五卷，天命元年正月初一日。

註六五 努爾哈赤的尊稱很多，如 sure beile，漢音譯爲淑勒貝勒；sure han，漢音譯爲淑勒汗，或譯爲聰睿汗；ama han，漢譯爲父汗；kundulen han，漢音譯爲昆都侖汗，或譯爲恭敬汗；amba genggiyen han，漢音譯爲安巴庚寅汗，或譯爲大英明汗。

註六六 李明寏：《柵中日錄》第十四頁。

註六七 《滿文老檔・太祖》第九卷，天命四年三月二十一日。

註六八 趙慶男：《亂中雜錄續錄》第一卷，轉引自《清史論叢》文海出版社，第二集，第一六六頁。

註六九 《光海君日記》第一三九卷，十一年四月壬申。

註七〇 王在晉：《三朝遼事實錄》第一卷，第十五頁。

註七一 《明神宗實錄》第五八三卷，萬曆四十七年六月庚午。

註七二 黃彰健《奴兒哈赤所建國號考》載：「奴兒哈赤建立國號，並不自萬曆四十四年始。從萬曆二十四年起，一直至他的死，他的國號凡五變。最初係稱女直，旋改女眞，又改建州，後又改後金，最後改稱金。在萬曆三十三年時，已稱建州等處地方國王；在萬曆四十四年時仍沿用建州國號，並未另定新名；其改稱後金，則在萬曆四十七年己未三月；其改稱金，則在天啓元年辛酉。後金係其自稱，並非史家所追稱。女直、女眞、建州、後金及金，係不同時間所定，各有其所行用的時間，而後金與金亦有分別，是不可像一部明人及近代史家那樣混稱的。「見《明清史研究叢稿》臺灣商務印書館，第四卷，第四八一頁。

註七三　《滿文老檔·太祖》第十八卷，天命六年閏二月二十二日。
註七四　《滿文老檔·太祖》第三卷，癸丑年（萬曆四十一年）六月。
註七五　《清太祖高皇帝實錄》第二卷，第七頁。
註七六　李民寏：《建州聞見錄》第三二頁。
註七七　《何和禮碑記》，《遼陽碑志選》，第一集，第三三頁。
註七八　《清史列傳·明安達禮》第五卷，第七頁。
註七九　《清史稿·布顏代傳》第二三一册，第二二九卷，第九二七四頁。
註八〇　《滿文老檔·太祖》第三二卷，天命七年正月初八日。
註八一　《滿文老檔·太祖》第四五卷，天命八年二月十四日。
註八二　《清史稿·佟養性傳》第三一册，第二三一卷，第九三二三頁。
註八三　《八旗通誌》初集，第一四三卷，第三頁。
註八四　《滿文老檔·太祖》第三卷，癸丑年（萬曆四十一年）十二月二十六日。
註八五　《清史稿·李永芳傳》第三一册，第二三一卷，第九三二七頁。
註八六　《清太祖高皇帝實錄》第五卷，第十八至十九頁。
註八七　《滿文老檔·太祖》第五二卷，天命八年五月二十三日。

註八八 《清史列傳·李永芳》第七八卷，第十一頁。
註八九 噶蓋爲扎爾固齊。
註九〇 《清史列傳·范文程》第五卷，第一頁。
註九一 《清史稿·綽爾濟傳》第四六册，第五〇二卷，第一三八八〇頁。
註九二 《盛京通志》第四〇卷，第三頁。
註九三 李民寏：《建州聞見錄》第三一頁。
註九四 申忠一：《建州紀程圖記》，圖版十八。
註九五 《清太祖高皇帝實錄》第四卷，第八頁。
註九六 申忠一：《建州紀程圖記》，圖版十八。
註九七 《清太祖高皇帝實錄》第四卷，第二一頁。
註九八 《滿文老檔·太祖》第二一卷，天命六年五月初五日。
註九九 《滿文老檔·太祖》第二八卷，天命六年十一月初一日。
註一〇〇 《滿文老檔·太祖》第三九卷，天命七年三月十二日。
註一〇一 《滿文老檔·太祖》第四二卷，天命七年六月十九日。
註一〇二 《滿文老檔·太祖》第五八卷，天命八年七月二十六日。
註一〇三 《滿文老檔·太祖》第三四卷，天命七年正月二十六日。
註一〇四 《滿文老檔·太祖》第四二卷，天命七年六月十七日。

註一〇五　《清太宗實錄稿》（鈔本），北京圖書館善本部藏。

註一〇六　恩格斯：《路德維希·費爾巴哈和德國古典哲學的終結》，《馬克思恩格斯全集》，人民出版社，第二一卷，第三二八頁。

註一〇七　宗喀巴（一三五七——一四一九年），本名羅桑扎巴，是青海湟中人，藏語稱「湟中」爲「宗喀」，所以叫宗喀巴。他是喇嘛教黃教派的創始人。

註一〇八　喇嘛教的主要教派有：黃教（格魯派），紅教（寧瑪派），白教（噶擧派），花教（薩迦派），皆因僧衣僧帽之顏色而得名。

註一〇九　《滿文老檔·太祖》第四卷，乙卯年（萬曆四十三年）十一月。

註一一〇　李民寏：《建州聞見錄》第三二頁。

註一一一　《清太祖高皇帝實錄》第四卷，第十三頁。

註一一二　《滿文老檔·太祖》第二九卷，天命六年十一月三十日。

註一一三　《大喇嘛墳塔碑記》，《遼陽碑志選》，第二集，第三七頁。

註一一四　《大金喇嘛法師寶記》，《遼陽碑志選》第一集，第三〇頁。

註一一五　《滿文老檔·太祖》第四〇卷，天命七年三月二十二日。

註一一六　金啓孮：《滿族的歷史與生活》第九三頁載：「從前三家子屯有一家，家中有人病了，請鄰村的喇嘛來治病。喇嘛治了很久，也沒有把病人治好。這家只好又換請了本屯的薩滿來治。薩滿很快就把病人治好了。病人好了以後，在家中擺酒給薩滿和喇嘛道乏。喇嘛因爲沒能由自己治好病人的病，心中便有些對薩滿不滿。喝酒時喇嘛便斟了一盅酒，對薩滿說：『我很佩服你的法術，你敢喝我這盅酒嗎？』薩滿接過酒來一看，原來酒裏有三條極小的赤煉蛇。薩滿知道喇嘛要害他，當時就答道：『我喝你這盅酒！』說完連酒帶蛇一齊喝了下去。接著薩滿也斟滿一盅酒，對喇嘛說：『我回敬你一盅，你敢喝我這盅酒嗎？』喇嘛接過酒盅一看，原來酒裏有三根針。這一下喇嘛嚇壞了，他無論如何也不敢喝這盅酒，只好向薩滿賠禮，甘拜下風了。從此，薩滿和喇嘛雖然和好了，但是薩滿治病的地方，喇嘛再也不敢去。喇嘛對薩滿佩服得五體投地。

註一一七　《清太祖高皇帝實錄》第二卷，第十五頁。

註一一八　申忠一：《建州紀程圖記》圖版七。

註一一九　李民寏：《建州聞見錄》第三二頁。

第八章　薩爾滸大戰

一、發布「七大恨」誓師

努爾哈赤在赫圖阿拉建元稱汗後，化費兩年多的時間，把主要精力放在整頓內部問題上。同時，他的軍事戰略眼光仍向著北方，先後有三次大的軍事行動：派兵征薩哈連部；招服使犬路、諾洛路、石拉忻路路長四十人；遣兵征取東海沿海散居諸部。一六一八年（萬曆四十六年，天命三年）正月，後金汗對諸貝勒大臣宣佈：「今歲必征大明」。（註一）從此，他的軍事戰略眼光轉向南方。隨後，發布「七大恨」告天，是後金汗努爾哈赤把戰略重點由北方轉移到南方的標誌，也是他的兵鋒由統一女眞諸部轉移到公然指向明朝的標誌。

發布「七大恨」告天的背景，主要有三：其一是努爾哈赤深知明萬曆帝晚年政治更加腐敗，遼東軍備更加廢弛；其二是努爾哈赤已基本完成女眞的統一（除明支持的葉赫部外），並建立了後金政權；其三是遼東女眞地區災荒嚴重，景象悲慘。據朝鮮《光海君日記》萬曆四十五年四月二十三日記載：

今年民間飢困之患，近古所無，流離道路，餓莩相望。雨水周足，民有耕種之望（註二），而種

子、農糧俱乏，至有抱農器而餓死於田野〔者〕，極爲矜惻。（註三）

水災嚴重，農作失稔，不僅限於朝鮮，而且殃及建州地區。朝鮮平安兵使李時言，據後金女眞人羅可多等所報馳啓：

……且言：「上年水災，胡地尤甚，飢寒已極，老弱塡壑，奴酋令去覓食」云云。許多群胡，逐日出來，則供給之物，想必浩大。而年條所納，亦未畢捧，其間需用，勢似難繼，是用爲慮。其赤身乞食，其情雖似可矜，而桀驁之心有同飢鷹，在我防備之道，不可小緩；而贈給雜物，亦不可不預爲算定，請令廟堂斯速指揮」。（註四）

上錄馳啓除奏報後金地區災荒慘重外，還諫言加強防備。這遠比明朝遼東的庸劣官將有見識。

女眞人遭遇凶年，餓莩塞路，四處乞食，老弱塡壑。後金汗努爾哈赤怎樣解決這一嚴重的社會危機？翻開中國封建社會史册，在中原地區，農民起義往往在大災之年爆發，因爲災荒使本來尖銳的階級矛盾更加激化；在邊疆地區，嚴重災荒也使本來尖銳的民族矛盾更加激化。努爾哈赤正是選擇這個有利時機，發布「七大恨」告天，把女眞人的不滿、怨恨引向明朝，並借對明戰爭勝利和掠奪漢人財富，以緩解後金的社會危機。

一六一八年（萬曆四十六年，天命三年）四月十三日，後金汗努爾哈赤以「七大恨」告天，其文（註五）曰：

我之祖、父，未嘗損明邊一草寸土也，明無端起釁邊陲，害我祖、父，恨一也。

明雖起釁，我尚欲修好，設碑勒誓：「凡滿、漢人等，毋越疆圉，敢有越者，見即誅之，見而故縱，殃及縱者。」詎明復渝誓言，逞兵越界，衞助葉赫，恨二也。

明人於清河以南、江岸以北，每歲竊踰疆場，肆其攘奪，我遵誓行誅；明負前盟，責我擅殺，拘我廣寧使臣綱古里、方吉納，挾取十人，殺之邊境，恨三也。

明越境以兵助葉赫，俾我已聘之女，改適蒙古，恨四也。

柴河、三岔、撫安三路，我累世分守疆土之衆，耕田藝谷，明不容刈獲，遣兵驅逐，恨五也。

邊外葉赫，獲罪於天，明乃偏信其言，特遣使臣，遺書詬詈，肆行陵侮，恨六也。

昔哈達助葉赫，二次來侵，我自報之，天既授我哈達之人矣，明又黨之，挾我以還其國。已而哈達之人，數被葉赫侵掠。夫列國之相征伐也，順天心者勝而存，逆天意者敗而亡。何能使死於兵者更生，得其人者更還乎？天建大國之君即爲天下共主，何獨構怨於我國也。初扈倫諸國，合兵侵我，故天厭扈倫啓釁，惟我是眷。今明助天譴之葉赫，抗天意，倒置是非，妄爲剖斷，恨七也。

欺陵實甚，情所難堪。因此七大恨之故，是以征之。（註六）

「七大恨」的第一條，訴說明軍「起釁邊陲，害我祖、父」，即傾訴對明朝施行民族壓迫政策的不滿。早在成化年間，明軍先後兩次對建州女眞「擣其巢穴，絕其種類」（註七），殺建州女眞首領李滿住和董山；據不完全統計，共擒斬女眞人一千七百二十餘名，焚燒廬舍一百九十五座，及其積聚二百一十七所。焚蕩之餘，幸存者過著「結草穴土而居」（註八）的悲苦生活。明軍又在萬曆初的十餘年間，以追剿女眞「犯搶」（「犯搶」是應當反擊的）爲名，曾先後五次「搜討」，共斬殺三千八百五十餘級，對女眞社會生產力破壞極大。明朝遼東官兵，勒買人參，強征貂皮，橫行馬市，「殺夷冒功」，引起女眞人的強烈不滿。所以「七大恨」開宗明義說：

我祖宗以來，與大明看邊，忠順有年。只因南朝皇帝高拱深宮之中，文武邊官，欺誑壅蔽，無懷柔之方略，有勢力之機權，勢不使盡不休，利不括盡不已，苦害侵凌，千態莫狀。（註九）

這就傾吐了女眞人對明朝封建統治者的憤恨。

「七大恨」的第二、四、六、七條，訴說明朝偏袒哈達、備助葉赫，即傾訴對明朝施行民族分裂政策的不滿。明廷對哈達、葉赫、建州的基本政策是：「各自雄長，不相歸一。」這正如明禮部侍郎楊道賓所疏言：

夫夷狄自相攻擊，見謂中國之利，可收漁人之功。然詳繹成祖文皇帝所以分女直爲三，又折衞所地站爲二百六十二，而使其各自雄長，不相歸一者，正謂中國之馭夷狄，必離其黨而分之，護其群而存之。（註一〇）

打破明廷分裂女眞的傳統政策，實現女眞各部的統一，這就表達了女眞人的共同願望。

但是，像一切事物無不具有兩種性一樣，努爾哈赤發布的「七大恨」也具有兩重性：它既是女眞人民對明朝民族壓迫和民族分裂政策的控訴，又是女眞貴族向明朝公然犯順和策騎稱兵的借詞。顯然，它帶有歷史、階級與民族的局限性。

就以努爾哈赤借葉赫老女舒發飲恨爲例。葉赫老女爲葉赫貝勒布齋之女。布齋在古勒山之役中被殺，葉赫請屍，努爾哈赤命剖其半與之，由此結下不解之仇。後其女多年未嫁，遂稱老女。努爾哈赤利用老女，作爲興師攻明的一種借口，如王雅量所疏言：「夫奴酋冶容之人，何求不得，而斤斤一三十五歲之老女？且夷俗何所不爲，而未嫁之老女有何體面？所繫不過留其不了之局，以興問罪之名，乘間竊發，基圖漸大，漸可蠶食，此奴之本志也」！（註一一）由此可見，努爾哈赤所談葉赫老女之事，不過是借題發揮，以作爲興師攻明的借口。

後金汗努爾哈赤發布「七大恨」，是利用女眞人的民族情緒，把女眞人的不滿引向明朝，並借對明戰爭的掠獲，以緩和其因災荒而加劇的社會矛盾。「七大恨」誓師後，努爾哈赤即率師攻明，計襲撫順。

二、計襲撫順城

努爾哈赤率兵大擧征明，是他戰略上的重大轉變。爲著做好征明的準備，他除發布「七大恨」進行政治思想動員外，還修整器械、申明軍紀、頒布《兵法之書》，進行軍事上的訓練。他說：

凡安居太平，貴於守正。用兵則以不勞己、不頓兵，智巧謀略爲貴焉。若我衆敵寡，我兵潛伏幽邃之地，毋令敵見，少遣兵誘之：誘之而來，是中吾計也；誘而不來，即詳察其城堡遠近，遠則盡力追擊，近則直薄其城，使壅集於門而掩擊之。倘敵衆我寡，勿遽近前，宜預退以待大軍。俟大軍旣集，然後來敵所在，審機宜、決進退。此遇敵野戰之法也。至於城郭，當視其地之可拔，則進攻之，否則勿攻。倘攻之不克而退，反損名矣！夫不勞兵力而克敵者，乃足稱爲智巧謀略之良將也。若勞兵力，雖勝何益？蓋制敵行師之道，自居於不可勝，以待敵之可勝，斯善之善者也。（註一二）

上面所引努爾哈赤的計謀、誘敵、野戰、攻城、設眇等軍事思想和作戰原則，豐富而精萃；並在奪取撫順之役中，再次加以運用。對努爾哈赤軍事思想的全面分析留待後文，這裏特別強調其軍事思想的精華——用兵之道，貴在計謀。計襲撫順，便是努爾哈赤這種軍事指揮藝術的一個戰例。

在計襲撫順之前，又申明軍紀：「陣中所得之人，勿剝其衣，勿淫其婦，勿離其夫妻；拒敵者殺之，不拒敵者勿妄殺」。（註一三）同時，又詭密地進行作戰準備。如命軍丁伐木繕治雲梯、楯車，却揚言砍伐木材，修整馬廐。木材運回赫圖阿拉之後，又恐修繕器械泄露機密，竟將所砍伐的木材，用來修建馬廐。

後金汗努爾哈赤既發布「七大恨」，又頒布《兵法之書》，修器械，嚴軍令，一切準備就緒之後，於四月十四日，命將出師。努爾哈赤命軍分兩路：令左四旗兵攻取東州、馬根單；親率右四旗兵及八旗巴牙喇直奔撫順。

撫順城瀕臨渾河，爲建州女眞與明互市的重要場所。努爾哈赤青年時經常到撫順貿易，他對撫順的山川、道里、形勝、城垣瞭如指掌。時撫順游擊李永芳率兵駐守，此人早在六年之前，曾同努爾哈赤在撫順所教場並馬交談。努爾哈赤這時對撫順主用智取，輔以力攻。他先一日派人至撫順，聲言有三千女眞人於明日來赴市。到十五日寅時，假冒商人的後金先遣隊果然來到撫順扣市，將撫順商人和軍民誘出城外貿易；並由輸款於努爾哈赤的佟養性作嚮導，導軍先入（註一四）；後面接踵而來的後金軍主力——遂乘機突入城內，裏應外合，夾擊奪城。據《明神宗實錄》四月十五日記載：

先一日，奴於撫順市口言：明日有三千達子來做大市。至日，寅時，果來叩市。誘哄商人、軍民出城貿易，隨乘隙突入。（註一五）

王在晉在《三朝遼事實錄》中，也作了類似的記載：

四月十五日，奴兒哈赤計襲撫順，佯令部夷赴市，潛以精兵踵後，突執游擊李永芳，城遂陷。（註一六）

朝鮮《光海君日記》據明游擊丘坦票文記載：「奴酋向來與撫順互市交易，忽於前面四月十〔五〕日，假稱入市，遂襲破撫順」。（註一七）

但是，《滿文老檔》和《滿洲實錄》等書却力言努爾哈赤的武功：八旗軍布兵百里，旌旗蔽空，馳趨撫順，兵到圍城；旋派被捕漢人入城，送書與守將李永芳：以祿位相誘，以屠城相脅。「李永芳覽畢，衣冠立南城上，言納降事，又令城上備守具」。（註一八）努爾哈赤命八旗軍豎梯登城，不久，兵士攀梯上城。撫順城中軍千總王命印等力戰而死。「游擊李永芳勉強投降，穿官服乘馬出城，鑲黃旗固山額眞阿敦引與汗見，不讓下馬，互相拱手示禮」。（註一九）但《清太祖武皇帝實錄》作「永芳下馬跪見，帝於馬上拱手答禮」（註二〇）；《清太祖高皇帝實錄》作「永芳下馬匍匐謁上，上於馬上以禮答之」（註二一），均係溢美之文，使眞相不存。

努爾哈赤設計，佯稱互市，潛以精兵，外攻內應，誘陷撫順，守將李永芳剃髮降。同日，後金軍左四旗兵攻占東州、馬根丹。撫順失陷敗報馳至，明遼東巡撫李維翰（註二二）急檄總兵官張承胤倉猝赴援。張承胤急率副將頗廷相、參將蒲世芳、游擊梁汝貴等領兵萬餘人尾追努爾哈赤。承胤據山險，分軍三，立營浚濠，佈列進攻。努爾哈赤命大貝勒代善、四貝勒皇太極統軍三面環攻明軍，並利用風沙大作的有利天時，猛攻明軍。明軍大潰，承胤、世芳皆戰死；廷相、汝貴突圍，亦戰死。（註二三）明軍「主將兵馬，一時俱沒」（註二四），生者甚少，舉朝震驚。八旗軍獲馬九千四，甲七千副，兵仗器械，不可數計，毀城而去。

撫順之役，歷時一週，八旗軍不僅奪占撫順、東州、馬根單，而且騎兵橫排百里，梳掠小堡、莊屯五百餘處（註二五），擄獲人畜（註二六）三十餘萬，編爲千戶，毀撫順城，還赫圖阿拉。努爾哈赤命將俘獲編爲千戶，若每戶以六口計，則共六千人。看來所謂俘獲人畜三十餘萬，多爲牲畜。後金汗率軍在短短幾天內，擄掠數以十萬計的牲畜以及糧食、財物，按軍功大小進行分配，緩和了因災荒缺糧而加劇的社會矛盾。

明朝遼左失陷撫順，隕將喪師，損辱國威。從此，舉朝震駭，群臣神經極度緊張，如刑科給事中姚若水奏請，「罷內市，愼啓閉，清占役，禁穿朝」（註二七），並給宮監各發木牌，出入憑牌查驗，以防努爾哈赤的奸細混入大內。

後金却大大相反。進攻撫順是努爾哈赤起兵三十五年以來，第一次同明軍正面交鋒，但初戰告捷。先是，努爾哈赤對明朝陽示觳觫遵命，暗裏伺機倏進，未敢宏圖大舉。甚至於他在發兵進攻撫順之前，仍告誡統兵貝勒、諸臣，要「自居於不可勝，以待敵之可勝」——尚有此舉勝負未卜之意。但是，他襲破撫順，碰了一下明朝這個龐然大物，竟然俘獲人畜三十萬，這是自興兵以來從未有過的大擄掠。從而刺激了努爾哈赤更大的貪欲：統兵蠶食遼東。如五月，攻取撫順、鐵嶺之間的撫安堡、花豹沖、三岔兒等大小十一堡，並沿屯搜掘糧窖，「遷其積粟」。（註二八）七月，入鴉鶻關，進攻清河。

清河城地勢險隘，爲遼、瀋屏障。它城周三里，四擁高山，左近瀋陽，右鄰靉陽，南枕遼陽，北控寬奠，有小路與撫順相通。努爾哈赤親統八旗軍，進鴉鶻關，圍清河城。守副將鄒儲賢、參將張斾率兵一萬，嬰城固守。城上施放火器，八旗兵死傷千餘人。努爾哈赤命軍士頭頂木板，從城下挖牆而入（註二九），城陷，鄒儲賢、張斾及「兵民共約萬人皆陷歿」。（註三〇）明失清河，全遼震動。是役，《三朝遼事實錄》記載：

> 二十二日，奴從鴉骨關入圍清河。參將鄒儲賢拒守，以火器殺賊千餘，賊退而復合。援遼游擊張斾戰死。賊冒板挖牆城東北角，墮疊屍上城。儲賢見李永芳招降，大罵，盡焚衙宇及妻孥，領兵戰於城上，力屈死之。（註三一）

後金奪取清河，也是既以力攻，又用智取。據史載，努爾哈赤破清河，先令「驅貂、參車數十乘入城，貂、參窮而軍容見。因入據城門，延入諸騎。故清河之破，視撫順尤速」。（註三二）副將賀世賢率兵往援，見城已陷（註三三），遂斬女眞屯寨中婦幼一百五十一人而還。

努爾哈赤破撫順、拔清河，膽愈壯、氣愈粗，遂將一名被擄漢人割去雙耳，令其鮮血淋漓地送信與明。這封詞令強硬的信說：

若以我爲非理，可約定戰期出邊，或十日，或半月，攻戰決戰；若以我爲合理，可納金帛，以圖息事！（註三四）

在上述信裏，努爾哈赤吐露了自己的願望。但是，這正如恩格斯所說：「任何一個人的願望都會受到任何另一個人的妨礙，而最後出現的結果就是誰都沒有希望過的事物」。（註三五）果然，努爾哈赤在信中表示的願望，受到萬曆帝的妨礙。萬曆帝對努爾哈赤的回答是：調兵遣將，犂庭掃穴。於是，努爾哈赤與萬曆帝雙方相互交錯願望所產生的歷史事變，即薩爾滸大戰。戰爭的後果，又出現了他們誰也沒有料想到的一系列歷史事變。

三、薩爾滸之戰

努爾哈赤直扣邊門，突襲撫順的敗報馳至京師，九卿科道會議在籌劃「大擧征剿」（註三六）赫圖阿拉的決策。

明朝為進攻後金，在忙碌地準備著：

委任將帥——撫臣李維翰削籍為民，派兵部侍郎楊鎬為遼東經略，周永春為遼東巡撫，起用山海關總兵杜松，徵調還鄉老將劉綎等。

調集兵馬——徵集福建、浙江、四川、山東、山西、陝西、甘肅等地主客兵星馳援遼。到薩爾滸之戰前，據巡按遼東陳王庭條奏，各地援遼兵馬，「據臣親查點過，主客軍丁各四萬有奇」。（註三七）

增賦轉餉——加派遼餉，每畝三釐五毫，實派額銀二百萬餘兩（註三八）；轉輸糧秣，以應軍需。

咨文朝鮮——遼東都司咨文朝鮮，脅迫出兵，合力征討。咨文稱：「皇上赫然，計必剿除。用調四方之銳，逌興六月之師；輸糧若阜，軍氣如雷；奴之期命，其焉至矣」。（註三九）

頒布軍紀——巡按兼監軍陳王庭、遼東經略楊鎬，制訂軍紀，頒布全軍。

萬金賞格——從經略楊鎬奏，擒斬努爾哈赤者，萬金懸賞，加級示酬。兵部刊印榜文，曉諭天下，並傳示葉赫以及朝鮮：「能擒斬奴兒哈赤，賞銀一萬兩，升都指揮世襲」。（註四〇）

明朝經過十個月的醞釀和準備，各路援遼兵馬齊集遼陽。但兵馬未及休息餵養，明廷求勝心切，又恐師老財匱，便趨楊鎬進兵。

一六一九年（萬曆四十七年，天命四年）二月十一日，遼東經略楊鎬、薊遼總督汪可受、遼東巡撫周永春、遼東巡按陳王庭，在遼陽演武場，會集征討努爾哈赤兵馬誓師。楊鎬宣布軍令十四款，官兵違令者斬。並取尚方劍，令將撫順臨陣脫逃的指揮白雲龍，當場梟首示衆。但在禡祭時，大將屠牛刀不鋒利，「三割而始斷」（註四一）；劉招孫在教場馳馬試槊，木柄蠹朽，槊頭墮地。誓師後，經略楊鎬等議兵分四路，分進合擊，直搗赫圖阿拉。

西路：即撫順路，以山海關總兵官杜松爲主將，率保定總兵王宣、原任總兵趙夢麟、都司劉遇節、原任參將龔念遂等官兵二萬餘人，以分巡兵備副使張銓爲監軍，由瀋陽出撫順關，沿渾河右岸（北岸），入蘇克素滸河谷，從西面進攻赫圖阿拉。

南路：即清河路，以遼東總兵官李如柏爲主將，率管遼陽副總兵事參將賀世賢、都司張應昌、管義州參將事副總兵李懷忠、游擊尤世功等官兵二萬餘人，以分守兵備參議閻鳴泰爲監軍，推官鄭之范爲贊理，由清河出鴉鶻關，從南面進攻赫圖阿拉。

北路：即開原路，以原任總兵官馬林爲主將，率開原管副總兵事游擊麻岩、都司鄭國良、游擊丁碧、原任游擊葛世鳳等官兵二萬餘人，以開原兵備道僉事潘宗顏爲監軍，岫岩通判董爾礪爲贊理。並有葉赫軍二千人助攻，以管游擊事都司竇永澄監葉赫軍。開原路由靖安堡出，趨開原、鐵嶺，從北面進攻赫圖阿拉。

東路：即寬奠路，以總兵官劉綎爲主將，率管寬奠游擊事都司祖天定、南京六營都司姚國輔、山東管都司事周文、浙兵營備御周翼明等官兵一萬餘人，以海蓋兵備副使康應乾爲監軍，同知黃宗周爲贊理。同時，明朝脅迫朝鮮國王李琿，派都元帥姜弘立、副元帥金景瑞領兵一萬三千人，受總兵官劉綎節制，並以管鎮江游擊事都司喬一琦爲監軍。寬奠路由涼馬佃出，會合朝鮮軍，從東面進攻赫圖阿

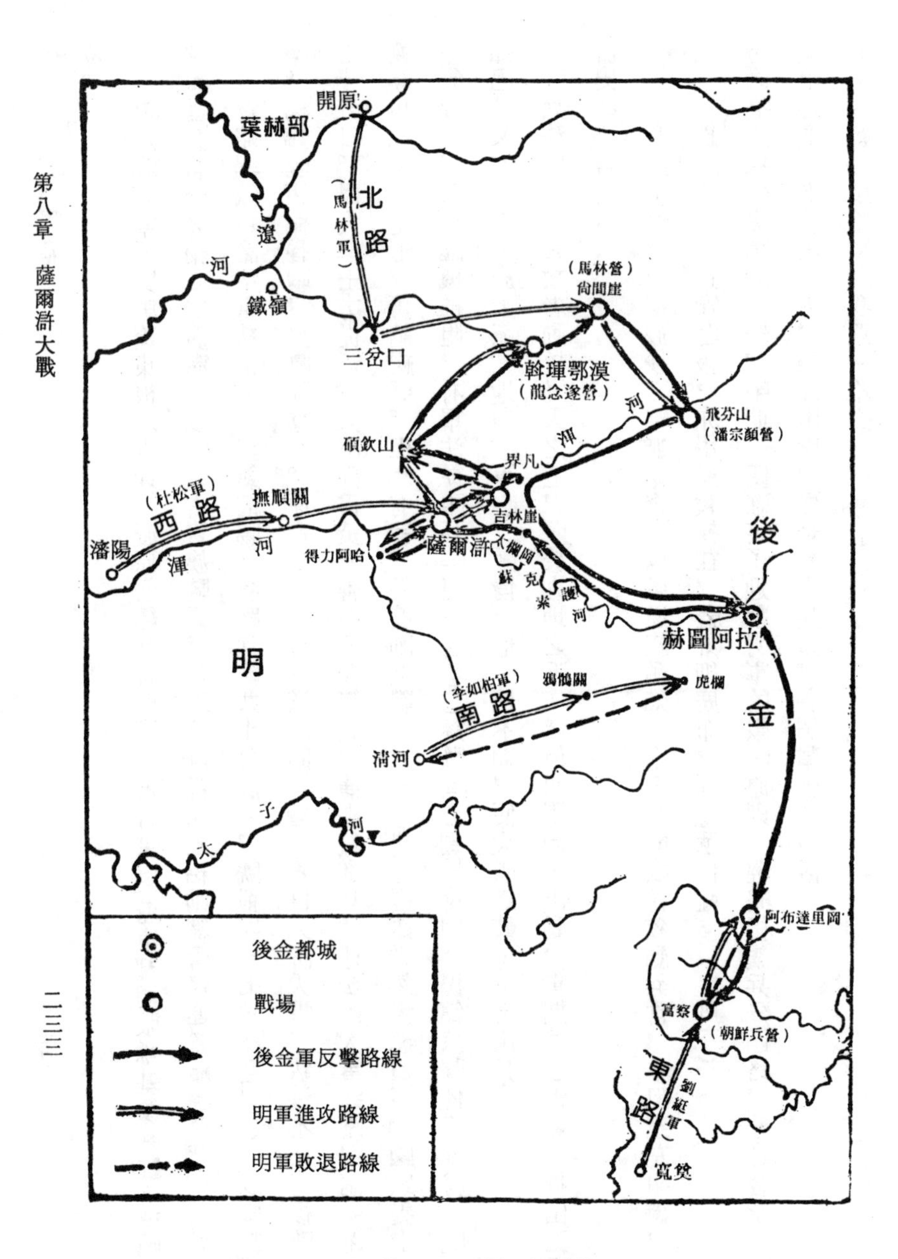
開原
葉赫部
北路
（馬林軍）
遼
河
鐵嶺
三岔口
（馬林督）
尚間崖
斡琿鄂漠
（龍念遂督）
飛芬山
（潘宗顏督）
河
渾
碩欽山
界凡
（杜松軍）
西路
撫順關
瀋陽
渾
河
吉林崖
薩爾滸
得力阿哈
蘇克素護河
後
赫圖阿拉
明
（李如柏軍）
南路
鴉鶻關
虎欄
金
清河
太子河
阿布達里岡
富察
（朝鮮兵督）
東路
（劉綎軍）
寬奠
後金都城
戰場
後金軍反擊路線
明軍進攻路線
明軍敗退路線

薩爾滸之戰示意圖

拉。

遼陽和廣寧爲明朝遼東根本重地，派原任總兵官前府僉書官秉忠、遼東都司張承基領兵駐守遼陽；又派總兵官李光榮戍守廣寧，以防蒙古貴族騎兵。並以管屯都司王紹勛總管督運各路糧草。（註四二）

經略楊鎬爲諸路軍總指揮，坐鎭瀋陽。各路兵總共十萬餘人，號稱四十七萬（註四三），以張揚聲勢。楊鎬既庸懦昏聵，又驕躁寡謀。原定二十一日分道出師，適十六日天降大雪，跋涉不前，復改於二十五日。但大學士方從哲、兵部尚書黃嘉善等連發紅旗，催楊鎬進兵。杜松因大雪迷路，請緩師期。劉綎也以未諳地形，再請緩師。但「有旨，促遼師進戰」。（註四四）楊鎬勃然大怒道：「國家養士，正爲今日，若復臨機推阻，有軍法從事耳」！（註四五）遂懸尚方劍於軍門。楊鎬只圖僥幸取勝，既不知己，又不知彼，於天氣、地理、軍心、敵情，他一概不顧，便大張旗鼓地下令出兵。

兵法曰：「善攻者動於九天之上，藏於九地之下」。但明軍尚未出動，軍期早已泄露。據山西道御史馮嘉會言：

我師進剿，出揭發抄，略無秘密，以致逆奴預知，……又聞奴酋狡黠異常，不但遼左事機，盡爲窺瞰，而長安邸報，亦用厚貲抄往，蓋奸細廣布，則傳遞何難？（註四六）

努爾哈赤探知明軍的部署、師期，便確定了迎擊明軍的戰略原則。經略楊鎬兵分四路，分進合擊；努爾哈赤並沒有分散兵力，四面出擊，而是集中兵力，各個擊破。他說：

憑你幾路來，我只一路去！（註四七）

這就是集中優勢兵力，逐路擊破明軍。後金汗努爾哈赤在明軍四面壓境的危難時刻，堅定了一個奪取戰爭勝利的鐵的軍事原則，選擇了一條素來走向成功的光明道路。他在確定反擊明軍的戰略原則之後，又「調度安排，機構周密」（註四八），作出相應準備：操練兵馬，整備器械；派出哨騎，搜集軍報；查勘地形，尋機設伏；堅壁清野，埋糧塡井；撤回各路屯寨兵民，將力量集中到赫圖阿拉，攥成一個拳頭——迎擊來勢洶洶的明軍。

明軍撫順路主將總兵官杜松，率所部二萬餘官兵，二十八日從瀋陽起行，二十九日至撫順關。杜松是一員勇健虎將，但剛愎自用，驕傲輕敵，魯暴無謀，急貪首功。史載：

> 松，榆林人（註四九），守陝西與胡騎大小百餘戰，無不克捷，敵人畏之，呼爲杜太師而不名。被召過潞河，裸示人曰：「杜松不解書，第不若文人惜死。」體創如疹，潞人爲揮涕。松方出師，牙旗折爲三，識者憂之。李如柏陽灑酒拜送曰：「吾以頭功讓汝。」松慷慨不疑。臨行攜杻械自隨，曰：「吾必生致之，勿令諸將分功也。」如柏復遣人語之曰：「李將軍已自清河抵敵寨矣！」松踴躍向。（註五〇）

杜松欲貪首功，率軍先出撫順關口，頭盔似海，刀槍如林，星夜燃火炬，日馳百餘里，急度五嶺關，直抵渾河岸。杜松執意渡河，諸將請宿營，不聽；總兵趙夢麟諫之，也不聽；東營將官懇止，竟發怒。（註五一）杜松酒意正濃，袒露胸懷，揮舞大刀，裸騎徑渡。衆將請他披甲，杜松笑道：「入陣披堅，非丈夫也。吾結髮從軍，今老矣，不知甲重幾許」！（註五二）並麾兵而進。兵士們都脫衣涉河，「水深沒肩」（註五三），淹死多人。輜重渡河困難，「尚遺車營槍炮在後」。（註五四）杜松率前鋒渡河後，俘獲女眞十四人，焚克二寨，遂一面急書報捷，一面策騎急馳，追越二道關，至薩爾滸山口。但是，其鞾念遂營因未能渡河而繞駐於斡琿鄂漠。

後金探騎不斷地向努爾哈赤報警。被派往西方的探騎先報：「昨二十九夜，見明國兵執燈火出撫順關」。（註五五）派往南方的偵騎又報：「清河路也發現敵兵」。後金汗向諸貝勒大臣分析錯綜複雜的敵我態勢，認爲明軍主力一定會先從西面來。八旗軍統帥努爾哈赤命令：派兵五百名防守南路；以左翼四旗和右翼二旗共六旗馳向薩爾滸，另右翼二旗馳往吉林崖，「全軍向西方」（註五六），迎擊杜松軍。

三月初一日，杜松軍馳至薩爾滸。（註五七）其時，東路劉綎軍雖於二月二十五日出寬奠，但因在涼馬佃會朝鮮軍，尙在馬家口一帶行進中；北路馬林軍二月二十九日出鐵嶺，也因葉赫兵尙未出動，後金砍樹塞道阻滯，尙在途中；南路李如柏軍，是日則剛出清河鴉鶻關，且行動遲緩。只有莽勇喜功的「杜瘋子」孤軍突出，馳驅至薩爾滸後，分兵爲二：以一部在薩爾滸山下結營；親自率領另一部進抵吉林崖，攻打界凡城。

努爾哈赤統領六旗（註五八）鐵軍衝向明軍薩爾滸大營。明軍在進抵薩爾滸之先，前軍遭遇八旗兵的伏擊，後軍又受到八旗兵的截擊，兵傷馬斃，銳氣大挫。他們抵薩爾滸後，戰車環陣，挖塹樹柵，外列火器，旗鼓壯威，準備進行一場斷殺。努爾哈赤令先鋒軍衝殺。明軍放火銃，發巨炮，炸彈爆發，血肉橫飛。八旗兵仰面扣射，萬矢如雨；鐵甲騎軍，奮力衝擊。在震撼山岳的吶喊中，如風暴，似雷霆，狂撲明軍薩爾滸大營。努爾哈赤的軍事才能最善於使用騎兵，鐵騎集中於一點，攻陷方陣，突破戰線，粉碎聯隊，驅散步兵，這便是他勝利的秘訣。後金汗的騎濤，縱橫馳突，越塹破柵，厮殺蹂躪，所向披靡，一鼓攻下薩爾滸明軍大營。

攻下薩爾滸的八旗軍，麾師馳援吉林崖。時進攻吉林崖的杜松軍，聽到薩爾滸營陷的敗報，軍心已動搖；又遇到從吉林崖山上壓下來的八旗兵，士氣更頽落。但主將杜松「率官兵奮戰數十餘陣，欲圖聚占山頭，以高臨下，不意林中復起伏兵，對壘鏖戰，天時昏暮，彼此混殺」。（註五九）八旗勁旅從河畔與莽林，山崖與谷地，以數倍於杜松的兵力，將明軍團團圍住。明軍點燃火炬，從明擊暗，銃炮打入叢林，野草瑟縮，萬木染紅。八旗軍矢發風落，從暗擊明，萬矢射向明壘，矢孔瀝血，裂口呼叫。明軍撫順路主將杜松，雖眼發火光，左右衝殺，但矢盡力竭，落馬而死。據從石洞和積屍中逃生的朝鮮援明杜松軍炮手李守良所目擊言：

賊自東邊山谷間迎戰，又一陣從後掩襲，首尾齊擊。漢兵（指明軍——引者）收兵結陣，賊大噪薄之；漢兵亦哈喊齊放，賊中丸中馬者甚多。方謂酣戰，賊一大陣自山後下壓，漢兵大敗。……賊從山上亂下矢石，我軍百餘人及漢兵數千皆死。賊四面合圍，厮殺無餘。（註六〇）

平原、山崗、河谷、樹林都被潰軍塞滿了。杜松部屍橫遍野，血流成河，甲仗山積，全軍覆沒。《清太祖高皇帝實錄》記載：

明總兵杜松、王宣、趙夢麟等皆沒於陣，橫屍亘山野，血流成渠，其旗幟、器械及士卒死者，蔽渾河而下，如流澌焉！(註六一)

杜松薩爾滸之敗，明人責咎其有「六失」。(註六二)其實，杜松懸軍深入，長途疾馳，不諳地形，構成己短；而突騎野戰，據險設伏，又爲八旗軍所長。所以，努爾哈赤以衆擊寡，以逸待勞，以長制短，以客當主，打敗杜松而獲得薩爾滸之捷。

八旗兵剛擊敗杜松軍，偵騎又飛報開原路馬林軍至。馬林率軍「出三岔口，營稗子谷，夜聞杜松敗，林軍遂嘩」。(註六三)天明，與八旗軍相遇。

初二日，馬林軍在薩爾滸西北三十餘里富勒哈山的尙間崖安營，浚壕塹，嚴斥堠。馬林見杜松兵敗，所部軍嘩，急忙轉攻爲守，形成「牛頭陣」：馬林親自率軍駐尙間崖，依山結成方陣，環營挖三層壕，壕外排列騎兵，騎兵外布槍炮，火器外設騎兵，壕內布列精兵；潘宗顏在飛芬山扎營，杜松後部龔念遂在斡琿鄂漠結營，兩營相距數里，成犄角形。馬林雅好詩文，交遊名士，圖虛名，無將才。(註六四)他自以爲「牛頭陣」既能互相救援，又能以戰車和壕塹阻遏後金騎兵的馳兀，以炮銃和火箭制服後金的弓矢。但他消極防禦，兵力分散，鼎足成陣，各營蠶縛，形成被動挨打的局面，給努爾哈赤提供可乘之機。

聰明的努爾哈赤儘管有三倍於敵的兵力，却沒有分兵圍攻明軍的三個營，而是集中兵力，先砍其「牛頭陣」的一隻犄角——龔念遂營。參將龔念遂、游擊李希泌統領步騎，楯車屯營，環營浚壕，排列槍炮，嚴密防守。努爾哈赤攻打龔念遂營，也沒有四面包圍，而是親自率領一千精騎，朝著其薄弱的一隅猛衝，「攻打進去，推倒楯車」（註六五），突破一個缺口。八旗兵像洪水似地從缺口湧進龔念遂營，騎兵踩著死人和活人，衝突、砍削、狂奔、蹂躪。龔念遂營破戰死。努爾哈赤在斡琿鄂漠得勝之後，躍馬急馳尙間崖。

尙間崖的馬林營防守嚴整。努爾哈赤命「先據山巔，向下衝擊」（註六六），但見馬林營內與壕外兵滙合，又命「停止攻取山上，下馬徒步應戰」。（註六七）大貝勒代善、二貝勒阿敏、三貝勒莽古爾泰各率兵鼓勇急進，衝向馬林營。營中明軍發鳥槍、放巨炮，但「火未及用，刄已加頸」。（註六八）兩軍短兵相接，騎兵橫馳，利刄飛舞。後金兵受傷甚多，揚古利「裹創繫腕」，單騎馳擊。正在酣戰之際，馬林恐甚，策馬先奔。《明神宗實錄》記載：

敵至，林甚恐，遂提部下兵，避其鋒以去。（註六九）

主將馬林先遁，副將麻岩戰死，餘衆大潰，全營皆沒。明軍「死者遍山谷間，血流尙間崖下，河水爲之盡赤」。（註七〇）努爾哈赤攻下尙間崖馬林營，又馬不停蹄地馳往飛芬山潘宗顏營。

飛芬山的潘宗顏在據山扎營，楯車爲壘，環列火器，督軍堅守。努爾哈赤指揮八旗，令一半兵下馬，重甲兵持刀槍在前，輕甲兵操弓矢在後；另一半兵騎馬，包圍飛芬山——步騎冒死前進，仰山而攻。（註七一）潘宗顏「奮呼衝擊，膽氣彌厲」。（註七二）明軍居高臨下，施發火器。八旗兵雖死者枕藉，但仍頂冒火器，緣山猛衝。潘宗顏寡不敵衆，八旗軍突破營陣。兩軍混戰、周旋、廝殺、肉搏。

炮隊迎步兵，鐵騎衝炮隊，蜿蜒動蕩，血肉橫飛。馬林「牛頭陣」的另一隻犄角也被砍掉，潘宗顏營潰戰死。其死時「骨糜肢裂，慘不忍聞」。（註七三）時葉赫貝勒金臺石、布揚古「約助明兵，與潘宗顏合，至開原中固城，聞明兵敗，大驚而遁」。（註七四）

至此，明北路馬林軍，除主將馬林僅以數騎逃回開原外，全軍覆沒。先是，開原道兵備僉事潘宗顏知馬林無將才，在出師之前致書經略楊鎬言：

> 林庸懦，不堪一面之寄，乞易別帥當此重任，而以林遙作後應，庶其有濟；不然，不惟誤事，且恐此身實不自保。（註七五）

楊鎬不聽，果然馬林兵敗。

初三日，努爾哈赤敗撫順路杜松軍和開原路馬林軍後，又接到偵騎馳傳明總兵劉綎由寬奠進董鄂路、總兵李如柏由清河進虎攔路的警報。他派一支軍隊往南防禦清河路李如柏軍；又派主力東出，設伏山谷，以待劉綎軍。他安排就緒後，先集結於古爾本，又來到界凡，殺八牛祭纛告天，慶祝連破兩路明軍的勝利，並激勵將士去迎接新的馳突。努爾哈赤在界凡祭告後，返回赫圖阿拉，親自率兵四千留守，坐鎮指揮同劉綎軍的戰鬥。

劉綎，江西南昌人，是明軍中與杜松齊名的勇將。他身經大小數百戰，名聞海內。他善用大刀，「所用鑌鐵刀百二十斤，馬上輪轉如飛，天下稱『劉大刀』」。（註七六）他善弓馬，如嘗「命取板扉，以墨筆錯落亂點，袖箭擲之，皆中墨處。又出戰馬數十匹，一呼俱前，麾之皆卻，噴鳴跳躍，作臨陣勢，見者稱嘆」。(註七七)他又嗜酒，每臨陣飲酒斗餘，激奮鬥志。劉綎受命之後，二月二十五日剛出寬奠，天時不利：「風雪大作，三軍不得開眼，山谷晦冥，咫尺不能辨」。(註七八)他率領一萬餘人器械齟齬、又無大炮火器的混雜隊伍，同朝鮮都元帥姜弘立、副元帥金景瑞統領的一萬三千人會師後，在不得地利的險遠道路上行進。如二十七日「過涉橫江，比鴨兒河深廣，少有雨水，渡涉極難。鴨兒河凡四渡，深沒馬腹，水黑石大，人馬難涉。軍人各持行裝，未到半路，疲憊已甚。所賚之糧，亦已垂盡」。(註七七)在劉綎馳往赫圖阿拉的路上，不僅峻嶺險隘，大川縈紆，山徑崎嶇，叢林密布；而且後金設置路障，堅壁清野，如朝鮮《光海君日記》載：

> 賊新斫大木，縱橫澗谷，使人馬不得通行，如此者三處。且斫且行，日沒時到牛毛寨。原有三十餘胡家，已經焚燒，埋置米穀。(註八〇)

後金屯寨埋藏糧穀，寬奠路軍糧不繼，朝鮮兵尤甚，其「三軍不食，今已屢日」。(註八一)軍糧短缺，行軍遲緩，至三月初二日始到渾河。渾河離牛毛寨六十里，行軍竟三日。這時杜松軍和馬林軍已經敗沒，劉綎却全然不知。在這段艱難的行軍中，寬奠路軍幾經小的戰鬥，「生擒斬獲共二百一名顆」(註八二)，其中除女眞游騎外，多爲屯寨婦幼。劉綎雖焚克十餘寨，「軍聲大震」(註八三)，但中了努爾哈赤的誘兵之計：「夷賊精兵五百餘騎，直逼對山誘戰，連誘連退」。(註八四)明東路寬奠劉綎軍，進至距赫圖阿拉約七十里的阿布達里岡。阿布達里岡的滿文體爲 abdari ala，abdari 意爲婆羅樹，ala 意爲岡。它位置在今拉法河、加哈河分水嶺處的老道溝嶺，地形複雜，易於設伏。劉綎軍陷於努爾哈赤設在阿布達里岡的埋伏之中。

初四日，努爾哈赤派去迎擊劉綎的八旗軍互相配合：扈爾漢率五百人誘明軍西進；皇太極等率右翼四旗兵，隱伏在阿布達里岡山上的叢林裏；阿敏率兵潛伏在岡的南谷，待放過劉綎軍一半之後，擊其尾部（註八五）；代善等率左翼四旗兵，在岡隘口前曠野正面馳突；又派降順漢人裝扮成杜松軍卒，賺誘劉綎．

建州兵得杜松號矢，使諜馳紿之，令亟來合戰。綎曰：「同大帥，乃傳矢，裨我哉！」諜曰：「主帥因事急取信耳。」綎曰：「殆不約傳炮乎？」諜曰：「塞地烽堠不便，此距建州五十里，三里傳一炮，不若飛騎捷也。」綎首肯。（註八六）

諜騎馳報，努爾哈赤密令以剛繳獲的杜松軍大炮，燃炮「傳報」。劉綎軍在阿布達里岡的行進途中，「遙聞大炮三聲，隱隱發於東北」（註八七），以爲西路杜松大軍已到。劉綎惟恐杜松獨得頭功，急命火速進軍。阿布達里岡一帶，重巒疊嶂，隘路險夷，馬不能成列，兵不能成伍，劉綎督令兵馬單列急進。

劉綎親率精銳的前鋒部隊行到阿布達里岡，隱伏在山頂、叢林、溪谷中的後金伏兵四起。阿敏等率兵突擊，將劉綎軍攔腰切斷而攻其尾部。皇太極等率兵從山上往下馳擊，似山洪暴洩，漫山衝殺。這時努爾哈赤設計誘騙劉綎：

奴酋設計誘之，用杜松陣亡衣甲、旗幟，詭稱我兵，乘機督戰。綎始開營，遂爲奴酋所敗。（

註八八）

後金軍裏迎外合，首尾齊擊，彌山滿谷，四圍厮殺。劉綎奮戰數十合，力竭敗死。其養子劉招孫衝突力救，亦死。據史載：

建州兵假杜將軍旗幟奄至，綎不之備，遂闌入陣，陣亂，綎中流矢，傷左臂，又戰，復傷右臂，綎猶鏖戰不已。自巳至酉，內外斷絕，綎面中一刀，截去半頰，猶左右衝突，手殲數十人而死。劉招孫救之，亦死。（註八九）

劉招孫至驍勇，拚死戰：「有劉招孫者，綎帳下卒也。負綎屍，手挾刄，與我軍相格，亦被殺死」。（註九〇）東路寬奠軍主將劉綎身死兵敗。後有數千浙兵敗屯山上，據目擊者記：「胡數百騎馳突而上，浙兵崩潰，須臾間厮殺無餘，目睹之慘，不可勝言」。（註九一）

阿布達里岡的劉綎軍失敗之後，代善等移師富察（註九二），進擊監軍康應乾統領的劉綎餘部及助明作戰的朝鮮兵。在明監軍喬一琦的督催下，姜弘立率朝鮮兵於四日到達富察。都元帥姜弘立下令軍隊分左、中、右安營，自駐中營。營剛紮下，代善等統領數萬騎兵衝向富察，漫山蔽野，烟塵漲天。康應乾和喬一琦瞬間兵敗，喬一琦奔向朝鮮兵營。當朝鮮左右營兵銃炮初放，還沒有來得及再燃的時候，後金騎兵已突入營中。朝鮮的兵卒，披紙作甲，柳條爲冑，飢餒數日，焦渴並劇，「欲走則歸路斷絕，欲戰則士心崩潰」（註九三），無可奈何，都元帥姜弘立、副元帥金景瑞投降。（註九四）明監軍喬一琦走投無路，投崖而死。

明軍撫順路、開原路、寬奠路相繼敗北，經略楊鎬急檄清河路李如柏回兵。李如柏怯懦蠢弱，出師晚，行動緩，還沒有同後金軍交鋒。他接到楊鎬檄令後，急命回師。後金牛彔額眞武理堪，受命率二十名哨騎在虎欄山巡邏，見李如柏退師，機智地斬殺四十人，獲馬五十匹，致使明軍大亂。據《清史列傳．武理堪》所載：

武理堪率二十騎至呼蘭山，見敵軍行山麓，乃於山巓駐馬大呼，弓手四顧爲指麾伏兵狀。敵望見驚潰。武理堪遂縱騎疾馳擊之，斬四十人，獲馬五十，敵相蹂躪，死者千餘。（註九五）

《滿文老檔》和《滿洲實錄》也作了類似的記述。上述記載，雖不免張飾，但可以看出李如柏退師時「草木皆兵」的驚惶之狀。

李如柏退師之後，明朝言路極憤，劾其與努爾哈赤有香火情，所以李如柏逗留觀望，努爾哈赤也一矢未加。戶科給事中李奇珍疏劾李如柏娶努爾哈赤之弟舒爾哈赤女爲妻，現生第三子，有「奴酋女婿作鎭守，未知遼東落誰手」（註九六）之謠。李如柏逃回清河，後下獄自裁。

努爾哈赤與經略楊鎬、後金與明朝，在雙方決定雌雄的薩爾滸之戰中，以後金軍的勝利和明軍的潰敗而告結束。這次戰役，明軍損失重大，據統計：明軍文武將吏死亡三百一十餘員，軍丁死亡四萬五千八百七十餘人，陣失馬、騾、駝共二萬八千六百餘匹。（註九七）

明軍在薩爾滸之戰中所以失敗，主要由於政治腐敗、軍事廢弛、帥將不和、指揮失算。政治腐敗。遼事之錯，在經略、樞部、輔臣以至於萬曆帝腐敗不堪。明浙江道御史楊鶴上薩爾滸之敗疏言：

遼事之失，不料彼己，喪師辱國，誤在經略；不諳機宜，馬上催戰，誤在輔臣；調度不聞，束手無策，誤在樞部；至尊優柔不斷，又至尊（註九八）自誤。（註九九）

楊鶴剛直之言直指萬曆帝。同僚認為楊鶴疏言過鯁，他便引病辭職。但是，薩爾滸之戰的失敗，從根本上說，不完全是萬曆帝和經略、尚書、宰輔等大員的個人責任，而是明朝君主專制的腐朽政治之樹，結下的一枚苦果。這一點是楊鶴所不能認識的。

軍事廢弛。薩爾滸戰前，明軍臨時徵調，倉促赴戰，軍心不一，戰志不齊，糧餉乏繼，器械鈍朽，援兵號泣，將領叛逃。如新調到的援兵皆「伏地哀號，不願出關」。（註一〇〇）明軍不但援兵啼號，而且援將脫逃，如：

陝西固原游擊佟國祚，領兵援遼，於萬曆四十六年九月二十八日，師次昌平，國祚聞伊父原任總兵鶴年降奴，遂萌叛志。給各官領兵先行，至二十九日，又詭稱家人佟六漢亡，即差牢役邵進忠等分投追趕，國祚遂得隻身輕騎脫逃以去。（註一〇一）

帥將不和。明軍帥與將和將與將之間，「心怯而忌，氣驕而妒」（註一〇二），如杜松同劉綎爭魁，馬林同杜松互妒，潘宗顏對馬林不滿，劉綎對楊鎬怨恨等等。而劉綎對楊鎬不悅之色，溢於言表。朝鮮都元帥姜弘立和劉綎的下述對話，可見一斑：

臣（即姜弘立——引者）問曰：「然則東路兵甚孤，老爺何不請兵？」答曰：「楊爺與俺自前不相好，必要致死。俺亦受國厚恩，以死自許，而二子時未食祿，故留置寬田〔佃〕矣。」臣問曰：「進兵何速也？」答曰：「兵家勝籌，唯在得天時、得地利、順人心而已。天氣尚寒，不可謂得天時也；道路泥濘，不可謂得地利也；而俺不得主柄，奈何？」頗有不悅之色。（註一〇三）

指揮失算。經略楊鎬指揮失算，是明軍薩爾滸之敗的直接原因。楊鎬既不察敵情，不聽諫言，也不熟諳地理，不親臨戰陣。他雖議兵分四路，分進合擊，卻分散分力，擊而未合。這擊而未合，便使明軍由戰略上的優勢，變爲戰術上的劣勢，從而導致四路出師，兩雙敗北。

後金軍在薩爾滸之戰中所以獲勝，固然有明朝政治腐敗、軍事廢弛、帥將不和、指揮失算等外部因素，也有後金上下一致、將領智勇、兵馬精強、部民支持等內部因素。但是，更爲重要的是努爾哈赤指揮得當。滿族傑出的軍事家努爾哈赤，在薩爾滸之役中的卓越功績，在於他謹愼地利用了上述外部和內部的因素，巧妙地抓住了楊鎬（註一〇四）產生悲劇的各個特殊環節，充分地發揮了自己的聰明才智。試縷述如下：

第一，偵察敵情，判斷正確。同楊鎬不料彼己相反，努爾哈赤重視查探敵情。他通過哨探、諜工、商人等多種途徑，對明軍的統帥、主將、兵力、分路、師期等都有所瞭解。尤其在各路哨騎報警時，他能夠把握關節，制定主攻方向，確定首先以杜松軍爲迎擊的重點。

第二，集中兵力，各個擊破。明軍向赫圖阿拉進攻，總兵數十萬餘人，號稱四十七萬。後金軍投入作戰的兵力，據《滿文老檔》記載，僅有八個旗，約六萬人。（註一〇五）如將築界凡城的夫役一萬五千人計入，也不過八萬人左右。後金軍在數量上少於明軍。但努爾哈赤在諸路告警時，東路派兵五百人（註一〇六）禦敵，南路派二百兵防守（註一〇七），北路文獻缺載，也不會太多。他確定「憑爾幾路來，我只一路去」（註一〇八）的原則，集中兵力，迎擊明軍。努爾哈赤每戰以三倍或四倍於敵的兵力，將明軍逐路擊破。這就使後金軍在戰略上的相對劣勢，變爲在戰術上的絕對優勢。

第三，鐵騎馳突，速戰速決。這是努爾哈赤在薩爾滸之戰中，克敵制勝的重要法寶。他統率騎兵，速戰速決，即在明軍合圍前的四天之中，第一天敗杜松軍，第二天破馬林軍，第三天設伏準備，第四天滅劉綎軍。如果後金軍行動遲滯一天或兩天，那麼戰局或會逆轉。

第四，誘敵入伏，以靜制動。努爾哈赤軍事指揮的一個特點是，利用地形，誘敵入伏，以靜制動，奪取勝利。如他計誘劉綎入伏，以逸待勞，以靜擊動，將其在行動中加以消滅。

第五，以飽待飢，善於用計。後金以士飽馬騰之軍，對明朝士飢馬疲之衆。先以自己局部的優勢和主動，向著明軍局部的劣勢和被動，初戰取勝，再及其餘。並巧妙用計，將降順漢人裝扮成杜松軍兵，賺騙劉綎，使其上當。逐漸使局部的優勢和主動，轉化爲全局的優勢和主動，從而取得全勝。

第六，親臨戰陣，全民行動。後金兵民，溶爲一體，共同反擊明軍的進攻。即在邊遠山區屯寨，也能埋藏糧穀，堅壁清野，遍設路障，抗禦明軍。同時，努爾哈赤在薩爾滸之戰中，親臨戰陣，策馬馳突，衝鋒陷陣，調度指揮。

努爾哈赤在薩爾滸之役的整個過程中，自始自終掌握著戰爭的主動權。尤其是他在明軍合圍之前，集中優勢兵力，逐路擊破明軍，從而表現了卓絕的軍事才能。薩爾滸之戰是努爾哈赤軍事指揮藝術一次精湛的表演。

薩爾滸之戰是後金和明朝興衰史上的轉折點。薩爾滸之戰使明朝和後金互換了位置：明朝由進攻轉爲防禦，後金由防禦轉爲進攻。後來乾隆帝說：薩爾滸一戰，使「明之國勢益削，我之武烈益揚，遂乃克遼東，取瀋陽，王基開，帝業定」。（註一〇九）八旗軍接著進兵瀋遼地區。

【附註】

註一　《清太祖武皇帝實錄》第二卷，第一〇頁。

註二　《光海君日記》太白山本「耕種之望」作「耕農之望」。

註三　《光海君日記》第一一四卷，九年四月丁巳。

註四　《光海君日記》第一一二卷，九年二月戊申。太白山本文中「矜」作「憐」。

註五　「七大恨」文，《滿文老檔》、《清太祖武皇帝實錄》、《清太祖高皇帝實錄》、蔣氏《東華錄》、《明神宗實錄》、《李朝實錄》及天聰四年《木刻揭榜》等所錄各異，此處暫據《清太祖高皇帝實錄》。

註六　《清太祖高皇帝實錄》第五卷，第十二至十三頁。

註七　《李朝世祖實錄》第四三卷，十三年八月庚戌。

註　八　《李朝成宗實錄》第一一二卷，十年十二月辛未。

註　九　轉引自孟森《明清史論著集刋》上册，第二〇九頁。

註一〇　《明神宗實錄》內閣文庫本，第三六卷，萬曆三十六年九月辛卯。

註一一　《明神宗實錄》內閣文庫本，第四三卷，萬曆四十三年八月壬辰。

註一二　《清太宗高皇帝實錄》第五卷，第十至十一頁。

註一三　《滿洲實錄》第四卷，第一〇頁。

註一四　《國朝先正事略・佟圖賴傳》第二卷，第十一頁。

註一五　《明神宗實錄》第五六八卷，萬曆四十六年四月甲辰。

註一六　王在晉：《三朝遼事實錄》第一卷，第一頁。

註一七　《光海君日記》第一二七卷，十年閏四月甲戌。

註一八　《滿洲實錄》第四卷，第十一頁。

註一九　《滿文老檔・太祖》第六卷，天命三年四月十五日。

註二〇　《清太祖武皇帝實錄》第二卷，第十二頁。

註二一　《清太祖高皇帝實錄》第五卷，第十六頁。

註二二　《明史・李維翰傳》第二二册，第二五九卷，第六六八八頁。

註二三　《明史・張承胤傳》第二〇册，第二三九卷，第六二〇八頁。

註二四　《明神宗實錄》第五六八卷，萬曆四十六年四月丙辰。

註二五　《滿文老檔・太祖》第六卷，天命三年四月十五日。
註二六　《滿文老檔》、《清太祖武皇帝實錄》和《滿洲實錄》均作「俘獲人畜三十萬」；《清太祖高皇帝實錄》却作「俘獲人口三十萬」，似誤。
註二七　《明神宗實錄》第五七〇卷，萬曆四十六年五月戊子朔。
註二八　《清太祖高皇帝實錄》第五卷，第二三頁。
註二九　《滿文老檔・太祖》第七卷，天命三年七月二十二日。
註三〇　《明神宗實錄》第五七二卷，萬曆四十六年七月戊申。
註三一　王在晉：《三朝遼事實錄》第一卷，第四頁。
註三二　黃道周：《博物典滙・四夷附奴酋》第二〇卷，第十八頁。
註三三　《光海君日記》第一三一卷，十年八月辛酉。
註三四　《滿洲實錄》第五卷，第三頁。
註三五　恩格斯：《恩格斯致約・布洛赫》，《馬克思恩格斯全集》，人民出版社，第三七卷，第四六二頁。
註三六　《明神宗實錄》第五六八卷，萬曆四十六年四月甲辰。
註三七　《明神宗實錄》內閣文庫本，第四七卷，萬曆四十七年二月乙卯朔。
註三八　《明神宗實錄》第五七四卷，萬曆四十六年九月辛亥。
註三九　《光海君日記》第一二七卷，十年閏四月乙酉。
註四〇　《明神宗實錄》內閣文庫本，第四十七卷，萬曆四十七年正月辛未。

註四一　王在晉：《三朝遼事實錄》第一卷，第五頁。

註四二　《明神宗實錄》第五七九卷，萬曆四十七年二月乙亥。

註四三　明軍數字，各書記載不同：《明神宗實錄》萬曆四十七年三月甲午楊鎬稱「昨之主客出口者僅七萬餘」；同上書萬曆四十七年二月乙卯巡按遼東陳王庭奏稱：「援遼民〔兵〕馬除續調川、陝三萬未到外，據臣親查點過，主客軍丁各四萬有奇」；兵部尚書黃嘉尚在萬曆四十七年正月癸卯稱：「調集南北以及招募計一十一萬」，同年三月乙未又稱「調募精銳幾十萬餘，悉以畀之經略楊鎬」，此似爲應調之數；《三朝遼事實錄》第一卷第十二頁作「除麗兵外，主客出塞官軍共八萬八千五百五十餘員名」；此外，《遼廣實錄》卷上作十二萬人，《明史紀事本末補遺》作十萬人，《光海君日記》作十四萬人，《滿文老檔》和《清史稿》作二十萬人，《清鑒輯覽》作二十四萬人，《清實錄》作二十萬人、號四十七萬等。朝鮮兵數：《光海君日記》十一年二月乙亥：「都元帥姜弘立、副元帥金景瑞領三營兵馬一萬三千人，自昌城渡江」；《柵中日錄》記：「元帥令生查勘渡江軍兵實數：三營兵一萬一百餘名，兩帥票下二千九百餘名」，兩數相符。葉赫兵數：《燃藜室記述・渾河之役》作一萬人；《明史紀事本末・遼左兵端》作「葉赫以二千騎赴三岔」，明師覆。綜上，明軍據《三朝遼事實錄》，朝鮮軍據《柵中日錄》，葉赫軍據《明史紀事本末》統計，其總數爲十萬三千五百五十餘員名。

註四四　葉向高：《籧編》第一〇卷，第一〇頁。

註四五　《明史紀事本末》第四册，第一四一二頁。

註四六　《明神宗實錄》第五八二卷，萬曆四十七年五月乙酉。

註四七　夏允彝：《幸存錄・東彝大略》，《明季稗史初編》第十五卷，第一〇頁。

註四八　王在晉：《三朝遼事實錄》第一卷，第七頁。
註四九　《明史》第二三九卷作「昆山人」。
註五〇　《明史紀事本末》第四册，第一四一三頁。
註五一　《明神宗實錄》內閣文庫本，第四七卷，萬曆四十七年三月丙戌。
註五二　《明史紀事本末》第四册，第一四一二頁。
註五三　《光海君日記》第一三八卷，十一年三月戊戌。
註五四　《明神宗實錄》第五八〇卷，萬曆四十七年三月甲午。
註五五　《滿洲實錄》第五卷，第五頁。
註五六　《滿文老檔．太祖》第八卷，天命四年三月初一日。
註五七　薩爾滸位置在赫圖阿拉西一百二十里處，今撫順東大伙房水庫附近。
註五八　《清太祖高皇帝實錄》第六卷，第七頁。
註五九　《明神宗實錄》第五八〇卷，萬曆四十七年三月甲申朔。
註六〇　《光海君日記》第一三八卷，十一年三月戊戌。
註六一　《清太祖高皇帝實錄》第六卷，第七頁。
註六二　《明神宗實錄》內閣文庫本，萬曆四十七年三月丙戌載：「乃本將慮恐功不出己，於二十九日半夜出關，哨見渾河南岸走有游騎，亟將兵先期競進，其失一也；此時三路兵馬未濟，渾河水勢洶湧，人馬渡河被水推溺數十餘騎，巡道止之不聽，趙夢麟諫之不聽，車營將官懇止而怒，愎衆自用，其失二也；且不按隊爲營，臨期每隊挑選數人，以致隊伍錯亂，爲賊所擊，其失三也；臨陣生擒活夷數人，克一二寨，不加傍哨，撲蹋而前，致賺入賊伏，被誘不知，其失四也；將兵不習，背水而戰，其失五也；輕騎深入，撇棄火器車兵，師無老營，其失六也。」

註六三　《明史・潘宗顏傳》第二四册，第二九一卷，第七四五四頁。

註六四　《明史・馬芳傳附子林傳》第十八册，第二一一卷，第五五八七頁。

註六五　《滿文老檔・太祖》第八卷，天命四年三月初二日。

註六六　《清太祖高皇帝實錄》第六卷，第九頁。

註六七　《滿文老檔・太祖》第八卷，天命四年三月初二日。案：《清史稿・太祖本紀》載：「上趨登山下擊，代善陷陣，阿敏、莽古爾泰麾兵繼進，上下交擊，馬林遁，副將麻岩戰死。據《滿文老檔》、《滿洲實錄》、《清太祖武皇帝實錄》和《清太祖高皇帝實錄》所載，雖始命登山，但後並未登，故《清史稿・太祖本紀》記載「上下交擊」，誤。

註六八　于燕芳：《剿奴議撮》（五）第五頁。

註六九　《明神宗實錄》第五八〇卷，萬曆四十七年三月乙酉。

註七〇　《清太祖高皇帝實錄》第六卷，第九至十頁。

註七一　《滿文老檔・太祖》第八卷，天命四年三月初二日。

註七二　《明史・潘宗顏傳》第二四册，第二九一卷，第七四五四頁。

註七三　《明神宗實錄》第五八〇卷，萬曆四十七年三月乙酉。

註七四　《清太祖高皇帝實錄》第六卷，第十頁。

註七五　《明神宗實錄》第五八〇卷，萬曆四十七年三月乙酉。

註七六　《明史·劉綎傳》第二一册，第二四七卷，第六三九六頁。
註七七　鈕琇：《觚賸·劉將軍》正編，第四卷，第六五頁。
註七八　《光海君日記》第一三七卷，十一年二月己卯。
註七九　《光海君日記》第一三七卷，十一年二月辛巳。
註八〇　《光海君日記》第一三七卷，十一年二月壬午。
註八一　李民寏：《柵中日錄》第六頁。
註八二　《明神宗實錄》第五八〇卷，萬曆四十七年三月甲午。
註八三　《明史紀事本末》第四册，第一四一三頁。
註八四　《明神宗實錄》第五八〇卷，萬曆四十七年三月甲午。
註八五　《滿文老檔·太祖》第八卷，天命四年三月初四日。
註八六　《明史紀事本末》第四册，第一四一三頁。
註八七　李民寏：《柵中日錄》第七頁。
註八八　《明神宗實錄》第五八一卷，萬曆四十七年四月戊辰。
註八九　《明史紀事本末》第四册，第一四一三至一四一四頁。
註九〇　高士奇·《扈從東巡日錄》下卷，第一頁。
註九一　李民寏：《柵中日錄》第十一頁。
註九二　富察距赫圖阿拉約六十里，距阿布達里岡約十里。

註九三　李民寏：《柵中日錄》第九頁。

註九四　《光海君日記》第一三九卷，十一年四月乙卯記：「姜弘立等書職名狀啓略云：「臣至背東關嶺，先遣胡譯河瑞國密通於虜云：雖被上國催驅至此，常在陣後，不爲援戰計，頃戰敗之後，得以款好。若速成和議，則臣等可以出歸」云云。（先是，王密令會寧府來市商胡通報此擧。商胡未返而瑞國先入奴穴，奴酋疑而囚之。既而會寧報至，遂釋瑞國，仍使招納弘立，弘立之降，蓋其素定之計也。——原注）」。

註九五　《清史列傳·武理堪》第四卷，第七頁。

註九六　《明神宗實錄》第五八二卷，萬曆四十七年五月癸未朔。

註九七　王在晉：《三朝遼事實錄》第一卷，第十二頁。

註九八　《明神宗實錄》第五八〇卷，萬曆四十七年三月癸卯載錄楊鶴疏言時，刪去「至尊優柔不斷，又至尊自誤」一語，是爲尊者諱一例。

註九九　《明史·楊鶴傳》第二二册，第二六〇卷，第六七二六頁。

註一〇〇　《明神宗實錄》第五七一卷，萬曆四十六年六月壬戌。

註一〇一　《明神宗實錄》第五七八卷，萬曆四十七年正月癸卯。

註一〇二　《明神宗實錄》第五七七卷，萬曆四十六年十二月乙丑。

註一〇三　《光海君日記》第一三七卷，十一年二月庚辰。

註一〇四　楊鎬於一六二九年（崇禎二年，天聰三年）九月丁未棄市。

註一〇五　《明神宗實錄》第五八〇卷，萬曆四十七年三月甲午載楊鎬奏言：「奴酋之兵，據陣共見，約有十萬。」顯係其掩敗虛張之詞。

註一〇六　《清太祖高皇帝實錄》第六卷，第十二頁。

註一〇七。《滿文老檔・太祖》第八卷，天命四年三月初一日。

註一〇八　夏允彝・《幸存錄・東彝大略》卷下。

註一〇九　《御製己未歲我太祖大破明師於薩爾滸山之戰書事》，原碑藏瀋陽故宮博物院。參見《清高宗實錄》第九九六卷，乾隆四十年十一月癸未。

第九章　進兵遼瀋

一、智取開、鐵

努爾哈赤取得薩爾滸大捷之後，在赫圖阿拉的衙門裏搭起涼棚，八旗的諸貝勒、大臣分坐八處，大貝勒代善、二貝勒阿敏、三貝勒莽古爾泰、四貝勒皇太極和投降的朝鮮都元帥姜弘立、副元帥金景瑞六人坐在凳子上（註一），舉行大宴會。他下令將繳獲的甲冑、兵仗、衣物、槍炮等，像小山似地堆積八處，按軍功進行分配。又指令休整士卒，牧放馬匹，繕治器械，等待時機，奪占開原、鐵嶺。

同後金的歡慶勝利、厲兵秣馬相反，薩爾滸三路敗績報至京師，吏民駭愕，舉朝震驚。言官頻上劾章，要求追究喪師責任；官吏收拾細軟，準備遣送眷屬南逃；商民惶恐不安，京城九門辰開午閉；部院官元戍守，稽防後金諜工潛入。但是，朝廷在一片埋怨和混亂之中，却拿不出扭轉遼東局勢的對策。

大學士方從哲在薩爾滸之敗的當月，疏請萬曆帝「即日出御文華殿，召集文武百官，令各據所見，備陳禦虜方略，庶幾天威一震」。他在疏奏中分析三路喪師之後的形勢時言：

軍氣日益灰沮，人心日益驚惶，開原商賈士民逃竄幾半，寬、靉城堡奔潰一空，遼之爲遼眞岌岌乎有不可保之勢矣！（註二）

但是，他的疏言留中不報。

薩爾滸喪師過去二個月之後，明廷對遼東局勢並未作出有力的決策。努爾哈赤見時機有利，便乘勝率軍進攻開原。

開原是一座古城。「遼左三面臨險，而開原孤懸一隅」。（註三）它東鄰建州，西接蒙古，北界葉赫。開原不僅是明朝同蒙古和女眞經濟文化交流的重要場所，而且是明廷在遼東對抗蒙古貴族和女眞貴族南進的前沿堡壘。努爾哈赤進兵遼、瀋，自然要先摧毀明朝孤懸的堡壘開原。

一六一九年（萬曆四十七年，天命四年）六月初十日，努爾哈赤率八旗軍四萬人往征開原。他兵分奇正兩路：以小股部隊直奔瀋陽爲疑兵，沿途殺三十餘人，俘二十人以虛張聲勢；主力部隊進靖安堡，於十六日突抵開原城。

時明開原道韓原善不在署，以推事官鄭之范攝道事。原總兵馬林、副將于化龍、參將高貞、游擊于守志、守備何懋官等率兵戍守。鄭之范「贓私巨萬，天日爲昏」（註四），異常貪暴，素失軍心。城中守軍腐敗不堪，毫無鬥志，兵無糧餉，馬缺草料，呈現兵逃馬倒的混亂情況。據載：

……赴署開原兵備事推官鄭之范處領草、豆，並無升束。馬食蕎桿，一日而倒死二百四十九匹。把總朱夢祥到開原領錢糧，一月不給。各軍衣物盡變，馬倒人逃，離城草茂之處，趁青餵養馬

四，賊至，猝不及收。（註五）

努爾哈赤事先派諜工到開原，對其內部的軍隊多寡、兵士勇怯、糧餉虛實、將吏智庸都瞭如指掌，尤其是探知守軍到城外遠處牧放馬匹，便乘虛突然率兵圍城。

當時馬林同蒙古介賽、暖兔訂有盟約。他們答應後金進攻開原時出兵相援。馬林依恃盟約而不設防。八旗軍馳抵開原城下，馬林來不及布防，鄭之范等慌忙登城守禦，並在四門增兵。八旗軍一面在南、西、北三門攻城，布戰車、豎雲梯，魚貫而上，沿城衝殺，殺得城上守兵潰散；一面布重兵於東門，進行奪門博戰。由於後金派進的諜工「開門內應」（註六），八旗兵得以順利地奪門（註七）進城。攝道事鄭之范臨陣倉惶，下城乘馬帶家丁從北門逃竄，後被逮死獄中。開原城陷，于化龍、高貞、于守志等皆死，馬林被斬。馬林之父馬芳，由行伍出身而升為大帥。（註八）馬林由父蔭官參將，後為遼東總兵，但自許甚高，並無將才，紙上談兵，終至敗死。

八旗軍占領開原城後，努爾哈赤登上城，坐南樓。後巡視，聽軍報，舉目四眺，閱覽形勝。他以聲東擊西、乘虛而攻、步騎摧堅、裏應外合的策略，智取開原。曾任明兵部尚書、遼東經略的王在晉說：「開原未破而奸細先潛伏於城中，無亡矢遺鏃之費，而成摧城陷陣之功。奴蓋鬥智而非徒鬥力也」。（註九）這對努爾哈赤以智謀取勝，是一例很好的說明。

後金軍奪占開原之後，「志驕氣滿，夜醉如泥」（註一〇），縱掠三日，滿載而歸。據明人記載，開原「城大而民衆，物力頗饒，今住城中，用我牛馬、車輛，搬運金錢、財貨，數日未盡，何止數百萬」！(註一一)《滿文老檔》也記載，後金奪取開原，將掠獲的財寶、金銀、布匹、糧食等，用馬騾馱載，牛車裝運，竟達三日夜。然後放火焚燒了開原城的衙署、房舍、倉廩、樓臺。後金將掠獲的財物運至界凡城，按軍功大小進行分配。如一等的固山額眞、諸大臣等各分銀二百兩、金二兩，二等的固山額眞、諸大臣等各分銀一百兩、金二兩，以下三至八等，各分銀有差。(註一二)

智取開原之後，努爾哈赤更爲重視對降服漢官的政策。他說：「彼知天意佑我，又聞吾國愛養人民，故相繼來歸耳」。(註一三)明原任開原城千總王一屏、戴集賓、金玉和、白奇策等六人，因妻子被擄，投降後金。他們被賜各五十人，各馬五十匹、牛五十頭、羊五十隻、駱駝二頭，各銀五十兩，各緞布若干匹。其隨從人員也被賜給妻僕、耕牛、乘馬、衣物、糧食、田廬、器用等。(註一四)這個優厚投降後金漢官的政策表明，努爾哈赤要分化明朝官員，收買漢族地主，進占更多的遼東城鎭。

七月二十五日，努爾哈赤繼奪取開原之後，又率領貝勒大臣統兵五六萬人，出三岔兒堡，圍攻鐵嶺。鐵嶺之城，「諸夷環繞，三面受敵，最爲衝要」。(註一五)鐵嶺是明朝瀋陽北部的重要城堡。堡壘是最容易從內部攻破的。努爾哈赤爲了從明軍內部攻破堡壘，不惜重金收買明軍中的叛徒，使鐵嶺守軍陷於腹背受擊的地位。先是，同年四月，明廷派李如楨爲遼東總兵官。李如楨爲李成梁第三子，由父蔭爲指揮使，官至右都督，並在錦衣衞，曾掌南、北鎭撫司。「如楨雖將家子，然未歷行陣，不知兵」。(註一六)他受命之後，借父兄權勢，又以錦衣近臣自詡，未出山海關，就遣使與總督汪可受講鈞禮，鬧得朝議嘩然。既抵遼東，經略楊鎬以其爲鐵嶺人，派他守鐵嶺；不久，又令李如楨屯駐瀋陽。鐵嶺僅以參將丁碧等領兵防守，兵力更加單弱。因此，努爾哈赤把丁碧作爲餌下游魚。後金汗是在探知明軍將領之間的矛盾及鐵嶺城守空虛後，才帶兵圍城的。他坐在鐵嶺城東南的小山上（註一七），指揮八旗軍的步騎攻城。城上游擊喻成名、吳貢卿、史鳳鳴、李克泰等率軍堅守，放火炮，發矢石，八旗兵死傷很多。努爾哈赤派兵豎起楯梯，登城毀牌；同時，被收買的明「參將丁碧開門迎敵」（註一八），引導八旗軍進城。明游擊喻成名等因外無援兵，內有叛徒，城陷後陣亡。努爾哈赤通過明軍中的叛徒，從內部攻破堡壘，智取了鐵嶺。

然而，總兵官李如楨未能聞警馳援，是明失去鐵嶺的重要原因。據遼東巡按陳王庭參劾李如楨言：據七月二十四日酉時，署鐵嶺游擊李克泰以虜入三岔兒堡，緊急夷情飛報李如楨矣。聞虜距邊只十四五里，設使親提一旅，銜枚疾趨，一夜可度鐵嶺，虜聞援至，自不得不解鐵嶺之圍，何乃縮朒觀望，延至二十五日申時方抵新興鋪，俟賀鎮守兵至方才合營，而鐵嶺於是日辰時陷矣。（註一九）

鐵嶺陷後城內軍丁死亡四千餘人，城鄉男婦被殺擄萬餘人。但李如楨縱兵割後金死兵一百七十九顆首級報功而還。李如楨以擁兵不救，後被下獄論死，崇禎時又被免死充軍。

正當努爾哈赤智取開原、鐵嶺，連連得志的時候，明兵部右侍郎兼右僉都御史、遼東經略熊廷弼，馳騎兼程，來到遼陽。熊的到來，使遼東形勢發生急劇變化，後金汗進取遼瀋計劃遇到了困難。努爾哈赤召集諸貝勒大臣及李永芳等，會議進取方略。據熊廷弼獲明生員降順後金並爲其諜工的賈朝輔，同年八月的供詞稱：

本月初十日，降主會集諸部各頭目及李永芳等，問此番攻取何先？或曰當先遼陽，傾其根本；或曰當先瀋陽，潰其藩籬；或曰熊經略已到，彼必有備，當先北關，去其內患。降主曰：「遼已敗壞至此，熊一人雖好，如何急忙整頓兵馬得來！」李永芳曰：「凡事只在一人，如憨一人好，事事都好。」降主曰：「說得是。我意亦欲先取北關，免我內顧；將來好用全力去攻遼、瀋」。（註二〇）

上述供詞中的降主，即努爾哈赤。熊廷弼經略遼東，打亂了努爾哈赤擬定的進軍日程表。他根據遼東局勢的變化，重新作了部署：北取葉赫，西撫蒙古，等待時機，攻取遼、瀋。

二、善待時機

明朝三路喪師，遼東告警。吏部尚書趙煥率領廷臣詣文華門，具公疏跪請萬曆帝召見群臣，共議遼東戰守長策。至暮，始遣中官以帝疾諭之退。趙煥等再疏趨萬曆帝御文華殿聽政，疏言：

他日薊門蹂躪，敵人叩閽，陛下能高枕深宮，稱疾謝却之乎？（註二一）

於是，明廷在群臣促議之下，終於起用原任御史熊廷弼爲大理寺丞兼河南道御史，宣慰遼東。

熊廷弼，字飛百，江夏（今武昌）人，一五九八年（萬曆二十六年）成進士，後任御史。他身高七尺，雷厲風行，能左右射，有膽知兵，剛直不阿，嚴明有聲。一六〇八年（萬曆三十六年）巡按遼東。他在巡行金州路上，有一個同城隍神作鬥爭的故事：「歲大旱，廷弼行部金州，禱城隍神，約七日雨，不雨毀其廟。及至廣寧，踰三日，大書白牌，封劍，使使往斬之。未至，風雷大作，雨如注，遼人以爲神」。（註二二）這個傳說活龍活現地反映出熊廷弼敢於鬥爭的無畏精神。時巡撫趙楫、總兵李成梁放棄寬奠八百里給建州，並將六萬民戶挾舍內徙。熊不畏權貴炙炎，疏劾二人罪狀。他在「遼數年，杜餽遺，核軍實，按劾將吏，不事姑息，風紀大振」。（註二三）後黨爭案起，熊廷弼回籍聽勘。

楊鎬喪師，明廷於三月二十三日起用熊廷弼宣慰遼東。時廷弼家居，聞命後，每晝夜兼馳二百餘里，赴京請敕書、關防，但兩上奏疏，不即給發。六月二十二日，擢爲兵部右侍郎兼右僉都御史，經略遼東。至七月初七日，始陛辭赴遼。時開原已失，剛出山海關，鐵嶺又陷。熊廷弼於二十九日抵遼陽後，展現在面前的是一副殘破凋敝的畫面——

官將：明自喪敗以來，遼軍總兵以下官將死者五六百員，降者百餘員，「遼將、援將已是一掃淨盡，今殘兵零碎，皆無人統率」（註二四）；幸存者也是終日兀兀，畏敵如虎。

兵士：遼軍中的殘兵，「身無片甲，手無寸械，隨營糜餉，裝死扮活，不肯出戰」（註二五）；額兵，或死於征戰，或圖厚餉逃爲新兵；募兵，多爲無賴之徒，不習弓馬，朝從甲營領出安家月糧，而暮投乙營點冊有名；援兵，更爲濫竽充數，弱軍朽甲，不堪入目。這五六萬遼兵，各營逃者日以千百計，且「望敵而逃，先敵而逃，人人要逃，營營要逃」。（註二六）

遼民：遼東人民在一年之間，「或全城死，或全營死，或全寨死，或全家死。軍散之日，遼、瀋餘民放聲大哭，魂魄雖收，頭顱猶寄。人有百死而無一生，日有千愁而無一樂，家家抱怨，在在思逃」。（註二七）逃難的飢民，吃草根樹皮度日，草根樹皮吃盡，竟然父子相食。

軍器：明自清、撫失陷以來，百年所藏貯的盔甲、弓刀、槍炮等軍器，一空如洗。「堅甲、利刃、長槍、火器喪失俱盡，今軍士所持，弓皆斷背斷弦，箭皆無翎無鏃，刀皆缺鈍，槍皆頑禿」。（註二八）甚至在遼陽教軍場受驗的近三萬兵士中，有的全無一物，借他人殘盔朽甲應付；竟有二萬多人戴氈帽、著夾衫，徒手應點。

糧餉：到戶部領糧餉，連續三個月，俱不發給。熊廷弼說：「豈軍到今日尚不餓，馬到今日尚不瘐不死，而邊事到今日尚不急耶！軍兵無糧，如何不賣襖褲什物，如何不奪民間糧窖，如何不奪馬料養自己性命，馬匹如何不瘐不死」！（註三〇）

戰馬：遼東原有戰馬數萬匹，兵敗之後，一朝而空。所餘馬匹羸損不堪，除因短料缺草外，「率由軍士故意斷絕草料，設法致死，圖充步軍，以免出戰。甚有無故用刀刺死者」。（註三一）

總之，自努爾哈赤襲破撫順到奪占鐵嶺，只有一年零三個月的時間，明朝遼東形勢急轉直下。經略熊廷弼在《東事答問》中概括遼東局勢頹敗時言：

始下清、撫，譬火始然；三路覆師，厥攸灼矣；開、鐵去而游騎縱橫，火燎於原；今且並窺遼、瀋，遂成不可嚮邇之勢。（註三二）

但是，遼東經略熊廷弼，卓然獨立，力挽狂瀾，針對上述時弊，採取整頓措施。

第一，躬自巡歷，嚴肅軍紀。熊廷弼初抵遼陽，派僉事韓原善往撫瀋陽，憚不敢行；繼命分守道閻鳴泰往，至虎皮驛慟哭而回。於是熊廷弼親自巡歷，自虎皮驛抵瀋陽，又乘雪夜赴撫順關，勘視屯紮形勢。總兵賀世賢以近敵斥堠，恐有不虞，極力加以勸阻。他說：「似此冰雪滿地，斷不料經略輕身往」。（註三三）並鼓吹進撫順關。後金偵報經略巡邊，努爾哈赤命斬木運石堵絕山口，以防明軍襲擊。經略熊廷弼令嚴法行，駢斬逃將劉遇節、王捷、王文鼎，獻首各壇，舉哀大哭，以祭死節兵民。頓時「居民哀感，官軍恐慄」。（註三四）他又誅貪將陳倫，劾罷總兵官李如楨，號令專一，軍紀整肅。

第二，激勵士氣，招集流亡。熊廷弼爲振奮士氣，集官兵於教場，殺牛數百頭，置酒數千罈，蒸餅數十萬個，連饗軍士四日，風聲頗盛。又遍巡各營，操練隊伍，賞功罰過，整軍肅容。熊廷弼招集流移數十萬人，使「去者歸，散者聚，嬉嬉然室家相樂也；商賈逃難回籍者，今且捆載麇至，塞巷塡衢，不減五都之市也」。（註三五）並興屯墾，植糧穀。

第三，修整器械，繕治城池。熊廷弼在疏言中稱，除請內庫撥發器械外，自籌打造定邊大炮三千數百尊，百子炮數千尊，三眼槍等七千餘桿，盔甲等四萬五千餘副，槍刀、鋭叉二萬四千餘件，火箭四十二萬餘枝，火罐等十餘萬個，雙輪戰車五千餘輛等。（註三六）他又濬濠繕城，修遼陽城垣，「城高厚壯，屹然雄峙」（註三七）；城外挑濠三道，每道寬三丈，深二丈，濠外復築大堤瀦水，以加強守禦。

第四，疏陳方略，布兵固守。熊廷弼在巡視各邊隘口，審度形勢之後，上《敬陳戰守大略疏》，請集兵十八萬，馬九萬匹，在靉陽、清河、撫順、柴河、三岔河、鎮江諸要口，設置重兵，畫地而守，分合奇正，以成全局。無警就地操練，小警自爲堵禦，大敵互相應援。更挑精悍者爲游徼，乘間捉哨探，撲零騎，擾耕牧，輪番迭出，使其疲於奔命，徐議相機進征。

熊廷弼鎮遼一年，勇於任事，躬親徼巡，號令嚴肅，雷厲風行。他整頓了瀕於潰散狀態的軍隊，穩定了陷於混亂狀態的前線，守備大固，功績卓著。

努爾哈赤在熊廷弼任遼東經略的一年零三個月期間，見遼東軍容整肅，邊防改觀，便改變了全力向遼東進攻的部署。他把兩隻軍事觸角，一隻伸向北關，吞併葉赫（見第三章），另一隻伸向東部漠南蒙古諸部（見第五章）。據《滿文老檔》所載，這段時間有關蒙古的記錄共二十二條，而有關明朝的記錄僅四條。這反映出努爾哈赤對明朝採取了謹愼的態度。但他也進行了一些小規模的試探性行動。

如一六二〇年（萬曆四十八年，天命五年）五月，八旗軍兩入明邊，略花嶺（註三八）山城（註三九），俘獲約四百人。（註四〇）六月，八旗軍「共二萬餘分爲二股，一股自撫順關進境，總兵賀世賢禦之；一股從東州地方直抵奉集堡，總兵柴國柱禦之」。（註四一）旋退掠王大人屯等十一屯寨，「挖取窖裏糧食」（註四二）而歸。八月，努爾哈赤帶領諸王大臣統兵圍懿路、蒲河，兵臨瀋陽城下。熊廷弼乘馬趨救，督將策應。八旗兵退屯灰山，後撤回界凡。努爾哈赤因師行不利，令將十餘名官將捆綁，額亦都自縛請罪。（註四三）九月，八旗兵又進入懿路、蒲河地方，搶掠糧食（註四四），被賀世賢率兵斬殺八十九人。（註四五）

但是，正當明朝遼東形勢初步好轉，後金揮戈南進屢受挫折的時候，明統治集團內部發生重大政治變化。一六二〇年（萬曆四十八年，天命五年）七月二十一日，明神宗萬曆帝朱翊鈞死去。其長子朱常洛於八月初一日繼皇帝位，是爲光宗泰昌帝。但九月初一日又吞紅丸死於乾清宮。「一月之內，梓宮兩哭。」朱常洛長子由校襲受皇位，是爲熹宗天啓帝。時「三案（註四六）構爭，黨禍益熾」。（註四七）天啓朝統治集團內部的「黨爭」愈演愈烈。大臣之間，結黨營私，排斥異己，互相訐告。熊廷弼雖在邊防勞績可紀，但他性剛直，拒援引，不徇私受賄，也不曲意逢迎，得罪了一些人，成爲黨爭中的被攻訐者。

光宗暴死，熹宗初立，黨爭激烈，而封疆議起。劉國縉和姚宗文先挾私鼓煽同類傾陷熊廷弼，他上疏自辨；御史馮三才、顧慥、張修德又彈奏熊廷弼，他再疏自明：「遼已轉危而致安，臣且之生而致死」。（註四八）給事中魏應嘉等復連章攻劾，朝廷派袁應泰代熊廷弼爲遼東經略。熊廷弼在統治集團政治鬥爭中再次被擠下臺。他含憤抗辨道：

> 今朝堂議論，全不知兵。冬春之際，敵以冰雪稍緩，哄然言師老財匱，馬上促戰；及軍敗，始憚然不敢復言。比臣收拾甫定，而憚然者又復哄然責戰矣。自有遼難以來，用武將，用文吏，何非臺省所建白，何嘗有一效！疆場事，當聽疆場吏自爲之，何用拾帖括語，徒亂人意，一不從，輒怫然怒哉！（註四九）

熊廷弼先後五疏，極辨邊吏得不到君主的信任，針砭了當時弊政的要害。明廷罷免遼東經略熊廷弼，正是自壞長城。

袁應泰代熊廷弼為經略，薛國用為巡撫。袁應泰受職後，殺白馬祭神，願與遼事相始終。但他「歷官精敏強毅，用兵非所長，規畫頗疏」。（註五〇）熊廷弼在遼，部伍整肅，法令嚴，守禦為主；袁應泰則寬縱將士，妄自詡，謀取撫順。袁應泰改變熊廷弼原來部署，撤換許多官將，造成前線混亂；又收納過多蒙古和女眞降人，混入大量諜工，陰為後金內應。

後金在明統治集團內部發生政治變化的時候，既有勝利，也有困難。後金滅葉赫，撫蒙古，女眞實現統一，勢力空前強大，軍隊約有十萬人。（註五一）同時，遼東大旱，赤地千里，年荒米貴，石米四兩。（註五二）後金人口增多，糧食奇缺，數以千計的女眞人南丐東乞。後金汗為擺脫經濟困境，渡過災荒，需要向遼河流域興兵。但熊廷弼任經略使努爾哈赤原擬進軍遼、瀋的計劃推遲一年多。他經過耐心地等待，向明進兵的時機終於到來。機不可失，時不再來。善於等待時機，巧於捕捉時機，是努爾哈赤聰明機智的火花。努爾哈赤緊緊地抓住明朝皇位更替，黨爭益烈，經略易人，軍心渙散，遼東大飢，邊防紊亂的有利時機，向遼、瀋大舉進兵。

三、奪取瀋、遼

一六二一年（天啓元年，天命六年）春，努爾哈赤為奪取遼陽、瀋陽，進入遼河流域，發動了遼瀋之戰。他在戰前，刺探情報，厲兵秣馬，製鈎梯，造楯車，做了精心準備。福餘衞頭目暖兎名下把速等向明邊吏密報：「有達子哈喇等四名持布匹，前往奴兒哈赤家貿易，聞奴酋欲於閏二月來克瀋陽」。（註五三）被後金擄掠遼民逃回者，也「皆言奴酋製造鉤梯、營車，備糗糧，將犯瀋、奉」。（註五四）努爾哈赤要奪取遼、瀋，先略奉集堡，從而揭開遼瀋之役的序幕。

奉集堡是明朝遼東瀋陽和遼陽之間的戰略要地。熊廷弼言：「瀋之東南四十里爲奉集堡，可犄角瀋陽，奉集之西南三十里爲虎皮驛，可犄角奉集；而奉集東北距撫順、西南距遼陽各九十里，賊如窺遼陽，或入撫順，或入馬根單，皆經由此堡，亦可阻截也。不守奉集則瀋陽孤，不守虎皮則奉集孤，三方鼎立」。（註五五）努爾哈赤深知奉集堡居於遼、瀋之中的重要戰略地位。明給事中倪思輝言：「奉集居遼、瀋之中，奉集危則遼、瀋中斷，此奴之所眈眈而視也」！（註五六）努爾哈赤正是要擧兵略奉集堡，以武力偵探遼陽和瀋陽兩城明軍的實力。

二月十一日，努爾哈赤率諸貝勒大臣，統左右翼步騎勁旅，分爲八路，略奉集堡，揭開瀋遼之役的序幕。守城總兵官李秉誠得八旗兵來攻的哨報，未能固守堅城，却領三千騎兵出城六里安營迎戰。他先派二百騎兵爲前探，與後金軍左翼四旗相遇，被擊敗。後金軍馳擊，李秉誠率兵拔營入城。後金軍追至城下，被城上大炮打死參將一員及兵士多人。時努爾哈赤在城北高崗處指揮。他命其第十子德格類等率右翼四旗兵追擊明軍。明軍二萬騎潰逃，德格類率兵衝殺，至明兵屯聚之所，其衆驚遁。明總兵朱萬良引師來援，但「見虜而潰，死者數百人」。（註五七）明監軍道高出，得後金軍圍奉集堡的馳報後，「睨視佩刀，即有意外，引以自裁」（註五八），完全失去勝利的信心。努爾哈赤在奉集堡進行的一場「矢鏃偵察」，獲得意外的成功。

後金汗在略瀋陽的一隻犄角奉集堡五天之後，又攻瀋陽的另一隻犄角虎皮驛。（註五九）隨之，後金兵又至王大人屯，「往來無定，駸圖大舉」。（註六〇）努爾哈赤麾兵四擊，忽東忽西，既試探明軍的虛實，又痲痹明兵的警覺，以準備率傾國之師，進取瀋陽。

瀋陽是明朝在遼東的重鎮。三月十日，努爾哈赤親率諸貝勒大臣，統領八旗大軍，將「板木、雲梯、戰車，順渾河而下，水陸並進」（註六一），向瀋陽進發。明軍聞警，舉燧傳報。瀋陽守將總兵官賀世賢、尤世功得警報後，連夜率領一萬兵丁守城。「瀋陽城頗堅，城外浚濠，伐木爲柵，埋伏火炮」。（註六二）城周挖有溝塹，設置陷井，井底插有尖樁（註六三），並覆蓋秫稭，虛掩浮土。城上環列火器，分兵堅守。

三月十二日，八旗軍兵臨瀋陽城下。努爾哈赤統兵馳至，未敢督兵攻城，先派數十騎隔濠偵探。武舉出身的明總兵尤世功，帶家丁衝出，殺死四人，略獲小勝。努爾哈赤又命「用戰車衝鋒，馬步繼之」（註六四），將瀋陽城圍困。

三月十三日，清晨，努爾哈赤再派騎兵挑戰。行伍出身的總兵官賀世賢勇猛而寡謀，日日飲酒（註六五），貪功出城迎戰。據《明熹宗實錄》記載：

世賢嗜酒，次日（註六六）取酒飲滿，率家丁千餘出城擊奴，曰：「敵盡而返！」如以羸卒詐敗誘我，世賢乘銳輕進。奴精騎四合，世賢且戰且却，至瀋陽西門，身已中四矢。（註六七）

賀世賢從東門退到西門，雖揮鐵鞭奮力抵禦，但身中數十矢，墜馬而死。（註六八）總兵尤世功出西門營救，士卒哄散，馬仆身死。時努爾哈赤一面派精騎追殺賀世賢部衆，一面督兵用雲梯、楯車攻城。八旗兵從城東北角挖土填濠，城上連發炮，因發炮過多，炮身熾熱，至裝藥即噴。（註六九）八旗兵乘機蜂擁過濠，急攻東門。此時，城中聞賀世賢兵敗，尤世功戰死，洶洶潰散，「降夷復叛，吊橋繩斷」（註七〇），八旗兵擁門而入，進占瀋陽城。明兵民被殺死者，據說有七萬人。（註七一）

時明總兵官童仲揆、陳策等統川浙兵由遼陽北上援瀋，行至渾河，得報瀋陽已陷。陳策下令還師，裨將周敦吉等堅請進戰。先是，征石砫女土官秦良玉率兵援遼。良玉有膽智，善騎射，兼通詞翰，儀度嫻雅。且馭部下嚴，每行軍令，上下貫一，軍伍肅然。遼東事急，徵良玉兵。良玉先遣兄邦屛以數千人行，時已至瀋陽，即投入激戰。明軍遂分爲兩大營，周敦吉與石砫都司副總兵秦邦屛等率川兵營橋北；童仲揆與陳策等率浙兵營橋南。努爾哈赤得到偵報後，急命右翼四旗兵前去馳擊。明軍橋北川兵營結陣未就，被四面圍攻，雙方展開激戰。明軍殺死後金兵二三千人，後金軍「却而復前，如是者三」；明軍飢疲不支，周敦吉、秦邦屛等戰死，其餘兵將奔橋南浙兵營。後金軍渡河後將浙兵營包圍數重。這時明守奉集堡總兵李秉誠、守武靖營總兵朱萬良、姜弼領兵數萬來援，至白塔鋪觀望不前，及浙兵營被圍，始前一戰，被後金左翼四旗兵殺三千人（註七二），敗遁而歸。後金軍左右兩翼遂併攻浙兵營。營中放火器，後金兵死傷枕藉。浙兵營火藥罄盡，短兵相接，力戰而敗。童仲揆、陳策（註七三）等皆戰死。（註七四）浙兵營雖敗，但奮死殊戰，極爲壯烈。《明熹宗實錄》記載：「自奴酋發

難，我兵率望風先逃，未聞有嬰其鋒者，獨此戰，以萬餘人當虜數萬，殺數千人，雖力屈而死，至今凛凛有生氣」。（註七五）

努爾哈赤攻陷瀋陽，擊破明兩路援軍之後第五天，即三月十八日，集諸貝勒大臣道：

瀋陽已拔，敵兵大敗，可率大兵，乘勢長驅，以取遼陽。（註七六）

諸貝勒大臣會議同意努爾哈赤的重大軍事決策。會後，他親統八旗軍，「旌旗蔽日，彌山亘野」（註七七），向遼陽進發。

遼陽是明朝遼東的首府，是東北政治、經濟、軍事和文化的中心。遼陽城堅池固，外圍城濠，沿濠列火器，環城設重炮。瀋陽、奉集陷落後，遼陽失去屏障。「初，遼陽恃瀋陽、奉集二城爲藩蔽，而瀋東捍建州，西障土蠻，較奉集更重。瀋陽旣陷，奉集失犄角之勢，亦沒。時驍將勁卒，皆萃瀋、奉，遼兵不滿萬」。（註七八）經略袁應泰得到瀋陽失陷的敗報之後，急檄撤各路兵守遼陽。他下令引太子河水注濠，緣城布兵，加強防守。

三月十九日——包圍遼陽。後金軍出虎皮驛，渡渾河之後，撲向遼陽。經略袁應泰督侯世祿、李秉誠、梁仲善、姜弼、朱萬良五總兵（註七九）等率兵出城五里處結陣，與後金軍對壘。後金兵見遼陽城池險固，兵衆甚盛，多意沮欲退。這時，據《光海君日記》載：「老酋曰：『一步退時，我已死矣。你等須先殺我，後退去。』即匹馬獨進」。（註八〇）努爾哈赤並麾左翼四旗兵進擊，明軍發炮接戰。後金軍火器齊放，擁衆衝殺，明軍營亂，開始潰散。後金軍乘勝追擊六十里，至鞍山勝利返回。同時，遼陽西關出援的明兵，也被後金軍擊敗。是夜，明兵在城外紮營，經略袁應泰宿營中。努爾哈赤也在包圍遼陽的八旗軍中過夜。

三月二十日——兩面攻城。明軍兵力重點放在東門和小西門。明兵先在東城門，列隊放火炮，反擊後金軍。努爾哈赤命後金兵分左右兩翼，右翼四旗兵攻打東門，左翼四旗兵攻打小西門。明軍發火箭抗擊，後金兵稍受挫。努爾哈赤在右翼指揮，命右翼分兵堵塞城東入水口，左翼分兵挖開小西門閘口以洩濠水。當入水口被堵住，城濠開始乾涸時，他又命右翼四旗兵推楯車攻城。明軍排列三層，施放火器抵禦。後金兵呼喊而進，明騎兵先動搖，步兵堅持作戰。後金兵發動強攻，明軍步兵受挫敗退。明總兵梁仲善、朱萬良戰死，步騎兵大潰，望城而奔，被殺溺死者甚衆。袁應泰退入城內，與巡按御史張銓分陴固守。

與右翼四旗兵攻打城東門的同時，左翼四旗兵在攻打小西門。明軍在城上放火箭，擲火罐，隔濠射擊，奮力守禦。左翼軍派騎向努爾哈赤馳報：小西門橋能奪下來！努爾哈赤命令道：「你們試奪橋入」！(註八一)莽古爾泰貝勒、阿敏貝勒遂率兵冒炮火奪橋。城上萬矢下射，後金兵奮死前進。傍晚，左翼軍豎雲梯，列楯車，登城而上，同城堞守軍展開肉搏戰。明軍提燈夜戰，直至天亮。明監司高出、牛維曜、胡嘉棟及督餉郎中傅國等乘亂縋城而逃，人心離沮。

三月二十一日——攻陷遼陽。努爾哈赤督率左右翼軍發起總攻。袁應泰列楯大戰，又敗。明軍從城上扣弦發矢，進行抵禦；後金軍盡銳環攻，奮死奪城。傍晚，小西門火藥起火，各軍窩鋪、城內草場俱焚，守城軍士潰亂。先是，袁應泰仁柔，納賀世賢用降夷之說，至是，「墮奴計也」。（註八二）城外後金軍奪門，城內諜工叵族內應：

薄暮，麗譙火，賊已從小西門入，夷幟紛植矣。滿城擾亂，守者皆鼠伏櫓壁下，而民家多啓扉張炬若有待，婦女亦盛飾迎門，或言遼陽叵族多通李永芳為內應，或言降夷教之也。（註八三）

袁應泰見城樓起火，知城陷，在城東北鎮遠樓上，佩劍印，自縊死，其僕縱火焚樓。遼東巡按御史張銓被俘，李永芳勸降，不服；努爾哈赤誘以高爵，也不從，被縊死。（註八四）後金軍攻陷遼陽城。

後金連陷瀋、遼，「河東十四衞生靈盡為奴屬」。（註八五）努爾哈赤奪取遼陽之後，「數日間，金、復、海、蓋州衞，悉傳檄而陷」。（註八六）據《清太祖武皇帝實錄》記載：

遼陽既下，其河東之三河、東勝、長靜、長寧、長定、長安、長勝、長勇、長營、靜遠、上榆林、十方寺、丁字泊（註八七）、宋家泊、曾遲、鎮西、殷家莊、平定、定遠、慶雲、古城、永寧、鎮夷、清陽、鎮北、威遠、靜安、孤山、灑馬吉、靉陽、新安、新奠、寬奠、大奠、永奠、長奠、鎮江、湯站、鳳凰、鎮東、鎮夷、甜水站、草河、威寧營、奉集、穆家、武靖營、平虜、虎皮、蒲河、懿路、汎河、中固、鞍山、海州、東昌、耀州、蓋州、熊岳、五十寨、復州、永寧監、欒古、石河、金州、鹽場、望海堝、紅嘴、歸服、黃骨島、岫岩、青臺峪等大小七十餘城官民，俱剃髮降。（註八八）

努爾哈赤攻占遼陽，下令漢民剃髮，以示歸順。他利用已降順的原通判黃衣，剃去頭髮，披紅蟒衣，騎著騾子，沿街游說。（註八九）但受到漢人的唾棄。

明軍長於守城，短於野戰，而後金軍長於野戰，短於攻城；但後金軍却能以短擊長，在十天之間，連陷瀋陽和遼陽。這固然由於明朝政治腐敗，失去民心（註九〇），經略易人，士氣不振，經鎮不和，濫收降人，情況不明，指揮失措；後金戰機有利，將士勇猛，兵力集中，準備周詳，戰術靈活，上下一心，器械精利，指揮得當。但是，更由於努爾哈赤的策略有兩個顯著的特點，其一是，誘敵出城，殲其精銳。如瀋陽的賀世賢，遼陽的袁應泰，都誤墮其計。這就變敵之長爲短，而使己之短爲長。其二是，用計行間，裏應外合。朝鮮《光海君日記》載義州府尹鄭遵馳啓：遼陽和瀋陽「城中（人）受虜間金，開門引入，經略袁應泰、總兵賀世賢死之。蓋奴賊攻城非其所長，前後陷入城堡，皆用計行間云」。（註九一）這是一語破的之言。明朝官員在疏奏中也指出：

臣聞攻城而破者矣，未聞不攻而破者也。瀋陽以吊橋繩斷破，說者謂降夷實爲之。遼以角樓火起破，的係遼人爲內應。聞遼城中私通李永芳者凡數十家，相與約期擧事。（註九二）

努爾哈赤從奪取明朝遼東第一座城堡撫順起，中經開原、鐵嶺、瀋陽，直至遼東首府遼陽，都是用計行間，裏應外合而得手的。他既占領遼河以東廣大地區，更涎貪河西，便兵指遼西重鎮——廣寧。

四、占領廣寧

明朝失陷遼、瀋，擧國震驚，京師戒嚴，九門晝閉。廷臣在失敗中想起了聽勘回籍的原遼東經略熊廷弼。瀋陽失，大學士劉一燝言：「熊廷弼守遼一年，奴酋未得大志，不知何故，首倡驅除」。（註九三）遼陽陷，山西道御史江秉謙又力陳熊廷弼保守危遼之功，疏言：「其才識膽略有大過人者，使得安其位，而展其雄抱，當不致敗若此」。（註九四）天啓帝也諭部院：「熊廷弼守遼一載，未有大失；換過袁應泰，一敗塗地」。（註九五）明廷在不得已的情勢下，再次啓用努爾哈赤「獨怕的那個熊蠻子」。於是明廷懲治前劾熊廷弼的御史馮三元、張修德和給事中魏應嘉，各降三級，並除姚宗文名。詔起廷弼於原籍，翼支撐遼東殘局。

熊廷弼入朝，針對努爾哈赤短於攻堅、缺乏水師、後方不穩、兵力不足等弱點，建三方布置策：陸上以廣寧爲中心，集中主要兵力，堅城固守，沿遼河西岸列築堡壘，用步騎防守，從正面牽制後金的主力；海上各置舟師於天津、登、萊，襲擾後金遼東半島沿海地區，從南面乘虛擊其側背；並利用各種力量，擾亂其後方，動搖其人心——待後金回師內顧，即乘勢反攻，可復遼陽。而經略坐鎭山海關，節制三方，以一事權。（註九六）朝廷遂命熊廷弼爲兵部尙書兼右副都御史，駐山海關，經略遼東軍務；命王化貞爲廣寧巡撫，駐廣寧，受經略節制。廷弼啓行前，天啓帝賜麒麟服一襲，敕設郊宴餞行，命文武大臣陪餞，以示寵任；經略熊廷弼出京之日，佩尙方劍，在京營選鋒五千人護衞下陛辭啓行，與王化貞共同統兵抵禦後金軍的進攻。

王化貞，進士出身，由戶部主事歷右參議，分守廣寧。遼、瀋陷後，進右僉都御史，巡撫廣寧。「化貞爲人騃而愎，素不習兵，輕視大敵，好謾語」。（註九七）他先派二萬兵守三岔河，河長一百二十里，步騎一字擺開，每數十步搭一土窩棚，置軍六人，劃地分守。熊廷弼斥言：「東兵過河，所置地僅里許，窩卒僅百許，空散二萬衆於沿河」（註九八），不能阻遏後金騎兵。化貞不聽，經撫牴牾。經撫不和，意見相左，經臣主守，撫臣主戰。王化貞寄望於蒙古察哈爾部林丹汗的援兵，「虎墩虎憨調兵四十萬助攻奴酋」（註九九），可不戰而取勝；妄臆李永芳爲內應，必兵到而敵自潰。他具疏「願以六萬人進戰，一舉蕩平」（註一〇〇）後金；至「仲秋八月，可高枕而聽捷音」（註一〇一），然後解戈釋甲，歸老山林。他對士馬、甲仗、糧秣、營壘一概不問，兵士或「氈帽布衫，執棍而立」，或「沿村乞食，弓刀賣盡」，却務空言以娛朝廷。儘管如此，王化貞還是得到廷臣的寵信。因爲他以輔臣葉向高爲座主，以兵部尚書張鶴鳴爲奧援。正如《明史》所說：「化貞本庸才，好大言。鶴鳴主之，所奏請無不從，令無受廷弼節度」。（註一〇二）而張鶴鳴又投靠閹黨。因此，滿朝爲憂的經略巡撫不和，根子在於閹黨。

先是，天啓帝沖齡登極，未及半月即賜魏進忠（後賜名忠賢）世蔭，封乳母客氏爲奉聖夫人。不久，魏忠賢謀殺中官王安，結成客魏集團。天啓帝既喜「倡優聲伎，狗馬射獵」，又好「親斧鋸髹漆之事，積歲不倦。每引繩削墨時，忠賢輩輒奏事。帝厭之，謬曰：『朕已悉矣，汝輩好爲之』。忠賢以是恣威福唯己意」。（註一〇三）魏忠賢勢炎日熾，廷臣如顧秉謙（註一〇四）、張鶴鳴，遼將如王化貞、毛文龍等依媚諂附。遼東經撫不和，繫於樞部閣臣。吏科給事中趙時用言：「經撫相與哄於外，會議相與哄於朝」。（註一〇五）天啓帝命廷議經撫的去留。一六二二年（天啓二年，天命七年）正月十二日，在中府召集九卿科道會議。這是一次極爲重要的會議。與會者八十一人，明確表示支持經略熊廷弼，將「登萊、廣寧二撫互換者」（註一〇六），僅徐揚先一人，其餘或黨護王化貞，或操持兩端。熊廷弼自料得不到閣部的支持，恐懼涕泣地疏言：

經撫不和，恃有言官。言官交攻，恃有樞部。樞部佐鬭，恃有閣臣。臣今無望矣。（註一〇七）

這次朝廷會議，不僅注定熊廷弼的失敗，而且表明閹黨已開始占據統治地位。兩年後楊漣抗疏劾魏忠賢二十四大罪狀，則不過是東林黨同閹黨的公開決裂。所以，遼東經撫不和，僅僅是明朝政治傀儡戲臺上兩個互鬭的木偶，其操縱者則隱伏在後臺，即明朝最高統治集團內部的黨爭。

正置明朝九卿科道會議爭論經撫去留的時候，努爾哈赤準備進兵河西。先是，努爾哈赤奪取遼、瀋後的十個月間，探察明朝動靜，未敢輕啓干戈。他通過李永芳與王化貞之間諜工往來（註一〇八），探知明朝遼東經撫不和，戰守舉棋不定，熊廷弼內外受困，王化貞浪言玩兵，廣寧軍備廢弛，沿河防守單弱。努爾哈赤決計乘機西渡遼河，兵指廣寧。

一六二二年（天啓二年，天命七年）正月十八日，後金汗努爾哈赤命族弟鐸弼、貝和齊及額附沙津和蘇巴海等統兵留守遼陽（註一〇九），親率諸貝勒大臣，帶領八旗大軍，向廣寧進發。經鞍山、牛莊，二十日渡遼河，直逼西平堡。

廣寧巡撫王化貞得到後金軍西進的馳報，倉促布兵防守。原議總兵劉渠領兵二萬人守鎮武，總兵祁秉忠領兵萬人守閭陽，分南北兩路與廣寧犄角；副總兵羅一貴（註一一〇）率三千人守西平堡，又在鎮寧駐兵。王化貞自帶重兵駐廣寧，企圖以四堡屏障廣寧，阻擊後金軍的進犯。

後金汗率軍過遼河，二十日，圍西平堡。守城參將黑雲鶴輕敵出戰而死。參將羅一貴堅壁固守，後金軍攻城不下。時各城守軍消極自保，不作援應；王化貞蜷縮廣寧，不敢出擊。熊廷弼急檄王化貞督戰，並激之曰：「平日之言安在」？（註一一一）巡撫王化貞遂命總兵官劉渠率鎮武兵，總兵官祁秉忠率閭陽兵，心腹驍將孫德功率廣寧兵，馳援西平。努爾哈赤分一半軍隊圍西平，以另一半軍隊迎擊前來增援的明軍。二十一日，孫德功、劉渠、祁秉忠在平陽橋迎戰後金軍。孫德功分兵爲左右翼，推劉渠部、祁秉忠部先出戰。剛交鋒，「孫德功等故意上前一衝，即卸〔却〕去，因而各營俱起，以至大敗」。（註一一二）總兵官劉渠、祁秉忠和副總兵麻承宗戰歿於沙嶺。（註一一三）

努爾哈赤擊敗明三路援軍之後，遂集中八旗兵力，繼續圍攻西平。後金兵先發火炮，繼擁楯車，豎雲梯攻城。明軍在城上發炮，殺傷大量後金兵。西平之戰打得異常激烈。據《明熹宗實錄》載：

羅一貴將三千人守西平。……賊先攻西平，黑雲鶴出戰而死。羅一貴固守不下，殺奴數千人。李永芳豎招降旗，陰遣人說一貴。一貴罵之曰：「豈不知一貴是忠臣，肯作永芳降賊乎！」斬其使，亦於城中豎招降旗。奴盡銳攻之，相持兩晝夜。用火器殺賊，積屍與牆平。會一貴流矢中目，不能戰，外援不至，火藥亦盡，一貴北向再拜曰：「臣力竭矣！」遂自剄。奴盡屠西平。（註一一四）

羅一貴以三千人抵禦後金軍九萬人的圍攻，最後矢盡援絕，城陷身亡。後金軍在西平堡下，損失極爲慘重。所以《滿文老檔》有關西平之役的記載頗爲疏略。特書於二十二日擧行慶祝破西平之禮，並殺八牛祭纛。（註一一五）後金軍在攻破西平、拔除鎭武和閭陽城堡之後，駐師西平堡，準備奪取廣寧。

廣寧城在山隈，「形勢若盤，俗謂之盤城」（註一一六），恃三岔河爲阻，是明朝失陷遼陽後遼東巡撫的駐地。巡撫王化貞率二萬軍隊守廣寧城。城中富家大戶早已逃奔，官將生員暗通後金，兵士漫無紀律，人民驚恐不安。二十二日，王化貞得沙嶺敗報後，督將士上城戍守，皆不應。游擊孫德功在援救西平時佯敗先歸，因「潛納款於太祖，還言師已薄城，城人驚潰」。（註一一七）王化貞急召德功至衙署，仍委以守城重任。他剛「出衙門，即發炮，堵城門，封銀庫，封火藥」（註一一八），以待後金軍入城。城中軍民一片混亂，携帶家眷奪門出奔。

時王化貞正在衙署閱視軍報，對城中驚亂事茫無所知。突然參將江朝棟「急入化貞臥內，化貞方檢書，見之大怒，呵責之。朝棟急拉化貞曰：『事急矣，快走，快走』！」（註一一九）他邊說邊挾著王化貞，奔向馬廐，但馬已被牽走，僅餘兩隻駱駝。王化貞的行李用兩隻駱駝裝載，在江朝棟等陪護下，步隨到城門，「而城門刀棍堵截如林，僅以身免。身旁一相伴朋友已劈頭打傷，駝箱已被打奪」。（註一二〇）巡撫王化貞狼狽出逃，二十三日至大凌河，同率領五千援軍的經略熊廷弼相遇。巡撫向經略「嘆訴遼人內潰，孫德功等謀獻，幾不得免之狀」。（註一二一）經略熊廷弼「哀而慰之」，並以自帶五千兵給王化貞作殿後，護送潰散的軍民往山海關行進。數十萬遼西難民，「携妻抱子，露宿霜眠，朝乏炊烟，暮無野火，前虜潰兵之刼掠，後憂塞虜之搶奪，啼哭之聲，震動天地」。（註一二二）明朝腐朽的統治，後金貴族的鐵騎，給遼西人民造成多麼悲慘的境況！

後金軍雖奪取西平堡，但受重創。努爾哈赤駐西平，哨探廣寧虛實，未敢策騎輕進。王化貞逃奔之後，游擊孫德功、守備黃進等控制了廣寧城。二十三日，孫德功派生員郭肇基等至後金汗前，跪請努爾哈赤進駐廣寧。努爾哈赤得報後，率領八旗軍向廣寧進發。二十四日，孫德功等帶領降順後金的官將、生員等，已剃髮，設龍亭，擡轎，打鼓，吹喇叭，奏鎖吶，出城三里，夾道跪迎後金汗入城。（註一二三）努爾哈赤先派八旗諸貝勒大臣入城，然後騎馬至巡撫衙門。至是，後金軍全部占領廣寧。

廣寧兵敗，京師大震。廣寧淪陷是明朝腐爛政治的產物，但閹黨却把熊廷弼等作爲替罪羊。熊廷弼回籍聽勘，尋自詣詔獄。一六二五年（天啓五年，天命十年）八月，熊廷弼慷慨赴市，銜寃而死。明廷暴屍不葬，傳首九邊。崇禎初，考選候補工部主事徐爾一上《辨功罪疏》，爲熊廷弼疏寃：

廷弼以失陷封疆，至傳首陳屍，籍產追贓。而臣考當年，第覺其罪無足據，而勞有足矜也。廣寧兵十三萬，糧數百萬，盡屬化貞。廷弼止援遼兵五千人，駐右屯，距廣寧四十里耳。化貞忽同三四百萬遼民一時盡潰，廷弼五千人，不同潰足矣，尙望其屹然堅壁哉！廷弼罪安在？化貞仗西部，廷弼云「必不足仗」。化貞信李永芳內附，廷弼云「必不足信」。無一事不力爭，無一言不奇中，廷弼罪安在？且屢疏爭各鎭節制不行，屢疏爭原派兵馬不與。徒擁虛器，抱空名，廷弼罪安在？（註一二四）

熊廷弼自任遼事以來，「不取一金錢，不通一饋問，終日焦唇敝舌，與人爭言大計」（註一二五），扶傷救敗，收拾殘甌；但讒言紛紛，三起三落，借題曲死，傳首陳屍。他作了明朝腐敗政治的犧牲品。熊廷弼的死，不僅使明朝失去一位優秀的統帥，而且使後金汗缺少一個剛毅的對手。

後金占領廣寧，並連陷義州、平陽橋、西興堡、錦州、鐵場、大凌河、錦安、右屯衞、團山、鎭寧、鎭遠、鎭安、鎭靜、鎭邊、大清堡、大康、鎭武堡、壯鎭堡、閭陽驛、十三山驛、小凌河、松山、杏山、牽馬嶺、戚家堡、正安、錦昌、中安、鎭彝、大靜、大寧、大平、大安、大定、大茂、大勝、大鎭、大福、大興、盤山驛、鄂拓堡、白土廠、塔山堡、中安堡、雙臺堡等四十餘城堡。後金軍將廣寧等地數百萬餉務、糧食、軍器、火藥、馬牛、布帛等運回遼陽，並把遼河以西的人民驅趕到河東。以右屯衞爲例，被驅趕的人口有一萬四千七百二十八人，被掠走的牲畜爲六千一百九十七頭（註一二六）；被運走的糧食有五十萬三千六百八十一石八斗七升。（註一二七）

爲慶賀努爾哈赤占領廣寧，福晉們二月十一日從遼陽出發，十四日（註一二八）來到廣寧。大福晉率領衆福晉，在鋪設紅地毯的衙門裏，向坐在衙署正堂的後金汗努爾哈赤叩賀道：「天眷佑汗，占領了廣寧」。（註一二九）隨後依次行慶賀禮，擺設盛宴。十七日，後金汗在福晉們陪伴下返回遼陽。幾天之後，後金軍又放火燒毀廣寧城。（註一三〇）

努爾哈赤自「七大恨」誓師後，四年之間，陷淸、撫，敗楊鎬，取開、鐵，奪遼、瀋，占廣寧，兵鋒所向，頻頻告捷。整個遼東形勢，爲之一變。明遼東經略王在晉疏言：

東事一壞於清、撫，再壞於開、鐵，三壞於遼、瀋，四壞於廣寧。初壞爲危局，再壞爲敗局，三壞爲殘局，至於四壞則棄全遼而無局，退縮山海，再無可退。（註一三一）

明朝失陷廣寧，丟棄全遼，無局可守。但是，努爾哈赤占領廣寧，達到了四十年戎馬生涯的頂峰。

努爾哈赤進占遼河流域後，擺在他面前的一個重要課題是，如何治理和鞏固這個幅員遼濶、人口繁盛的地區。他決定：整頓內部，發展生產，頒布「計丁授田」法令，改革女眞經濟制度。

【附註】

註一 《滿文老檔・太祖》第九卷，天命四年五月初五日載：在此之前，設宴時貝勒們不是坐在凳子上，而是坐在地上。

註二 《明神宗實錄》第五八〇卷，萬曆四十七年三月甲辰。

註三 《熊襄愍公集》第二卷，第一頁。

註四 《明神宗實錄》第五八四卷，萬曆四十七年七月甲辰。

註五 王在晉：《三朝遼事實錄》第一卷，第十六頁。

註六 《明神宗實錄》第五八四卷，萬曆四十七年七月辛丑。

註七 《盛京通誌》第十五卷，第六頁載：開原城「磚砌，周圍十二里二十步，高三丈五尺；池深一丈，濶四丈，周圍二十三里二十步；門四：東曰陽和，西曰慶雲，南曰迎恩，北曰安遠，角樓四，鼓樓在中街。」

註八 《明史・馬芳傳》第十八冊，第二一一卷，第五五八六頁。

註　九　王在晉：《三朝遼事實錄》第一卷，第二二頁。
註一〇　《明神宗實錄》內閣文庫本，第四七卷，萬曆四十七年八月甲戌。
註一一　《熊襄愍公集》第三卷，第九頁。
註一二　《滿文老檔・太祖》第十卷，天命四年六月。
註一三　《清太祖高皇帝實錄》第六卷，第二一頁。
註一四　《滿洲實錄》第五卷，第十五頁。
註一五　《薊遼奏議》，不分卷，臺聯國風出版社影印本。
註一六　《明史・李成梁傳附子如楨傳》第二〇冊，第二三八卷，第六一九七頁。
註一七　《滿文老檔・太祖》第十一卷，天命四年七月二十五日。
註一八　王在晉：《三朝遼事實錄》第一卷，第二四頁。
註一九　《明神宗實錄》內閣文庫本，第四七卷，萬曆四十七年八月甲戌。
註二〇　《熊襄愍公集》第三卷，第三三頁。
註二一　《明史・趙煥傳》第十九冊，第二二五卷，第五九二三頁。
註二二　《明史・熊廷弼傳》第二二冊，第二五九卷，第六六九一至六六九二頁。
註二三　夏燮：《明通鑑》第七六卷，萬曆四十七年六月癸酉。
註二四　《熊襄愍公集》第三卷，第三五頁。
註二五　《熊經略疏稿》第一卷，第五四頁。
註二六　《熊襄愍公集》第三卷，第三六頁。

註二七　夏燮：《明通鑑》第七六卷，萬曆四十七年六月癸酉。
註二八　《熊襄愍公集》第三卷，第三六頁。
註二九　《熊經略疏稿》第一卷，第三三頁。
註三〇　夏燮：《明通鑑》第七六卷，萬曆四十八年三月庚寅。
註三一　《熊襄愍公集》第三卷，第三六頁。
註三二　《熊襄愍公集・東事答問》第八卷，第一頁。
註三三　《熊襄愍公集》第八卷，第二二頁。
註三四　《熊經略疏稿》第一卷，第四一頁。
註三五　《熊襄愍公集》第四卷，第七〇頁。
註三六　《熊襄愍公集》第四卷，第八二頁。
註三七　《熊襄愍公集》第八卷，第二二頁。
註三八　《明史・熊廷弼傳》和《明通鑑》於萬曆四十八年五月載：「大淸兵略地花嶺」。按：《熊襄愍公集・邊事查報異同疏》中凡三稱「花嶺」；《明熹宗實錄》第七卷，天啓元年閏二月戊戌載給事中朱童蒙查勘遼東疏也稱「花嶺」；談遷《國榷》第八三卷，第五一五二頁作「旁掠山城花嶺」，是知《明史・熊廷弼傳》和《明通鑑》作「地花嶺」錯。
註三九　談遷：《國榷》第八三卷，第五一五二頁。
註四〇　《滿文老檔・太祖》第十五卷，天命五年五月初一日、十八日。

註四一　《明光宗實錄》第四卷，泰昌元年八月壬子。

註四二　《滿文老檔・太祖》第十五卷，天命五年六月十二日。

註四三　《滿文老檔・太祖》第十六卷，天命五年八月二十一日。

註四四　《滿文老檔・太祖》第十六卷，天命五年九月初八日。

註四五　《明熹宗實錄》第一卷，泰昌元年九月己亥。

註四六　「三案」即梃擊案、紅丸案、移宮案。梃擊案發生於萬曆四十三年，張差手執木棍，闖進太子常洛居住的慈慶宮，打傷守門太監。紅丸案和移宮案均發生於泰昌元年，光宗病危，鄭貴妃進瀉藥，鴻臚寺丞李可灼又進紅丸，光宗服藥死，廷臣大嘩。光宗死，熹宗當立。撫養熹宗的李選侍居乾清宮，與鄭貴妃有密切往來，東林黨人上疏不讓她與熹宗同居一室，請其移至噦鸞宮。以上三案成爲黨爭的題目。

註四七　《明史・光宗本紀》第二册，第二一卷，第二九五頁。

註四八　《明熹宗實錄》第二卷，泰昌元年十月戊申。

註四九　《明史・熊廷弼傳》第二二册，第二五九卷，第六六九四至六六九五頁。

註五〇　《明史・袁應泰傳》第二二册，第二五九卷，第六六八九頁。

註五一　《熊襄愍公集》第三卷，第七一頁。

註五二　《明光宗實錄》第七卷，泰昌元年八月庚午。

註五三　《明熹宗實錄》第六卷，天啓元年二月乙丑。

註五四　《明熹宗實錄》第七卷，天啓元年閏二月丙戌。

註五五 《明經世文篇》，中華書局影印本，第六册，第五三一一頁。
註五六 《明熹宗實錄》第七卷，天啓元年閏二月乙酉。
註五七 《明熹宗實錄》第六卷，天啓元年二月癸丑。
註五八 王在晉：《三朝遼事實錄》第三卷，第三八頁。
註五九 《明熹宗實錄》第六卷，天啓元年二月戊午。
註六〇 《明熹宗實錄》第六卷，天啓元年二月庚申。
註六一 《清太祖武皇帝實錄》第三卷，第十二頁。
註六二 《明熹宗實錄》第八卷，天啓元年三月乙卯。
註六三 《滿文老檔・太祖》第十九卷，天命六年三月十三日。
註六四 《明熹宗實錄》第八卷，天啓元年三月甲寅。
註六五 《明史・賀世賢傳》第二三册，第二七一卷，第六九五二頁。
註六六 次日，即十三日。有的著述作十二日。本文據《滿文老檔》、《明熹宗實錄》、《滿洲實錄》、《清太祖武皇帝實錄》和《明通鑑》等有關記載。
註六七 《明熹宗實錄》第八卷，天啓元年三月乙卯。
註六八 傅國：《遼廣實錄》上卷。
註六九 《明史紀事本末》第四册，第一四二四頁。
註七〇 《明熹宗實錄》第八卷，天啓元年三月乙卯。

註七一 《滿文老檔・太祖》第十九卷，天命六年三月十三日。

註七二 《滿文老檔・太祖》第十九卷，天命六年三月十三日。

註七三 民國《東莞縣誌》第六卷《陳策傳》載：陳策，字純伯，一字翼所，東莞城內人。萬曆十四年登武進士，四十七年晉總兵。統土司兵援遼，天啓元年戰死，年六十九。據此，陳策死年待考。

註七四 《明史・童仲揆傳》第二三冊，第二七一卷，第六九五四頁。

註七五 《明熹宗實錄》第八卷，天啓元年三月乙卯。

註七六 《滿洲實錄》第六卷，第十五頁。

註七七 《清太祖高皇帝實錄》第七卷，第十六頁。

註七八 《明史紀事本末》第四冊，第一四二四頁。

註七九 五總兵：《清太祖武皇帝實錄》第三卷、第十三頁載爲李秉誠、侯世祿、梁仲善、姜弼、童仲揆。《滿洲實錄》第七卷、第二頁載爲李懷信、侯世祿、柴國柱、姜弼、童仲魁，《清太祖高皇帝實錄》第七卷、第十七頁載爲李懷信、侯世祿、蔡國柱、姜弼、童仲揆，《明史・袁應泰傳》和《三朝遼事實錄》均作侯世祿、李秉誠、梁仲善、姜弼、朱萬良。案：童仲揆已死於瀋陽城下，本文從後二書。

註八〇 《光海君日記》第一六九卷，十三年九月戊申。

註八一 《滿文老檔・太祖》第十九卷，天命六年三月二十日。

註八二 《明熹宗實錄》第八卷，天啓元年三月壬戌。

註八三 談遷：《國榷》第八四卷，泰昌元年十月丁未。

註八四　《滿洲實錄》第七卷，第四頁。
註八五　《明熹宗實錄》第九卷，天啓元年四月甲戌。
註八六　王在晉：《三朝遼事實錄》第四卷，第十二頁。
註八七　丁字泊，《滿洲實錄》第七卷第四頁作「丁家泊」，誤。
註八八　《清太祖武皇帝實錄》第三卷，第十四頁。
註八九　《明熹宗實錄》第九卷，天啓元年四月癸未。
註九〇　《明熹宗實錄》第九卷，天啓元年四月壬午載山西道御史畢佐周言：「軍興以來，援卒之欺凌詬誶，殘遼無寧宇，遼人爲一恨；軍夫之破產賣兒，貽累車牛，遼人爲再恨；至逐娼妓而幷及張、劉、田三大族，拔二百年難動之室家，遼人爲益恨；至收降夷而雜處民廬，令其淫汚妻女，侵奪飲食，遼人爲愈恨。有此四恨而冀其爲我守乎！」
註九一　《光海君日記》第一六三卷，十三年三月庚午。
註九二　《明熹宗實錄》第九卷，天啓元年四月壬午。
註九三　《明熹宗實錄》第八卷，天啓元年三月辛酉。
註九四　《明熹宗實錄》第八卷，天啓元年三月甲子。
註九五　《明熹宗實錄》第九卷，天啓元年四月癸酉。
註九六　參見《明熹宗實錄》第十一卷，天啓元年六月辛未朔。
註九七　《明史・熊廷弼傳附王化貞傳》第二二冊，第二五九卷，第六六九八頁。
註九八　《熊襄愍公集》第八卷，第三一至三二頁。

註九九　《明熹宗實錄》第十四卷，天啓元年九月癸丑。
註一〇〇　《明熹宗實錄》第十八卷，天啓二年正月戊申。
註一〇一　《明史·熊廷弼傳》第二二册，第二五九卷，第六七〇〇頁。
註一〇二　《明史·張鶴鳴傳》第二二册，第二五七卷，第六六一八頁。
註一〇三　《明史·魏忠賢傳》第二六册，第三〇五卷，第七八二四頁。
註一〇四　《明史·閹黨傳》第二六册，第三〇六卷，第七八四三頁。
註一〇五　《明熹宗實錄》第十七卷，天啓元年十二月甲午。
註一〇六　《明熹宗實錄》第十八卷，天啓二年正月戊申。
註一〇七　《明史·熊廷弼傳》第二二册，第二五九卷，第六七〇二頁。
註一〇八　《熊襄愍公集》第七卷，第六〇頁。
註一〇九　《滿文老檔·太祖》第三三卷，天命七年正月十八日。
註一一〇　《明史·羅一貫傳》、《明史·熊廷弼傳》、《明史紀事本末·熊王功罪》、《明通鑑》等書均作「羅一貫」；《明熹宗實錄》第十八卷、天啓二年正月丁巳和第十九卷、天啓二年二月乙亥，《明史稿·熊廷弼傳》，《國榷》第八五卷、第五二〇〇頁，《三朝遼事實錄》第七卷、第十四頁，《清太祖武皇帝實錄》第四卷、第一頁，《滿洲實錄》第七卷，第八頁，《清太祖高皇帝實錄》第八卷、第十一頁等均作「羅一貴」，從後者。
註一一一　《明史紀事本末》第四册，第一四三二頁。
註一一二　《熊襄愍公集》第七卷，第六〇頁。

註一一三　《明史・羅一貫傳》第二三冊，第二七一卷，第六九五七頁：「自遼左軍興，總兵官陣亡者凡十有四人：撫順則張承胤，四路出師則杜松、劉綎、王宣、趙夢麟，開原則馬林，瀋陽則賀世賢、尤世功，渾河則童仲揆、陳策，遼陽則楊宗業、梁仲善，是役，渠與秉忠繼之。」案：遼陽還有朱萬良。

註一一四　《明熹宗實錄》第十八卷，天啓二年正月丁巳。

註一一五　《滿文老檔・太祖》第三三卷，天命七年正月二十二日。

註一一六　《盛京通志》第十五卷，第十二頁。

註一一七　《清史稿・孫德功傳》第三一冊，第二三一卷，第九三四二頁。

註一一八　《熊襄愍公集》第七卷，第五九頁。

註一一九　王在晉：《三朝遼事實錄》第七卷，第十五頁。

註一二〇　《熊襄愍公集》第七卷，第五九至六〇頁。

註一二一　《熊襄愍公集》第五卷，第二九頁。

註一二二　王在晉：《三朝遼事實錄》第七卷，第二六頁。

註一二三　茅元儀《督師紀略》第一卷第八頁：「將領孫德功及諸生輩，具香亭迎奴酋入城，奴尚疑詐也，偵無有，始入。」

註一二四　《明史・熊廷弼傳》第二二冊，第二五九卷，第六七〇四頁。

註一二五　韓爌・《訟寃疏》，《熊襄愍公集》卷末，第二〇頁。

註一二六　《滿文老檔・太祖》第三五卷，天命七年二月。

註一二七　《滿文老檔・太祖》第三四卷，天命七年正月。

註一二八 《清太祖高皇帝實錄》第八卷、第十四頁載「丁丑，后妃等自遼陽起行，庚申，至廣寧城」。《滿文老檔》、《清太祖武皇帝實錄》和《滿洲實錄》均載「十四日」至廣寧。查「十四日」爲庚辰，該月無「庚申」，是知《清太祖高皇帝實錄》載「庚申」誤。

註一二九 《滿文老檔・太祖》第三六卷，天命七年二月十四日。

註一三〇 《滿文老檔・太祖》第四八卷，天命八年三月二十四日。

註一三一 《明熹宗實錄》第二〇卷，天啓二年三月乙卯。

第十章 「計丁授田」

一、建州社會經濟的發展

建州女眞社會經濟的發展，是努爾哈赤在歷史政治舞臺上，演出威武雄壯活劇的物質基礎。女眞奴隸制已有長久的歷史。明初的建州女眞，奴隸占有制經濟形態占居支配地位；但是，它既出現了封建制因素，也保留著氏族制殘餘。在女眞奴隸制形態下，奴隸的主要來源是擄掠：「刼掠人口、牛馬、財產，孤人之子，寡人之妻」。（註一）這是因爲，「野人之俗，不相爲奴，必擄漢人，互相買賣使喚」。（註二）所以奴隸也叫做「使喚人口」。（註三）據明朝遼東六件《信牌檔》的不完全統計，僅一四二三年（永樂二十一年），被擄人口竟達一千零八十九人。（註四）但女眞內部也有少量債務奴隸或罪犯奴隸。此外，奴隸即阿哈被允許結婚後所生的子女，也是奴隸。

女眞奴隸主經常剽掠漢人和朝鮮人賣作阿哈。據朝鮮史書記載，許多遼東漢人「被童猛哥帖木兒擄掠到阿木河爲奴使喚」。（註五）奴隸既用於家內使喚，又用於農耕、漁獵、畜牧、採集等生產方面，也用之於經商，做「貿易使喚人」。（註六）在猛哥帖木兒的斡木河時期，由於建州女眞社會生產力的發展，明朝和朝鮮封建經濟的影響，在其奴隸占有制經濟形態中，已經出現了封建因素。斡木河地區社會生產組織是封建制的。猛哥帖木兒在這裏擁有大量的耕牛和農器，從事耕農。朝鮮史書記載，建州女眞人，耕田交租（註七），或「服役納賦，無異於編戶」。（註八）這就爲後來努爾哈赤進行社會改革播下了種子。

建州女眞輾轉遷徙至蘇克素滸河、渾河流域之後，這裏的土壤和氣候比較適宜農業生產，與撫順毗連，漢族高度發達封建經濟的影響，漢人的大批流入，以及通過「朝貢」和「馬市」換回大量鐵製農器與耕牛，使女眞社會生產力迅速提高。耕牛和農器爲建州女眞「所恃以爲生」。（註九）早在一四五九年（天順三年），建州衞頭目從北京返回舊居時，「沿途買牛，帶回耕種」。（註一〇）到萬曆初年，海西女眞和建州女眞買回的耕牛、農器數量是很大的。如一五八四年（萬曆十二年）三月的十七次交易，女眞人買進鐵鏵四千三百八十八件，其中一次爲一千一百一十三件；同月二十九次買牛交易，買進耕牛四百三十頭，其中一次爲九十七頭（註一一）；同月的二十七次交易，參加的女眞人共有一萬三千七百八十人，平均每次五百一十人，最多的一次達一千一百八十人。

同時，建州等衞女眞人到北京「朝貢」，人數衆多，「借貢興販，顯以規利」。（註一二）據《明神宗實錄》記載，「祖宗朝建州、海西諸夷世受撫馭，故進貢許一年一次，每次貢夷數踰千名，天順、成化間爲其供費浩繁，量議裁減，嗣後仍復加至一千五百名」。（註一三）即到萬曆中期，「海西每貢千人，建州每貢五百人」。（註一四）他們車輛輻輳，滙聚京師，熙來攘往，開市貿易。在返回時，將所買貨物裝車，貨位高達三丈餘，僅瓷器一項，有時「多至數十車」。（註一五）尤其是建州滅哈達之後，原哈達的三百六十三道敕書，「奴酋奪而有之」（註一六），擴大了對明朝的直接貿易權。由於「朝貢」和「馬市」貿易的不斷擴大，漢族先進的生產工具和生產技術進入女眞地區，促進了女眞奴隸制經濟的發展。

建州女眞的經濟，以農業爲主，也有漁獵、採集、畜牧、礦冶、手工業和商業等部門。努爾哈赤在費阿拉「稱王」後，建州女眞的農業經濟，由於普遍使用耕牛和鐵製農具，以及耕作技術的不斷提高，已經達到較高的水準。如申忠一到費阿拉，見婆豬江、蘇克素滸河一帶地方，「無墅不耕，至於山上，亦多開墾」；糧食產量較高，「田地品膏，則粟一斗落種，可穫八九石，瘠則僅收一石」。（註一七）後來李民寏也有同樣記載：

土地肥饒，禾穀甚茂，旱田諸種，無不有之。（註一八）

並大量種植山稻，如兵士出征打仗，常携帶蜂蜜炒米。（註一九）努爾哈赤強調說建州不同於以吃肉衣皮爲生的蒙古，而是以「種田吃糧爲生」。（註二〇）所以他重視女眞農業生產的發展。如出征不違農時；不許將牛馬拴在果樹上，以防啃摩樹皮（註二一）；牛群毀壞莊稼，牧人要鞭二十（註二二）；牲畜踏壞農田，每匹罰銀一兩。（註二三）他在春耕季節，帶領諸貝勒大臣等出城巡視農耕。他還責令額眞要重視種植糧棉，如額眞所屬諸申等秋後衣食不足可告狀，然後將其從收成較差額眞那裏，撥出交給收成較好的額眞（註二四），以示獎懲。

農業之外還有漁獵經濟。女眞人漁獵經濟源遠流長，如遼金元時海東青的捕獵，明初的貂皮貿易都可說明。但是，努爾哈赤興起之後，貂皮、明珠等貿易，使其民殷部富。《清太祖武皇帝實錄》記載：

本地所產有明珠、人參、黑狐、玄狐、紅狐、貂鼠、猞狸猻、虎、豹、海獺、水獺、青鼠、黃鼠等皮，以備國用。撫順、清河、寬奠、靉陽四處關口互市交易，照例取賞，因此滿洲民殷國富。（註二五）

可見漁獵經濟在建州女眞中占有重要地位。後來明開原道薛國用也呈稱：「蓋奴酋擅貂、參、海珠之利，蓄聚綦富」。（註二六）爲著捕獲貂鼠和撈採珍珠，到了採捕季節，女眞人成群結隊，或深入松林，貂巢其上，張弓焚巢，貂墜於網；或擁入河汊，獵架漁樑，幕棚馬迹，珠採於袋。

畜牧業也是一個重要的生產部門。家畜的馴養比較繁盛。如申忠一目睹建州女眞，「家家皆畜雞、豬、鵝、鴨、羔、羊、犬、猫之屬」。（註二七）自給自足的個體經濟占有相當的地位。牛馬的牧放非常興旺。《建州聞見錄》載：「六畜惟馬最盛，將胡之家，千百爲群，卒胡家亦不下十數匹」。（註二八）女眞的雄馬不騸，馬匹也不餵菽粟，夜間圈圍在不蔽寒暑的柵欄裏，白天牧放在水草豐足的原野上。因馬匹牧放的膘情直接影響其軍事力量，所以努爾哈赤常常親自檢查馬匹肥羸——肥壯的受犒賞，羸弱的受鞭責。

採集經濟仍占很大的比重。採集主要包括挖人參、釀蜂蜜、揀松子、摘蘑菇、收木耳、拾榛子等。

建州女眞地區盛產蜂蜜。蜂蜜是努爾哈赤歲貢和市易的重要物品，「酋歲貢蜜，兼開蜜市」。（註二九）爲建州蜂蜜事，有人敷衍出一個貽笑遠人的故事。（註三〇）

人參在女眞採集經濟中占據首位。人參喜歡生長在露水浸潤的叢林裏，在美麗的小花凋謝後，結著圓圓的蒴果。每逢採參季節，傾落出動，百十爲群，深入密林，挖掘人參。女眞人在挖參前，虔誠地默默禱告；挖參時，順著參莖掘其根部，小心翼翼地惟恐誤傷根鬚；挖完後，將人參放在河溪中洗滌泥土，用樺樹皮包裝，再回到原地禱告。世界上可能再也找不出第二種植物像人參那樣神聖，引出那麼多的神話和傳說。這是因爲就某種意義說，人參是建州女眞經濟的生命線。爲此，明廷官員試圖以減買人參，遏制努爾哈赤就範：「奴兒哈赤擅參爲利，該道欲於市易中默寓裁減之意，使商販漸稀，參斤無售，彼之財源不裕，自將搖尾乞憐」。（註三一）明廷一度停止互市，建州女眞兩年間腐爛人參達十餘萬斤。努爾哈赤爲打破明人對人參貿易的控制，對人參生產技術進行革新，於一六〇五年（萬曆三十三年）即改浸潤法爲煑曬法：

曩時賣參與大明國，以水浸潤，大明人嫌濕推延，國人恐水參難以耐久，急售之，價又甚廉。太祖欲煑熟曬乾，諸王臣不從。太祖不徇衆言，遂煑曬，徐徐發賣，果得價倍常。（註三二）

努爾哈赤的上述改革，不僅是對中藥學的寶貴貢獻，而且使女眞人獲得實際的物質利益，更提高了他在女眞人中的聲望。

手工業也得到發展。建州女眞早在明初就有冶匠，但「箭鏃貿大明鐵自造」。（註三三）後又能淬火，「設風爐造箭鏃，皆淬之」（註三四）到一五九九年（萬曆二十七年），女眞經濟中發生一件大事：

三月，始炒鐵，開金、銀礦。（註三五）

開始較大規模地採礦、冶煉。這更促進建州手工業的發展。當時主要有官營軍事手工業和家庭民用手工業兩種。如申忠一往費阿拉，見「峰上設木柵，上排弓家十餘處，柵內造家三座」。（註三六）其後汗城的官營軍械工匠，「北門外則鐵匠居之，專冶鎧甲；南門外則弓人、箭人居之，專造弧矢」。（註三七）手工業內部有分工：「銀、鐵、革、木，皆有其工」。（註三八）工匠有女眞人，如朝鮮通事河世國見費阿拉的「甲匠十六名、箭匠五十餘名、弓匠三十餘名、冶匠十五名，皆是胡人，無日不措矣」。（註三九）但後來更多的工匠是漢人，也有朝鮮人。這些善手工匠加速了建州手工業的發展。「一自鐵人入去之後，鐵物興產」。（註四〇）他們製造的鎖子甲等，堅硬精巧。明官員徐光啓言：後金「兵所帶盔甲、面具、臂手，悉皆精鐵，馬亦如之」。（註四一）《滿洲實錄》稱征葉赫「盔甲鮮明，如三冬冰雪」。（註四二）這些都從一個側面反映了後金工業的迅速發展。特別是在進入遼瀋地區之後，後金社會已能淘金、煉銀（註四三），掌握焊接技術（註四四），煉製黃色火藥成功（註四五），並接管明朝遼東的鐵礦、冶煉設備和大批工匠，從而手工業有了更大的發展。

在手工業中，車船、紡織、製瓷、煮鹽等均有所發展。女眞人的陸路運輸用獨輪車，「家家皆用小車」；水陸交通用船，製造的「小船可乘八、九人，極輕捷」。（註四六）船的數量較多，據朝鮮備邊司啓文稱其「造舡千艘」。（註四七）這或有所誇飾，但足資說明建州造船手工業的規模。天命初為進取薩哈連部，在兀爾簡河造船二百艘。女眞人的紡織，李民寏目睹「女工所織，只有麻布」。（註四八）自從漢族繅絲、棉織技術傳入建州，其紡織業有了發展。如攻撫順時遇雨，四旗後金軍「有雨衣，弓矢各有備雨之具」（註四九）；攻遼陽時，自稱「旌旗蔽日」。（註五〇）顯然後者含有誇張之意。後金進入遼瀋地區，已能織蟒緞。（註五一）女眞人的製瓷是在占領遼陽之後。先前他們用木製碗、盆，後來逐漸使用漢人燒製的綠碗、盆、瓶等器皿。（註五二）其「製造什物，極其精工」。（註五三）女眞人的食鹽，先是來自「貿鹽」。（註五四）後明廷斷絕鹽路，建州吃鹽困難。努爾哈赤說：「包衣阿哈們逃走，都是因爲沒有鹽吃」。（註五五）於是，一六二〇年（萬曆四十八年，天命五年）六月，努爾哈赤派兵去東海煑鹽。（註五六）據朝鮮國王李琿奏言，「俄傾之間，收得四百餘駝」。（註五七）收得的食鹽，按男丁分配。（註五八）努爾哈赤特命給修築薩爾滸城者每人半斤鹽（註五九），以資恤勵。至占領遼東海、蓋、復地區，許灶戶不納公差（註六〇），鼓勵多煑鹽。如蓋州一次貢賦鹽一萬斤。（註六一）後金的食鹽問題始得到解決。

建州手工業的發展，是與努爾哈赤重視工匠分不開的。他出於征戰的需要，對進入女眞地區的工匠，「欣然接待，厚給雜物，牛馬亦給」。（註六二）奪占遼瀋地區之後，更爲重視工匠的作用。努爾哈赤在下達的文書中說：

有人以爲東珠、金銀是寶，那是什麼寶呢？天寒時能穿嗎？飢餓時能吃嗎？收養國的賢人，理解國人所不能理解的事情，製造出國人不能製造物品的工匠，才是眞正之寶。（註六三）

後金汗在文書中視工匠同賢人，列爲國中之寶，這是難能可貴的。顯然，提高工匠社會地位，給予各種優厚待遇，有利於建州手工業的發展。但是，實際上他們仍處於工奴的地位。

還有商品交換經濟。建州通過「朝貢」、「馬市」和行商，同明朝、蒙古和朝鮮等進行貿易，以貂皮、人參、東珠、馬匹、皮張、乾果、蜂蜜等，換取牛、鏵、鍋、針、鹽、布、豬等。努爾哈赤在青年時期即往來撫順經商，後多次到京師邊「朝貢」、邊貿易，又曾一次派三十名商人往黑龍江地區作生意（註六四），還在家中同蒙古商人交易（註六五），也通過女眞商人把光海君咨文從朝鮮王京帶回赫圖阿拉。（註六六）建州商業的活躍，推動其生產的發展，促使其生活的提高。但是，長期以來，女眞的商品交換主要是以物易物。所以「掠錢無所用，高積如山」。（註六七）隨著商品交換經濟的發展，一六一六年（萬曆四十四年，天命元年），「鑄天命通寶錢」。（註六八）今天見到的是用紅銅鑄造的「天命汗錢」。（註六九）它一面無字，另一面爲無圈點滿文：左爲 abkai，漢譯天；右爲 fulingga，漢譯命；上爲 han，漢譯汗；下爲 jiha，漢譯錢。（註七〇）但努爾哈赤的鑄幣並未大量流通，後以「銀子充足，不必鑄錢」，而停止鑄幣。（註七一）當時主要流通的貨幣，仍是明朝的白銀。努爾哈赤攻占遼陽後，設置管理貿易的額眞，商品的價錢和稅收，援依明例（註七二），並允許原有商人繼續開店做生意（註七三），只是對偸稅者實行懲處。（註七四）

總之，後金汗努爾哈赤從鞏固其統治和征戰需要出發，重視建州社會經濟的發展，也關注商品交換經濟的發展。努爾哈赤同其他各部女眞首領相比較，確實對建州社會經濟的發展和女眞人民生活的提高，更多地做了一些有益的事情。他因而贏得女眞人的擁戴，擊敗角逐爭雄的對手，取得統一女眞各部戰爭的勝利，也奪取對明戰爭一次又一次的勝利。女眞的各部統一，對明的戰爭勝利，不僅促進其經濟的發展，而且推動其經濟的改革。所以，在建州社會經濟發展過程中，其社會內部的經濟結構，有許多嚴重課題擺在努爾哈赤面前，亟需加以解決。

二、「計丁授田」令的頒布

隨著建州社會經濟的發展和後金奪取遼瀋的勝利，後金汗努爾哈赤頒布了「計丁授田」令。「計丁授田」令的頒布，有一個歷史發展的過程。

前節所述，建州鐵製農具和耕牛的廣泛使用，生產技術的顯著改進，手工業和交換的相應發展，使女眞社會生產力進一步提高。生產力的發展，導致著生產力與生產關係、經濟基礎與上層建築的矛盾日趨劇烈。這種矛盾必然表現爲建州社會奴隸同奴隸主之間的階級衝突。早在努爾哈赤起兵之前，女眞奴隸因被擄使喚，不堪其苦，而紛紛起來反抗。如漢人孫良被擄，賣與豆尚介家爲奴，「殺其主母」（註七五）

天命汗錢

逃亡。漢人汪仲武，被擄轉賣李豆里家爲奴，改名斜往；他「以斧幷擊殺」奴隸主李豆里及其子胡赤，夤夜逃奔。（註七六）漢人羅伊巨被奴役在金波乙大家裏十五年，「殺其妻子」（註七七）逃亡。

逃亡是當時女眞奴隸反抗奴隸主的主要鬥爭形勢。據《李朝實錄》的不完全記載計算：十五世紀前半葉，每年逃往朝鮮的女眞奴隸約有十五人；到十五世紀中葉，逃亡奴隸增加五點七倍，而到十六世紀中後期，逃亡奴隸約爲十五世紀前半葉的六十八倍，最高達到每年千人以上。奴隸的大量逃亡，沉重地打擊了女眞奴隸主階級。奴隸們反對奴隸主的鬥爭，是奴隸占有制生產關係變革的基礎。

女眞奴隸反對奴隸主的鬥爭，是其奴隸占有制生產關係變革的內在根據，而漢族強大封建制生產關係的影響，又是其生產關係變革的外在條件。因此，女眞族有遠見卓識的政治家，在奴隸反抗鬥爭和漢族封建生產關係影響的雙重推動下，不得不對女眞社會進行改革。這個巨大社會責任，歷史地落在努爾哈赤肩上。

努爾哈赤起兵之後不久，即着手對建州社會進行改革。這種改革，最早見於朝鮮南部主簿申忠一的記載。一五九六年（萬曆二十四年），努爾哈赤在統一建州女眞之後，推行屯田制。當時女眞人中存在著「拖克索」。「拖克索」的滿文體爲 tokso，就是漢語的田莊，又稱「農幕」。這年申忠一從朝鮮到費阿拉，沿途所經八十餘處居民點中，僅見六處「農幕」。這些「農幕」規模不大，受奴隸反抗鬥爭的打擊，日趨衰落。如「大吉號裏越邊忍川童阿〔下〕農幕，而自上年永爲荒棄云」。（註七八）廢棄「農幕」，推行屯田。如「奴酋於大吉號裏越邊樸達古介北邊，自今年欲置屯田云」。（

註七九）

建州女眞對屯田並不陌生。明朝在遼東地區，實行「分屯所領，備兵所耕」（註八〇）的封建軍事屯田制。時「軍屯則領之備所，邊地：三分守城，七分屯種」。（註八一）屯田的辦法是「人授田五十畝，給牛種，教樹植，復租賦」。（註八二）努爾哈赤的先世猛哥帖木兒在斡木河時即以「復業屯種」。（註八三）後來據朝鮮史書記載，建州女眞「各處部落，例置屯田」。（註八四）所以努爾哈赤以明朝的軍屯和先世的傳統爲借鑑，開始推行屯田制。屯田的部民，「每一戶，計其男丁之數，分番赴役，每名輸十條」。（註八五）在這裏，地租與賦稅是合併在一起的，主要是勞役地租。實行屯田，不是爲了給農奴使用土地，而是爲了使他們分攤勞役地租。

一六一三年（萬曆四十一年），努爾哈赤在基本上統一扈倫四部和東海女眞、設立四旗之後，在其轄區內實行牛彔屯田。他規定：

每一牛彔出男丁十名，牛四隻，以充公差。令其於空曠的地方墾田耕種糧食，以增加收穫，儲於糧庫。（註八六）

一六一五年（萬曆四十三年）建立八旗制度後，努爾哈赤又重申：

因向國人徵糧作貢賦，國人必定困苦，乃令每牛彔出男丁十人，牛四頭，耕種荒地，多穫穀物，充實倉庫。任命十六名大臣，八名巴克什，掌管倉庫糧穀的登記收支。（註八七）

按照牛彔屯田，實行編戶齊民，使政治上的統治權與經濟上的占有權相統一。牛彔屯田的勞動者主要是諸申。每牛彔三百男丁中出十名男丁，四頭牛，耕田植穀，糧交官倉。這是「三十稅一」的封建領主勞役經濟。努爾哈赤通過牛彔屯田，使八旗的各級額眞成爲大小封建主；同時，使大部分諸申轉化爲農奴，並進行勞役剝削。因此，牛彔屯田是把女眞農奴「當作土地的附屬物定牢在土地上面的制度」。（註八八）

實行牛彔屯田之後，諸申要披甲執弓，從征厮殺；種田植穀，交納貢賦；築城應差，負擔徭役。《建州聞見錄》記載：

凡有雜物收合之用，戰鬥力役之事，奴酋令於八將，八將令於所屬柳累將，柳累將令於所屬軍卒。（註八九）

這就是說，凡是應徵的賦稅、兵役和徭役，努爾哈赤派給八固山額眞，八固山額眞又派給所屬牛彔額眞，牛彔額眞再派給隸屬的兵丁。從而加強了對諸申的剝削、控制和奴役。

一六一六年（萬曆四十四年，天命元年）前後，努爾哈赤在統一女眞各部的過程中，把許多處於原始社會狀態，「不事耕稼，唯以捕獵爲生」（註九〇）的「野人」女眞部民，或「收取藩胡，留屯作農」（註九一）；或「編入戶籍，遷之以歸」（註九二）；或「選其壯丁，入旗披甲」（註九三）——把他們就地屯田，納爲民戶，編丁入旗，區別不同情況，分別進行安置。這就使「野人」女眞的路長和部民，轉化爲後金的封建主和農奴；或則轉化爲奴隸制下的奴隸主和自由民。所以，努爾哈赤伴隨著統一戰爭而推行的社會改革，加速了「野人」女眞部社會的發展。

同時，努爾哈赤重視與牛彔屯田、拖克索田莊相並行的個體經濟的發展。他特別「告諭」國人要養蠶、植棉。這同建州女眞衣服奇缺有關：「聞胡中衣服極貴，部落男女殆無以掩體。近日則連有搶掠，是以服著頗得鮮好云。戰場僵屍，無不赤脫，其貴衣服可知」。（註九四）後金汗提倡要飼養家蠶，以繅絲織緞；種植棉花，以紡紗織布。（註九五）從而促進了男耕女織的、一家一戶的、農業與家庭手工業相結合的封建個體經濟的發展。自給自足的自然經濟，是封建制的基礎。努爾哈赤的上述政策，對於鞏固後金農奴主政權、加強封建生產關係和加速農業、手工業的發展，有著積極的作用。

一六一七年（萬曆四十五年，天命二年），後金汗頒布禁殺農奴的法令。它規定：無故殺害農奴者，貝子以上罰「諸申十戶」，貝子以下「則戮其身」。（註九六）這是一項很嚴酷的法令，它旨在從法律上保護農奴的身份。奴隸與農奴在其身份上有著本質的區別：奴隸被奴隸主完全占有，即被當作牲畜來買賣屠殺；農奴則被農奴主不完全占有，即雖然「可以買賣」，但「已不能屠殺」。因此，農奴與奴隸的主要區別在於是否可以屠殺。努爾哈赤這道禁止殺害農奴的「汗諭」，對於保護社會勞動力，改革舊的生產關係，有重要的意義。

一六一八年（萬曆四十六年，天命三年）四月，後金首破明遼東重城撫順，得降民一千戶。努爾哈赤對新降附的漢民，沒有降作阿哈，而是依照明制，採取了封建的生產關係。《清太祖高皇帝實錄》記載：

命安插撫順所降民千戶，父子、兄弟、夫婦毋令失所，其親戚、奴僕自陣中失散者盡察給之。

並全給以田廬、牛馬、衣糧、畜產、器皿，仍依明制，設大小官屬，令李永芳統轄。（註九七）朝鮮《燃藜室記述》也記載，努爾哈赤「得遼之後，不殺一人，盡剃頭髮，如前農作」。（註九八）「不殺一人」顯係溢詞，不足徵信。但是，「仍依明制」和「如前農作」均說明努爾哈赤不僅在後金原有轄區，而且在新占遼東地區，都實行封建制生產關係。

一六二一年（天啓元年，天命六年）七月十四日，努爾哈赤進入遼瀋地區之後，發布「計丁授田」令。他綜合明遼東封建軍事屯田制和後金八旗牛彔屯田制，頒布「計丁授田」制度，是對女眞生產關係的又一次重大變革。他命將收取海州地方田十萬日（註九九），遼陽地方田二十萬日，共計三十萬日，給予在該處駐居的兵丁。如田不敷用，再將松山堡以東，包括鐵嶺、懿路、範河、瀋陽、撫順、東州、馬根單、清河，直至孤山堡之田都要耕種。如仍不足，則可出境耕種。努爾哈赤下「汗諭」：

今年耕種的莊稼，各自收穫。吾今計田，每一男丁，種糧田五日，種棉田一日，均平分給。你們不要隱匿男丁；如隱匿男丁，便得不到田。原來的乞丐，不得再討飯。乞丐、和尙都分田。要勤勞耕種各自的田地。每三男丁種官田一日。每二十男丁中，徵一丁當兵，以一丁應公差。（註一〇〇）

同年十月初一日，後金汗再令遼東五衞的人，交出無主田地二十萬日，海州、蓋州、復州、金州四衞的人，也交出無主田地十萬日，共三十萬日（註一〇一），實行「計丁授田」政策。

後金汗努爾哈赤，發布「計丁授田」諭令，將遼東地區「無主之田」，按丁授與滿、漢人戶。所謂計丁授田制度，就其土地所有制來說，後金國家是土地的最高所有者，把土地分爲官田和份地，直接生產者除以無償勞役耕種規定的官田外，便在所得份地上經營自己的經濟，而並無眞正的土地所有權。就其直接生產者的地位來說，直接生產者雖不像奴隸那種人身隸屬關係，但不許隱匿人丁，被釘附在土地上，成爲八旗封建主的依附土地的農奴。就其分配形式來說，生產者耕種規定官田作爲勞役地租，份地則爲「一家衣食，凡百差徭，皆從此出」。（註一〇二）

「計丁授田」制度表明，它的土地所有制、直接生產者地位和產品分配形式，都屬於封建生產關係的範疇，而其基礎則是滿洲八旗封建土地所有制。因此，努爾哈赤繼牛彔屯田之後，又頒布「計丁授田」之令，進一步從法律上確立封建土地所有制在經濟基礎中的統治地位，標誌著我國東北地區滿洲社會，封建制取代了奴隸制。

努爾哈赤繼把牛彔屯田發展爲「計丁授田」之後，又發布「按丁編莊」令，下令將奴隸制拖克索轉變爲封建制拖克索。上節已敍及奴隸制拖克索即「農幕」的衰落。建州的拖克索有一個變化的歷史過程。它先爲奴隸制田莊，努爾哈赤起兵後不久，在奴隸反抗鬥爭衝擊下，逐漸廢棄。爾後，奴隸制田莊仍繼續存在著。八旗軍進入遼瀋地區之後，將大量俘獲漢人降爲奴隸，編入奴隸制田莊。但田莊的奴隸不能聊生，叛亡殆盡。努爾哈赤鑑於田莊奴隸的反抗，遼東封建經濟的影響，奴隸田莊瀕臨瓦解的地步，便發布「按丁編莊」令，將奴隸制田莊過渡爲封建制田莊。從此，拖克索發生了質的蛻變。

一六二五年（天啓五年，天命十年）十月初三日，後金汗努爾哈赤發布「按丁編莊」諭：

男丁十三人，牛七頭，編成一莊。將莊頭的兄弟列入於十三丁之數。莊頭自己到瀋陽，住在牛彔額眞家的鄰近。使二莊頭住在一處。如逢役使，該二莊頭輪流前往督催，諸申不要參與。把莊頭之姓名，莊中十二男丁之姓名，牛、驢之毛色，都寫上交給村領催，由去的大臣書寫帶來。若收養的人，置於公中，會被諸申侵害，全部編入汗、諸貝勒田莊。一莊男丁十三人，牛七頭，田百日。其中二十日納官糧，八十日供自己食用。

每男丁十三人，牛七頭，編爲一莊，總兵官以下，備御以上，每備御給與一莊。（註一〇三）

後金的「按丁編莊」，每莊男丁十三人，牛七頭，地百日，其中二十日交納官糧，八十日供壯丁食用。這是大規模地用畫一標準建立起來的田莊。

「按丁編莊」涉及的問題很多，但就其生產關係來說，田莊的土地，分爲納糧和自食兩個部分：納糧部分，壯丁用自己的勞動、耕牛和農具，耕種農奴主的土地，產品作爲勞役地租，歸農奴主占有；自食部分，對壯丁來說它提供生活資料，對農奴主來說它提供勞動力。田莊的壯丁，有自己的經濟，其身份已然不是隸屬於主人的奴隸，而是附着在土地上，爲封建主服徭役、納租賦的農奴。這表明奴隸制田莊已轉化爲農奴制田莊，奴隸制拖克索轉變爲封建制拖克索。

田莊的數目，雖限定「每備御給與一莊」，但實際上遠不是這樣的。據《建州聞見錄》所載後金的田莊，「將胡則多至五十餘所」，田莊如雲，遍布沃野。田莊中，「奴婢耕作，以輸其主」。（註一〇四）在按丁編莊之後，「奴婢」也就是農奴。

總之，後金汗努爾哈赤進入遼瀋地區之後，控制了其轄區的全部土地。他通過後金政權，一面使牛彔屯田發展爲「計丁授田」，就是將其中一部分土地，授給後金諸申和漢族民戶，從而使屯田轉變爲旗地；另方面使奴隸制拖克索轉化爲封建制拖克索，就是將其中另一部分土地，分給大小軍事封建主，「按丁編莊」，從而使莊田轉變爲官田。無論是「計丁授田」或是「按丁編莊」，其共同特點是，直接生產者作爲農奴被束縛在土地上，而且必須爲土地占有者交納勞役地租。這正如列寧在《俄國資本主義的發展》一書中，論述封建徭役經濟特點時所指出：「在這種經濟下直接生產者必須分有一般生產資料特別是土地，同時他必須束縛在土地上，否則就不能保證地主獲得勞動力。因而，攫取剩餘產品的方法在徭役經濟下和在資本主義經濟下是截然相反的：前者以生產者占有份地爲基礎，後者則以生產者從土地上解放出來爲基礎」。（註一〇五）

所以，努爾哈赤實行「計丁授田」和「按丁編莊」，都是封建主占有土地，農奴分得份地，依附於土地，爲地主納租稅、服徭役，並受其超經濟的強制。這表明，滿洲社會以牛彔屯田爲標誌，開始由奴隸制向封建制過渡；又以「計丁授田」和「按丁編莊」爲標誌，初步完成由奴隸制向封建制的轉變。至於後來實行部分漢民「分別屯居」，這在生產關係上沒有發生根本性的變化，只不過是爲緩和滿漢民族矛盾所採取的一種手段而已。當然，後金進入遼瀋地區以後，仍有大量奴隸存在，如瀋陽附近的開城就有買賣奴隸的市場。但總的說來，奴隸制已不再是後金社會的主要經濟形態，僅僅是保留在封建制中嚴重的奴隸制殘餘。

後金汗努爾哈赤的「計丁授田」和「按丁編莊」，對於滿洲社會完成由奴隸制向封建制的過渡，無疑是一個巨大的進步；但對於遼東地區相當發達的封建經濟，又是一次歷史的洄漩。他在遼東地區的經濟政策及其實施，主要引起三種人的不滿。一種是後金諸申的不滿。如在計丁授田時，上等肥饒之地，或被本管官占種，或被豪家占據，餘剩薄地，「繩扯分田，名雖五日，實在不過二、三日」。（註一〇六）他們除納勞役地租外，還應公差，服兵役。連年戰爭，馬不卸鞍，賣牛典衣，買械治裝，喪身疆場，妻子無依，其生活苦不堪言。另一種是漢族地主的不滿。徵發「無主之田」和實行「按丁貢賦」的政策，直接損害遼東漢族地主的利益。因爲「無主之田」原是有主的，其主人多爲原遼東官僚地主、縉紳豪富，他們或死或逃，同後金貴族利益相矛盾。同時，「按丁貢賦」對遼東漢族地主也是一個打擊。如努爾哈赤向遼東漢民下達文書言：

我來遼東之後，見各種貢賦都不以男丁計，而是按門戶計。按門戶計，有的門戶有四、五十男丁，有的門戶有一百男丁，有的門戶只有一、二男丁。如按門戶計，富人以財物免役，窮人沒有財物，須經常應差。我不執行你們的制度，用我原來的制度。不准諸貝勒大臣向低下的人索取財物。貧富都公平地以男丁計。（註一〇七）

儘管這項政策不能眞正執行，但仍在不同程度上打擊了隱匿丁額的遼東漢族地主。再一種是遼東漢民的不滿。遼東漢民無論是「計丁授田」的民戶，還是「按丁編莊」的壯丁，其身份都被降作後金汗、貝勒、額眞的農奴，所受人身奴役更爲嚴重。

後金統治者給遼東地區漢族人民，捆上階級壓迫和民族壓迫的繩索，激起遼東漢民的反抗，努爾哈赤在遼東漢人反抗和女眞奴隸、農奴不滿的背景下，率軍進攻寧遠。他在寧遠之役中，輸給了明朝將領袁崇煥。

【附註】

註一 《李朝世宗實錄》第六〇卷，十五年四月乙酉。
註二 《燕山君日記》第十七卷，二年八月己亥。
註三 《李朝世宗實錄》第九二卷，二十三年正月丙午。
註四 東北檔案館藏：明檔甲一，甲二，乙三，乙四，乙七，乙〇〇六。
註五 《李朝世宗實錄》第三六卷，九年四月甲戌。
註六 《李朝世宗實錄》第六五卷，十六年八月己未。
註七 《李朝太宗實錄》第二六卷，十三年十一月丁酉。
註八 《李朝太祖實錄》第八卷，四年十二月癸卯。
註九 《明英宗實錄》第五四卷，正統四年四月己丑。
註一〇 《明英宗實錄》第三〇〇卷，天順三年二月庚午。
註一一 東北檔案館藏：明檔乙一〇七。
註一二 《明神宗實錄》第四九五卷，萬曆四十年五月壬寅。

註一三　《明神宗實錄》第五三〇卷，萬曆四十三年三月丁未朔。

註一四　《明神宗實錄》第三七三卷，萬曆三十年六月戊申。

註一五　沈德符．《萬曆野獲篇》中華書局，第三〇卷，第七八〇頁。

註一六　《明神宗實錄》第五一九卷，萬曆四十二年四月丁酉。

註一七　申忠一：《建州紀程圖記》，圖版十七。

註一八　李民寏：《建州聞見錄》第三一頁。

註一九　陳仁錫．《無夢園集．山海紀聞二》載：「初，奴禁蜂蜜，無私賣，將備炒麪行糧之用。」

註二〇　《滿文老檔．太祖》第十三卷，天命四年十二月。

註二一　《滿文老檔．太祖》第二四卷，天命六年七月十七日。

註二二　《滿文老檔．太祖》第五八卷，天命八年七月十五日。

註二三　《滿文老檔．太祖》第五九卷，天命八年九月初七日。

註二四　《滿文老檔．太祖》第十七卷，天命六年閏二月十六日。

註二五　《清太祖武皇帝實錄》第一卷，第八頁。

註二六　《明神宗實錄》第五一九卷，萬曆四十二年四月丁酉。

註二七　申忠一：《建州紀程圖記》，圖版十七。

註二八　李民寏：《建州聞見錄》第三二頁。

註二九　黃道周：《博物典滙．四夷附奴酋》第二〇卷，第十七頁。

註三〇　黃道周《博物典滙・四夷附奴酋》：「相傳虜煉蜜爲糗糧，撫臺疑其事，未敢訟言於朝，密使遼陽材官蕭子玉，僞稱都督，銜命問故。子玉盛具儀仗，東臨虜境。酋不郊迎，子玉大怒，詬虜曰：『天使儼臨，而大都督不出，是辱皇朝也。將歸問罪。』奴酋聞之，歡然屬櫜鞬，跽迎道左，供具甚豐腆。子玉大喜，相與盡歡。徐致詰不貢市之命。酋從容對曰：『本部之蜜，猶天朝五穀也。五穀有不登之年，天朝將誰是詰耶？本部五年來，花疏蜂死，是以不供。俟春枝花滿，釀熟蜜啇，當復貢市如初。此瑣事耳，何煩聖慮。』厚贈子玉，並轡而出，至別處，從馬上拍子玉肩笑曰：『汝是遼陽無籍蕭子玉也。安得假稱都督，臨我郊境？我非不能殺汝，奏之聖明，顧不忍貽天朝以辱耳。爲我致意撫臺，後毋再作詐事。』子玉狼狽西奔。撫臺聞之，閉門累日。中國每事貽笑遠人，安得不啓其輕侮之心哉？」

註三一　《明神宗實錄》第五三一卷，萬曆四十三年四月丙申。

註三二　《清太祖武皇帝實錄》第二卷，第二頁。

註三三　《李朝睿宗實錄》卽位年十一月癸亥。

註三四　《李朝成宗實錄》二十二年七月丁亥。

註三五　《滿洲實錄》第三卷，第二頁。

註三六　申忠一：《建州紀程圖記》，圖版十二。

註三七　程開祜：《籌遼碩畫・東夷奴兒哈赤考》卷首，第二頁。

註三八　李民寏：《建州聞見錄》第三二頁。

註三九　《李朝宣祖實錄》第六九卷，二十八年十一月戊子。

註四〇　《李朝宣祖實錄》第一三四卷，三十四年二月己丑。

註四一　《明經世文編・徐光啓遼左阽危已甚疏》第六冊，第五三八一頁。

註四二　《滿洲實錄》第四卷，第二頁。

註四三　《滿文老檔・太祖》第四五卷，天命八年二月初十日。

註四四　《滿文老檔・太祖》第五〇卷，天命八年四月二十七日。

註四五　《滿文老檔・太祖》第五三卷，天命八年六月初五日。

註四六　李民寏：《建州聞見錄》第三三頁。

註四七　《光海君日記》第七卷，即位年八月辛未。

註四八　李民寏：《建州聞見錄》第三二頁。

註四九　《清太祖武皇帝實錄》第二卷，第十二頁。

註五〇　《滿洲實錄》第六卷，第十五頁。

註五一　《滿文老檔・太祖》第四五卷，天命八年二月十一日。

註五二　《滿文老檔・太祖》第二三卷，天命六年六月初七日。

註五三　《明清史料》甲編，第一本，第五〇頁。

註五四　李民寏：《建州聞見錄》第三二頁。

註五五　《滿文老檔・太祖》第二一卷，天命六年四月初七日。

註五六　《滿文老檔・太祖》第十五卷，天命五年六月。

註五七　《明熹宗實錄》第十三卷，天啓元年八月甲午。

註五八　《滿文老檔·太祖》第十七卷，天命五年十月二十八日。

註五九　《滿文老檔·太祖》第十八卷，天命六年閏二月二十七日。

註六〇　《滿文老檔·太祖》第五八卷，天命八年七月二十一日。

註六一　《滿文老檔·太祖》第二六卷，天命六年九月十三日。

註六二　《李朝宣祖實錄》三十四年二月己丑。

註六三　《滿文老檔·太祖》第二三卷，天命六年六月初七日。

註六四　《滿文老檔·太祖》第五卷，天命元年正月。

註六五　《明熹宗實錄》第六卷，天啓元年二月乙丑。

註六六　《光海君日記》第一三九卷，十一年四月乙卯。

註六七　黃道周：《博物典滙·四夷附奴酋》第二〇卷，第十八頁。

註六八　《清文獻通考》第十三卷《錢幣考一》。

註六九　王鐘翰：《清史雜考》中華書局，第十三頁。

註七〇　俞正燮：《癸巳存稿》第一〇卷：「嚴君可均所藏錢，天命錢有清文、有漢字，清文爲阿卜喀衣之汗，稽哈福寧阿。」

註七一　《滿文老檔·太祖》第六五卷，天命十年五月初二日。

註七二　《滿文老檔·太祖》第二三卷，天命六年六月初三日。

註七三　《滿文老檔·太祖》第二六卷，天命六年九月。

註七四 《滿文老檔·太祖》第二七卷，天命六年十月初六日。

註七五 《李朝世宗實錄》第九一卷，二十二年十月庚午朔。

註七六 《李朝世祖實錄》第四二卷，十三年四月癸卯。

註七七 《李朝成宗實錄》第一六六卷，十五年五月丁酉。

註七八 《李朝宣祖實錄》第七一卷，二十九年正月丁酉。

註七九 申忠一：《建州紀程圖記》，圖版十七。

註八〇 《遼籌》上册，第三頁。

註八一 《明史·食貨志一》第七册，第七七卷，第一八八四頁。

註八二 龍文彬：《明會要》中華書局，第四一卷，第九八八頁。

註八三 《李朝太宗實錄》第九卷，五年三月壬子。

註八四 《李朝宣祖實錄》第七一卷，二十九年正月丁酉。

註八五 申忠一：《建州紀程圖記》，圖版十五。

註八六 《清太祖朝老滿文原檔》第一册，第五一頁。

註八七 《滿文老檔·太祖》第四卷，乙卯年（萬曆四十三年）十一月。

註八八 馬克思：《資本論》，人民出版社，第三卷，第九二四頁。

註八九 李民寏：《建州聞見錄》第三三頁。

註九〇 魏煥：《皇明九邊考》第六卷《遼東鎮邊夷考》。

註九一　《李朝宣祖修正實錄》第四一卷，四十年二月甲午。

註九二　王先謙：《東華錄・天命一》第六頁。

註九三　何秋濤：《朔方備乘》第一卷，第七頁。

註九四　李民寏：《建州聞見錄》第三二頁。

註九五　《滿文老檔・太祖》第五卷，天命元年正月。

註九六　《清太宗日錄》清鈔本，不分卷。

註九七　《清太祖高皇帝實錄》第五卷，第十八頁。

註九八　李肯翊：《燃藜室記述》朝文本，第五輯，第二一卷，第六六二頁。

註九九　一日，約合六畝。

註一〇〇　《滿文老檔・太祖》第二四卷，天命六年七月十四日。

註一〇一　《滿文老檔・太祖》第二七卷，天命六年十月初一日。

註一〇二　《天聰朝臣工奏議》上卷，第七頁。

註一〇三　《滿文老檔・太祖》第六六卷，天命十年十月初三日。

註一〇四　李民寏：《建州聞見錄》第三一頁。

註一〇五　《列寧全集》人民出版社，第三卷，第一五八頁。

註一〇六　《天聰朝臣工奏議》上卷，第七頁。

註一〇七　《滿文老檔・太祖》第二八卷，天命六年十一月十八日。

第十一章　寧遠兵敗

一、遼東漢人反抗鬥爭

後金占領遼陽和廣寧之後，控制了漢人聚居的遼河東西廣大地域。女眞族正式成爲這裏的統治民族。擺在後金統治者面前的新課題是，對遼東漢人採取什麼政策，才能鞏固其統治。努爾哈赤曾爲反抗明朝統治者實行民族壓迫政策而起兵反明；在奪取遼東統治權以後，又對遼東漢人實行民族壓迫政策。民族壓迫政策是剝削制度的產物。各民族的統治階級都施行民族壓迫政策。因爲只要民族內部的階級對立不消除，民族對民族的壓迫就會存在。後金汗努爾哈赤自然不能例外。他爲著加強對遼東漢人的統治，一面諭令收養漢人、勿妄殺掠，一面又經常濫施淫威—舉措失當，制定了一些錯誤的政策。

第一，強令「剃髮」。漢族和女眞族既是中華民族大家庭中的成員，又在風俗習慣、語言文字、心理素質和服裝髮式等方面有所不同。努爾哈赤每攻占一個漢人聚居的地方，就下令「剃髮」。（註一）後金汗襲破撫順，李永芳剃髮投降。（註二）努爾哈赤以「剃髮」作爲漢人降順後金的標誌。但強令「剃髮」，改變漢人民族習俗，侮辱漢人民族尊嚴，引起漢族人民不滿。如鎭江漢人不「剃髮」、拒降順，努爾哈赤派武爾古岱額附、李永芳副將率兵前往鎮壓。他們先宣布「汗諭」，對拒絕「剃髮」投降的漢人進行威脅利誘；隨後驅騎揮刀，將拒不「剃髮」歸降的男人慘殺，並俘獲其妻子一千餘人。（註三）努爾哈赤命將這些俘獲人口，分賞給官兵爲奴。強迫漢人「剃髮」，引起激烈反抗。（註四）這一點，清太祖努爾哈赤却不如金太祖阿骨打。

努爾哈赤對遼東漢人不放心，令女眞人與漢人在村屯同住，糧食同吃，牲口草料同餵（註五），以加強對漢人的監視和控制。致使許多漢人田宅被強占，糧食被掠奪，人身受凌辱，妻女遭姦污，造成民族隔閡。他爲防範漢人，又下令禁止漢人製造、買賣、携帶和收藏弓箭、撒袋、腰刀等武器。（註六）他甚至連死心踏地降順後金的李永芳也不相信，懷疑李私通漢人。李永芳遭到後金汗的呵斥（註七）其諸子也被大貝勒代善捆綁看禁。（註八）先是一些遼東漢人爲掙脫明朝的黑暗統治，相率逃入建州；自後金施行民族壓迫政策，許多漢人寧肯自縊而死，也不願「剃髮」降順。據朝鮮史書記載：「開元城中最多節義之人，兵才及城，人爭縊死，屋無虛樑，木無空枝，至有一家全節，五、六歲兒亦有縊死者」。（註九）

第二，大量遷民。努爾哈赤爲對遼東漢民加強控制，防止叛逃，曾多次下令大量遷徙遼民。如一六二一年（天啓元年，天命六年）十一月十八日，努爾哈赤派阿敏貝勒帶兵五千，前往鎮江（註一〇），強令鎮江、寬奠、靉河、湯山、鎮東、鎮西、新城等地居民，在寒冬時節，携妻抱子遷往薩爾滸等地，並將孤山堡以南鳳凰地區房舍全部縱火燒毀。（註一一）又如翌年正月二十四日後金占領廣寧，二月初四日努爾哈赤即強迫廣寧等九衞居民渡過遼河，遷往遼東。錦州二衞的人口遷往遼陽，右屯衞遷往金州、復州，義州二衞遷往蓋州、威寧營，廣寧四衞遷往瀋陽、蒲河和奉集堡。(註一二)除這二次大規模地遷徙人口外，零星遷移，經常不斷。如一六二四年(天啓四年，天命九年)，命將遼西大黑山堡人民搬移至虎皮驛。(註一三)

被遷地區的漢人，頭一天得到遷移汗令，第二天就被驅趕上路。西起大凌河東迄鴨綠江，南自金州北至蒲河，河西居民遷往河東，城鎮居民移往村屯，扶老携幼，掃地出門，城郭空虛(註一四)，田地拋荒，哭聲震野，背井離鄉。稍有戀居者，即慘遭屠殺。僅大貝勒代善在義州一次就殺死三千人。(註一五)被驅趕的移民，男子受鞭苔，妻女遭凌辱，老弱填溝壑，童嬰棄路旁；白天忍飢趕路，寒夜露宿荒郊。他們被遷往陌生的村屯，無親無友，無房無糧。命大戶同大家合，小戶同小家合，「房合住，糧合吃，田合耕」。(註一六)這既擾亂了遼民的安定生活，又破壞了正常的社會秩序。被遷居的漢人，或爲「計丁授田」的民戶，或爲「按丁編莊」的壯丁。無論是前者或後者，都被降作後金的農奴。

遼民被遷之後，生活困苦不堪。遼西被迫遷移的漢人，如錦州城一萬三千七百八十四口，其中男六千一百五十人；右屯衞一萬七千七百二十八口，其中男九千零七十四人。共計三萬一千五百一十二口，其中男一萬五千二百二十四人。(註一七)他們後被強迫安插在岫岩、青苔峪和復州、金州等地。(註一八)以每丁給田六日計，上述男丁共應授田近十萬日。努爾哈赤沒有田地授與，命他們同當地居民合耕，這種政策的結果是，既剝奪了被遷徙遼民的田地，又掠占了當地居民的土地。實際上，大量遷居的漢人，耕無田，住無房，寒無衣，食無糧。他們「連年苦累不堪」（註一九）生活悲苦到了極點。

第三，清查糧食。後金本來糧食就不足，大量遷民後出現糧荒。努爾哈赤爲籌措糧食，除派夫役搬運繳獲明倉糧穀外，還派人清查遼民的糧食。他下令漢人要如實申報所有糧穀的數量，然後按人口定量。（註二〇）他不許漢人私賣糧食，要低價賣給汗的官衙。漢人缺糧食，向官倉購買，每升銀一兩。（註二一）糧食極爲短缺，如殺耀州喬姓，得糧十三石一升，分給駐居當地的蒙古男丁，每人只得半升。（註二二）遼民因缺糧食，餓死的人很多。（註二三）糧食不足始終是努爾哈赤最頭痛的問題之一。爲解決糧食問題，一六二四年（天啓四年，天命九年）正月，努爾哈赤再命普遍清查糧食。對漢人的糧食，逐村逐戶清查，全部進行登記，委派諸申看守。（註二四）規定：凡每口有糧五升，或每口雖有糧三、四升，但有牲畜的人，算作「有糧人」；每口有糧三、四升而並無牲畜的人，算作「無糧人」。努爾哈赤命將「無糧人」收爲阿哈。（註二五）不久，下令將各地查送的「無糧人」全部殺死。（註二六）屠殺「無糧人」可能是因爲沒有餘糧養活這批人，或借以警告隱匿餘糧不報的人。然而，不管出於什麼原因，這都是對社會生產力的破壞。

第四，徵發差役。後金向遼民徵發繁苛的差役，築城、修堡、煑鹽、刈穫、夫役、運輸，不一而足。以金、復、海、蓋四州爲例。後金占領遼東不久，蓋州出牛車運送貢賦鹽一萬斤到遼陽。（註二七）一六二二年（天啓二年，天命七年）春，金州、復州每十名男丁中，出二人修城。（註二八）又命金、復、海、蓋等州衛，派夫役、出牛車運糧。先是，明朝存糧在「右屯八十餘萬」（註二九）石。後金軍打敗王化貞，奪得右屯糧倉。努爾哈赤下令徵派牛一萬頭、車一萬輛，每十名男丁中出一人，前往右屯衛運糧。被徵的牛，命烙上印記，將牛的顏色、大小及牛主姓名塡寫交上備查。但許多牛或死於路，或被奪占，或以羸弱頂替肥壯，牛主既耽誤農作，又損失重大。一年後仍命要飼養公差牛一萬頭。（註三〇）徵發差役不僅礙誤春耕，也影響秋收。蓋州要在收成季節出男丁三千一百七十七人，牛一千零三十二頭，修築蓋州城。但工程未竣，又派這些男丁和牛車到復州去收割莊稼。（註三一）遼民的勞力、耕牛、車輛在春耕和秋收時被大量徵發，妨礙生產，引起不滿。

上舉努爾哈赤進入遼瀋地區後，強令「剃髮」、大量遷民、清查糧食、徵發差役等四例弊政，攪得遼民傾家蕩產，顛沛流離，衣食無著，憤不欲生。女眞各級額眞及軍卒雜居漢人村屯，又逞威福，占田宅，索糧穀，侮妻女。廣大遼東漢人不堪忍受女眞貴族的威逼、驅掠、焚刼、殺戮，紛紛起來通過各種形式，反抗後金汗努爾哈赤的殘暴統治。

首先是逃亡。遼民難以忍受後金貴族的盤剝和奴役，爲圖生存，成戶、成村、成地區地逃亡。如連山關漢民男四十人、女二十人，驅趕馬十八四、牛五頭、騾四頭和驢二頭，集體逃亡。（註三二）夾山河村二十戶居民，男女共八十人，僅耕田七日，無法生活，把餵養的豬、雞、狗宰殺後放在筐子裏，密議逃亡，但被告密捕捉定罪。（註三三）紅草島附近五村漢人，用秫稭桿編成筏子渡河逃亡。（註三四）李永芳哀嘆道：沿海一帶漢民想殺女眞人，逃往明朝。（註三五）據《滿文老檔》記載，有的遼民誘請後金駐守臺堡官兵到家裏飲酒，或酖殺，或乘其醺醉殺死，然後棄家逃亡。（註三六）到一六二五年（天啓五年，天命十年），因鬧糧荒，社會秩序混亂，逃亡的人更多。努爾哈赤命在城門設鑼，逃人出城要敲鑼傳報（註三七），以派兵追捕。儘管如此，「逃去之人，絡繹接踵」。（註三八）

其次是投毒。投放毒藥暗殺後金統治者，是比逃亡更爲積極的反抗鬥爭形式。後金占領遼陽剛兩個月，就發現漢人向努爾哈赤駐城的各井投下毒藥。（註三九）不久，在水、鹽和豬肉裏都發現有毒藥。努爾哈赤指令諸申和兵士，不吃當天殺豬的肉，飲食和食鹽要警惕中毒，甚至對蔬菜和雞鴨也要注意，並命將文書下達至村領催。（註四〇）爲避免中毒，命店主將姓名刻在石、木上，立在店前；購買食物的諸申，需記住店主的姓名，以便中毒後追查。（註四一）投毒的鬥爭遍及各地，努爾哈赤諭示諸貝勒：各處都給諸申投毒。（註四二）甚至努爾哈赤到海州巡視，在衙門宴會時，有八名漢人向井中投放毒藥（註四三），可能是設計毒害後金汗努爾哈赤的。但他們在投毒時被八旗兵士捉獲，慘遭殺害。

再次是襲殺。襲擊和殺傷後金官兵，比投毒更直接地打擊了女眞軍事貴族。在古河、馬家寨、鎭江、長山島、雙山、岫岩、平頂上等地的漢民，手執棍棒，聚衆抵抗，襲擊後金兵士，殺死後金官吏。努爾哈赤在文書中稱：

> 古河的人，殺我派去的官員而叛。馬家寨的人，殺我派去的官員而叛。鎭江的人，逮捕我任命的佟游擊，送與明國而叛。長山島的人，逮捕我派遣的官員，送往廣寧。雙山的人，約期帶來那邊的兵，殺了我的人。岫岩的人叛亡，被魏秀才告發。復州的人叛變，約期帶來明國的船。

平頂山的人，殺我四十人而叛。（註四四）

這份文書說明，遼民反抗後金統治的鬥爭此伏彼起，連綿不斷。爲防止後金官兵被個別地襲殺，努爾哈赤命令官兵不許單獨行動，必須十人結隊而行，否則要受到懲罰。（註四五）但這並不能阻遏遼民一浪高似一浪地反抗後金統治者的鬥爭。

復次是暴動。遼民的暴動給予後金統治者以最沉重的打擊。遼民暴動自後金軍占領遼陽始。後金軍奪占遼陽，派一將領坐在西門，見狀貌可疑的漢人，即點視軍卒加以殺戮。然而，遼民不能忍受這種殘酷暴行，勇敢者奮起反抗。《明史紀事本末》「補遺」記載：

有諸生父子六人，知必死，持刀突而出，斃其帥，諸子持梃共擊殺二十餘人。倉卒出不意，百姓乘亂走出，五六百人結隊南行，建州不之追。（註四六）

繼遼陽之後，反抗後金的暴動如火如荼。在托蘭山，百餘人舉行暴動（註四七）；在長山島，莽古爾泰率兵二千前往鎭壓（註四八）；在岫岩，暴動失敗後被擄者達六千七百人（註四九）；在鎭江，僅鎭壓後被俘虜者即達一萬二千人。（註五〇）

在遼河以東，復州城的抗暴鬥爭聲勢浩大。一六二三年（天啓三年，天命八年）六月，復州城民無法容忍後金剃髮、占房、查糧、差役等虐政，一萬餘男人擧城暴動。努爾哈赤派次子代善、第十子德格類等率兵二萬人前往，將復州城人民的暴動殘酷地鎭壓下去。復州城男子當中，除病弱者和兒童外，全部被殺（註五一），並將婦女和兒童擄走，分給各牛彔爲奴。復州城房舍駐兵，糧充軍食。

在遼河以西，除「遼民、難民入關至百餘萬」（註五二）和大量遷徙河東之外，所餘人民在大小凌河、錦州、義州和廣寧等地掀起反抗後金的暴動。其中以十三山軍民的反抗鬥爭最爲壯烈。數以萬計的遼民據十三山以自保，絕不「剃髮」降順。努爾哈赤派兵圍攻數次不克；李永芳再率軍仰攻，被「山頂飛石打下」。這些反抗者久被圍困，誓死不降後金，「有七百人黑夜潛偷下山至海邊，渡上覺華島。嬰孩都害死。問其何以害死，曰『恐兒啼賊來追趕也』！」（註五三）寧肯扼殺嬰兒，也不投降後金。這是努爾哈赤對遼民政策失敗的血淚見證。

努爾哈赤對遼民的錯誤政策，激起遼東的農民、礦工、生員、市民，從遼陽到金州，自廣寧至鎭江，在城鎭，在村屯，以逃亡、投毒、襲殺和暴動等形式，進行反對後金統治者的鬥爭。努爾哈赤的錯誤政策，正如後金諺云：「以自己拳，搗自己眼」。（註五四）這場鬥爭的主體是漢族勞動人民，也包括女眞的奴隸和農奴。遼東漢民反抗鬥爭的一個結果是，既削弱了後金的國力，又教育了寧遠的軍民——爲免遭八旗貴族鐵蹄的蹂躪，只有拼死抵禦後金軍的南犯。

二、袁崇煥營築寧遠城

廣寧兵潰報至明廷，京師戒嚴，擧朝洶洶。明以日講官孫承宗爲兵部尙書兼東閣大學士，預機務。孫承宗，字稚繩，高陽人。「貌奇偉，鬚髯戟張。與人言，聲殷牆壁」。（註五五）一六〇四年（

萬曆三十二年）成進士，授編修。天啓帝即位，以左庶子充任日講官。初，天啓帝每聽承宗講授，常言「心開」，故眷注殊殷。孫承宗早在爲縣學生時，嘗留意邊郡。後常向材官老兵詢問遼事形勢與險要阨塞，因此通曉邊事。至廣寧兵敗，廷臣知承宗知兵，屢疏諫，因命其主持遼東軍事。他上疏言：

> 邇年兵多不練，餉多不核。以將用兵，而以文官招練。以將臨陣，而以文官指揮。以武略備邊，而日增置文官於幕。以邊任經、撫，而日問戰守於朝。此極弊也。今天下當重將權。（註五六）

孫承宗從遼陽、廣寧失守中引出的一條覆車之鑑是，應當選邊將，重將權。東閣大學士、兵部尚書孫承宗遴選和器重既沉雄又有氣略的傑出將領就是袁崇煥。

袁崇煥，字元素，廣西藤縣（祖籍廣東東莞）人。（註五七）一六一九年（萬曆四十七年，天命四年）成進士，授邵武知縣。他爲人機敏，膽壯，善騎藝，喜談兵。「崇煥少好談兵，見人輒拜爲同盟，肝腸頗熱。爲閩中縣令，分校闈中，日呼一老兵習遼事者，與之談兵，絕不閱卷」。（註五八）一六二二年（天啓二年，天命七年）正月，袁崇煥大計在京。他單騎出閱塞外，巡歷關上形勢。（註五九）回京後言：「予我軍馬錢穀，我一人足守此」。（註六〇）時廣寧已失，廷臣惶懼，袁崇煥請一人守關的壯語，對收拾珍寶準備南逃的朝臣，是一劑安神良藥。同僚們贊嘆他的膽略。在失陷廣寧的第四天，御史侯恂題請破格擢用袁崇煥，疏言：

> 見在朝覲邵武縣知縣袁崇煥，英風偉略，不妨破格留用。（註六一）

明廷授袁崇煥爲兵部職方司主事，旋升爲山東按察司僉事山海監軍。（註六二）

受職後，袁崇煥上《擢僉事監軍奏方略疏》。他在奏疏中一掃文臣武將中普遍存在的悲觀、恐懼氣氛，力請練兵選將，整械造船，固守山海，遠圖恢復。他疏言：「不但鞏固山海，即已失之封疆，行將復之」。（註六三）袁崇煥赴任前，往見聽勘在京的熊廷弼。「廷弼問『操何策以往？』曰『主守而後戰。』廷弼躍然喜」。（註六四）爲圖先守後戰，恢復遼東方略，二人商酌竟日。袁崇煥辭別熊廷弼，策騎馳往山海關，偕視遼東經略商度戰守。

時兵部尙書王在晉代熊廷弼爲遼東經略。（註六五）王在晉在疏言中誇大困難：「各隘口邊牆未葺，器械未整，兵馬未足，錢糧未議，將官惰窳，軍士偸閒」。（註六六）他無遠略，謀用蒙古騎兵襲擊廣寧，計不成；又請在山海關外八里鋪築重關，以兵四萬人守禦。他在《題關門形勢疏》中言：

再築邊城，從芝麻灣起，或從八里鋪起者，約長三十餘里，北繞山，南至海，一片石統歸總括，角山及歡喜嶺悉入包羅。如此關門可恃爲捍蔽。第計費甚鉅，而民夫當用數萬人，夫國家爲萬年不拔計，何恤一、二百萬金，獨是數萬人夫！（註六七）

王在晉在山海關外八里築重城之議，是一個只圖苟安、無所作爲的消極防禦方略。從而受到袁崇煥等人的反對。

袁崇煥力主積極防禦，堅守關外，屛障關內，營築寧遠，以圖大舉。他雖深受王在晉倚重，題爲寧前兵備僉事，但以關外八里築重城爲非策，極力陳諫。王在晉不聽，袁崇煥兩次具揭於首輔葉向高。

葉向高不能臆決，孫承宗自請行邊。六月，孫承宗抵山海關，力駁王在晉築重城議：「今不爲恢復計，劃關而守，將盡撤藩籬，日哄堂奥，畿東其有寧宇乎」？（註六八）孫承宗支持了袁崇煥等人的意見，並同王在晉「推心告語，凡七晝夜，而在晉終縮朒不應」。（註六九）孫承宗還朝後借講筵時機，面奏王在晉不足用，尋改調爲南京兵部尚書。

同年八月，王在晉既去，孫承宗自請督師，獲允。天啓帝賜尚方劍；孫啓行時，閣臣送出崇文門外。孫承宗抵關，重用袁崇煥，整飭邊備。先是，孫承宗駁關外八里築重城議，召集將吏謀禦守，閻鳴泰主守覺華島，袁崇煥主守寧遠城，王在晉等力持不可，但孫承宗極力支持袁崇煥的意見。孫承宗在《又啓葉首揆》書中言：「門生苦令撫官初移之中前爲四十里，再移之前屯爲七十里，又再移至中後爲百里，又再移之寧遠爲二百里」。（註七〇）這反映了孫承宗、袁崇煥相機進取、徐圖恢復的大計。

一六二三年（天啓三年，天命八年）春，袁崇煥受孫承宗命往撫蒙古喀喇沁。先是，明失廣寧後，寧遠以西五城七十二堡盡爲喀喇沁諸部占據。明軍前哨不出關外八里鋪。袁崇煥親撫喀喇沁諸部，收復自八里鋪至寧遠二百里；又拊循軍民，整治邊備，成績卓著。秋，孫承宗從袁崇煥議，排除巡撫張鳳翼、僉事萬有孚等力阻，決計戍守寧遠。命祖大壽興工營築，袁崇煥與滿桂駐守。但祖大壽臆度朝廷不能遠守，便草率從事，工程疏薄，僅築十分之一。袁崇煥手訂規制，親自督責，軍民合力，營築寧遠：

崇煥乃定規制：高三丈二尺，雉高六尺，址廣三丈，上二丈四尺。大壽與參將高見、賀謙分督之。明年迄工，遂爲關外重鎭。桂，良將，而崇煥勤職，誓與城存亡；又善撫，將士樂爲盡力。由是商旅輻輳，流移駢集，遠近望爲樂土。（註七一）

經過袁崇煥親率軍民經營，因地以屯種，因煤以鑄錢，因海以煑鹽，因舟以貿貨，使一度荒涼凋敝的寧遠，變爲明朝抵禦後金南犯的關外重鎭。

在「以遼人守遼土，以遼土養遼人」（註七二）的戰略思想下，一六二四年（天啓四年，天命九年）九月，孫承宗派總兵馬世龍「偕巡撫喻安性及袁崇煥東巡廣寧」（註七三），歷十三山，經右屯，又由水路抵三岔河，以都司楊朝文探蓋州。袁崇煥等東巡三州兩河，相度形勢，察訪虛實，訓練士卒，增長膽氣，實爲熊廷弼雪夜巡邊後的又一壯舉。自孫承宗督師以來，定軍制，建營壘，備火器，治軍儲，繕甲伙，築炮臺，買馬匹，採木石，練騎卒，汰逃將，「層層布置，節節安排，邊亭有相望之旌旗，島嶼有相連之舸艦，分合俱備，水陸兼施」（註七四）遼東形勢爲之一變。到一六二五年（天啓五年，天命十年），孫承宗與袁崇煥議，遣將率卒分據錦州、松山、杏山、右屯及大、小凌河，繕城廓，駐軍隊，進圖恢復大計。但是，孫承宗罷去，閹黨分子兵部尚書高第代爲經略，遼東形勢急劇逆轉。

明朝統治集團內部的黨爭，直接牽繫著遼東的軍事形勢。魏忠賢自竊奪權柄之後，貶斥東林，控制閣部，提督東廠，廣布特務，恣意拷掠，刀鋸忠良，禍及封疆，敗壞遼事。客魏擅權，內結官闈以自固，外納朝臣以淫威。他們恐妃嬪申白其罪孽，矯旨賜泰昌帝選侍趙氏自盡，浸假幽裕妃張氏別宮，設計墮皇后張氏胎，又殺馮嬪，禁成妃，將天啓帝妃嬪女侍盡爲控制，以擅權柄，害東林。他們爲使

「內外大權，一歸忠賢」（註七五），安插率先附己的顧秉謙和張廣微等入閣，又將東林黨的閣臣、六部尚書和卿貳以及秉憲、科道次第罷黜。一六二四年（天啓四年，天命九年）六月，正當孫承宗、袁崇煥營築寧遠、日復遼土的時候，副都御史楊漣劾魏忠賢罪疏奏上。閹黨凶焰更囂，中官聚圍首輔葉向高府第，後逐吏部尚書趙南星等。東林黨首輔葉向高、次輔韓爌等先後罷去，閹黨顧秉謙、張廣微柄政。魏忠賢奪取內外大權。

魏忠賢專權後，因孫承宗功高望重，欲使其附己，令應坤等申明意圖，孫承宗剛直不阿，魏忠賢由此銜恨。孫承宗嫉惡如仇。楊漣疏劾魏忠賢二十四大罪，孫承宗詩贊其「大心楊副憲，抗志萬言書」。（註七六）御史李應昇奏疏抨彈閹豎，魏忠賢恚其與孫承宗同黨。（註七七）十一月，魏忠賢盡逐左副都御史楊漣、吏部尚書趙南星、左都御史高攀龍、僉都御史左光斗等，孫承宗正西巡薊、昌，想抗疏閹黨，請以「賀聖壽」入朝，面奏機宜，疏論魏忠賢罪端。張廣微得報，奔告魏忠賢：「樞輔擁關兵數萬清君側，兵部侍郎李邦華爲內應，公等爲虀粉矣」！（註七八）魏忠賢惶懼，繞御床哭。天啓帝爲之心動，命內閣擬旨。次輔顧秉謙奮筆曰：「無旨離信地，非祖宗法，違者不宥」。（註七九）午夜，開大明門，召兵部尚書入，命以三道飛騎阻止孫承宗入覲。又矯旨命守九門宦官：「承宗若至齊化門，反接以入」！（註八〇）孫承宗抵通州後，聞命而返。孫承宗在《高陽集》中記載請入覲不果時言：「要人欲并殺予，曰楊、左輩將以某清君側」。（註八一）

孫承宗返回之後，一六二五年（天啓五年，天命十年）五月，高第爲兵部尚書，閹黨控制樞部。

七月，魏忠賢誣殺楊漣、左光斗等於獄。時東林「累累相連，駢首就誅」。（註八二）正值魏忠賢要藉機削奪孫承宗兵權時，八月（註八三）發生馬世龍柳河之敗。山海總兵官馬世龍誤信降人劉伯漒言，派前鋒副將魯之甲、參將李承先率師（註八四），自娘娘宮渡河，夜襲耀州，敗歿於柳河，死士四百餘人，棄甲六百餘副。（註八五）柳河兵敗報聞，「朝議沸騰」。（註八六）詔附閹黨的臺、省官員章疏數十上，抨劾馬世龍，並及孫承宗。十月，孫承宗罷去，以兵部尚書高第代為經略。

後金汗努爾哈赤知明經略易人，便準備率軍西渡遼河，進攻寧遠。

三、寧遠之敗

高第以兵部尚書經略薊、遼，駐山海關。樞臣經略高第進士出身（註八七），素不知兵，以詔附閹黨得受封疆重任。高第曾力扼孫承宗守關外以捍關內、先固守以圖恢復的積極防禦方略，及抵關之後，藉柳河兵敗為由，下檄山海總兵馬世龍，令棄關外城堡，盡撤關外戍兵。高第完全採取不謀進取、只圖守關的消極防禦策略。

先是，孫承宗和袁崇煥等督率軍民，在關外辛勤經營四年，繕城修堡，備炮製械，設營練兵，拓地開屯，勞績十分顯著。《明史·孫承宗傳》載：

承宗在關四年，前後修復大城九、堡四十五，練兵十一萬，立車營十二、水營五、火營二、前鋒後勁營八，造甲冑、器械、弓矢、炮石、渠答、櫓楯之具合數百萬，拓地四百里，開屯五千

頃，歲入十五萬。（註八八）

至是，高第同孫承宗相左，色厲內荏，畏敵如虎，折辱將士，撤防棄地。他命盡撤錦州、右屯、大凌河、寧前諸城守軍，將器械、槍炮、糧秣、彈藥移至關內，放棄關外四百里。錦州、右屯、大凌河三城，爲遼東明軍的前鋒要塞，如倉惶撤防，使已興工修築的城堡毀棄，布置戍守的兵卒後退，安頓墾耕的遼民重遷，復二百里的封疆丟失。袁崇煥力爭兵不可撤，城不可棄，民不可移，田不可荒。他具揭言：

兵法有進無退。錦、右一帶，既安設兵將，藏卸糧料，部署廳官，安有不守而撤之〔理〕？萬萬無是理。脫一動移，示敵以弱，非但東奴，即西虜亦輕中國。前柳河之失，皆緣若輩貪功，自爲送死。乃因此而撤城堡，動居民，錦、右搖動，寧、前震驚，關門失障，非本道之所敢任者矣。（註八九）

經略高第憑藉御「賜尚方劍、坐蟒、玉帶」（註九〇）的勢炎，不但執意要撤錦州、右屯、大凌河三城，而且傳檄撤防寧、前，寧前道袁崇煥身臥寧遠，斬釘截鐵地表示：

寧前道當與寧、前爲存亡！如撤寧、前兵，寧前道必不入，獨臥孤城以當虜耳！（註九一）

高第無可奈何，只撤錦州、右屯、大凌河及松山、杏山、塔山守具，盡驅屯兵、屯兵入關，拋棄糧穀十餘萬石。這次不戰而退，鬧得軍心不振，民怨沸騰，死亡塞路，哭聲震野。

寧前道袁崇煥既得不到兵部尚書、薊遼經略高第的支持，又失去其座師大學士韓爌和師長大學士孫承宗的奧援，在關外城堡撤防、兵民入關的極爲不利情勢下，率領一萬餘名官兵孤守寧遠，以抵禦後金軍的進犯。

後金汗努爾哈赤在占領廣寧後的四年間，雖派兵奪取旅順，但未曾大舉進攻明朝。這固然因後金汗忙於鞏固其對遼瀋地區的統治，整頓內部，移民運糧，訓練軍隊，發展生產，施行社會改革，鎮壓漢民反抗。同時，更由於孫承宗、袁崇煥等邊防工作井然有序，無懈可擊。因此，努爾哈赤蟄伏不動，等待時機。善於待機而動的努爾哈赤，曾值熊廷弼下臺之機，奪占遼、瀋；這次又得到孫承宗罷去，高第庸懦，寧遠孤守的哨報，決定師指寧遠城，進攻袁崇煥。

一六二六年（天啓六年，天命十一年）正月，初十日，努爾哈赤「從十方寺出邊，前至廣寧臨近地方打圍。十二日，回到瀋陽，當即吩咐各牛彔並降將，每官預備牛車三十輛、扒犂三十張，每韃子要叭喇三雙，韃婦也要各備炒米三斗」。（註九二）十四日，後金汗努爾哈赤親率諸王大臣，統領六萬大軍，號稱二十萬（註九三），往攻寧遠。十六日，至東昌堡。十七日，西渡遼河。八旗軍布滿遼河平原，清官書稱其前後絡繹，首尾莫測，旌旗如潮，劍戟似林。八旗勁旅像狂飇一樣，凶猛地撲向寧遠。

明經略高第和總兵楊麒，聞警喪膽，計無所出，龜縮山海，擁兵不救。如道臣劉詔等要統兵二千出關應援，高第令已發兵的兵馬撤回；李卑援兵蜷縮在中後，李平胡的援兵不滿七百人，又退至中前。（註九四）所以，「關門援兵，並無一至」。（註九五）袁崇煥既後無援軍，又前臨強敵：八旗軍連陷右屯、大凌河、小凌河、松山、杏山、塔山、連山等七座城鎮。寧遠形勢愈加對努爾哈赤有利。

袁崇煥駐守孤城寧遠，城中士卒不滿二萬人。但城中兵民，誓與城共存亡。尤以「自虜中拔歸者，俱憤怨，可一當百」。（註九六）他召集諸將議戰守：參將祖大壽力主未可與爭鋒，塞門奮死守；諸將皆贊同祖大壽之議。寧前道袁崇煥面臨強敵，後無援師，臨危不懼，指揮若定。他採納諸將的議請，作了如下守城準備：

第一，激勵士氣，劃地分守：偕總兵滿桂，副將左輔、朱梅，參將祖大壽，守備何可綱，通判金啓倧等集將士誓死守禦寧遠。他「刺血爲書，激以忠義，爲之下拜，將士咸請效死」。（註九七）又派滿桂守東面，左輔守西面，祖大壽守南面，朱梅守北面；滿桂提督全城，分將劃守，相互援應。

第二，布設火炮，整肅軍紀：從王喇嘛議，撤西洋大炮十一門入城，製作炮車，挽設城上，備置彈藥，由孫元化、彭簪古、羅立等教習燃放。先是，茅元儀「親叩夷，得其法」，學會使用洋炮，炮「平發十五里」。（註九八）遂用茅元儀議，在城上設置洋炮。實施「以臺護銃，以銃護城，以城護民」（註九九）的措置。又派官員巡視全城，命對亂自行動和城上兵下城者即殺。

第三，堅壁清野，嚴防奸細：令盡焚城外房舍、積芻，轉移城廂商民入城。又以同知程維英率員稽查奸細，派諸生巡守街巷路口，所以「寧遠獨無奪門之叛民，內應之奸細」。（註一〇〇）

第四，兵民聯防，送食運彈：令通判金啓倧按城四隅，編派民夫，供給守城將士飲食。又派衞官裴國珍帶領城內商民鳩辦物料，運矢石，送火藥等。

袁崇煥在加緊進行寧遠的防禦，努爾哈赤在驅騎馳向寧遠。

努爾哈赤率八旗軍西渡遼河之後，「如入無人之境」（註一〇一），長驅直前，指向四虛無援的孤城寧遠。（註一〇二）二十二日，袁崇煥守城部署甫定，翌日，八旗軍穿過首山與螺峰之間形如關門之隘口，兵薄寧遠城郊。努爾哈赤與袁崇煥展開了明朝與後金關係史上著名的寧遠之役。

二十三日。八旗軍進抵寧遠後，努爾哈赤命離城五里，橫截山海大路，安營布陣。並在城北紮設大營。努爾哈赤在發起攻城之前，釋放被擄漢人回寧遠城，傳汗旨，勸投降；但遭到袁崇煥的嚴辭拒絕。《清太祖武皇帝實錄》載：

放捉獲漢人，入寧遠往告：「吾以二十萬兵攻此城，破之必矣！爾衆官若降，即封以高爵。」寧遠道袁崇煥答曰：「汗何故遽加兵耶？寧、錦二城，乃汗所棄之地，吾恢復之，義當死守，豈有降理！乃謂來兵二十萬，虛也，吾已知六萬，豈其以爾爲寡乎」！（註一〇三）

袁崇煥拒絕努爾哈赤誘降之後，命家人羅立等向城北後金軍大營，燃放西洋大炮，「遂一炮殲虜數百」。（註一〇四）旋移大營而西。努爾哈赤見袁崇煥既拒不投降，又炮擊大營，遂命準備戰具，明日攻城。

二十四日。後金兵推楯車，運鈎梯，步騎蜂擁進攻，萬矢齊射城上。城堞箭鏃如雨注，懸牌似猬皮。後金軍集中攻打城西南角，左輔領兵堅守，祖大壽率軍應援，兩軍用矢石、鐵銃和西洋大炮下擊。後金兵死傷累累，又移攻南面。努爾哈赤命在城門角兩臺間火力薄弱處鑿城。守城軍「則門角兩臺，攢對橫擊」。（註一〇五）

後金兵頂炮火，冒嚴寒，用斧鑿城。明軍發矢鏃，擲礌石，飛火球，投藥罐；後金兵前仆後繼，冒死不退，前鋒挖鑿凍土城，鑿開高二丈餘的大洞三、四處，寧遠城受到嚴重威脅。袁崇煥在嚴重危機關頭，身先士卒，不幸負傷，「自裂戰袍，裹左傷處，戰益力；將卒愧，厲奮爭先，相翼蔽城」。（註一〇六）袁崇煥「縛柴澆油，並攙火藥，用鐵繩繫下燒之」（註一〇七）；又選五十名健丁縋下，用棉花火藥等物燒殺挖城的後金兵。據明方疏報載：

賊遂鑿城高二丈餘者三、四處，於是火毬、火把爭亂發下，更以鐵索垂火燒之，牌始焚，穴城之人始斃，賊稍却。而金通判手放大炮，竟以此殞。城下賊屍堆積。（註一〇八）

是日，後金軍攻城，自清晨至深夜，屍積城下，幾乎陷城。

二十五日。後金兵再傾力攻城。城上施放炮火，「炮過處，打死北騎無算」。（註一〇九）後金兵懼怕利炮，畏葸不前，「其酋長持刀驅兵，僅至城下而返」。（註一一〇）後金兵士一面搶走城下屍體，運至城西門外磚窰焚化；一面繼續攻城。但「又不能克，乃收兵。二日攻城，共折游擊二員，備御二員，兵五百」。（註一一一）

二十六日，後金兵繼續圍城，並命武訥格率軍履冰渡海，攻覺華島，殺明兵將，盡焚營房、民舍、船隻、糧草。二十七日，後金軍全部回師。

寧遠之役，後金某重要人物爲明炮彈擊傷。各書記載略異，現徵引如下：

明薊遼經略高第奏報：

奴賊攻寧遠，炮斃一大頭目，用紅布包裹，衆賊擡去，放聲大哭。分兵一枝，攻覺華島，焚掠

糧貨。（註一一二）

張岱在《石匱書後集》中記：

炮過處，打死北騎無算，並及黃龍幕，傷一裨王。北騎謂出兵不利，以皮革裹屍，號哭奔去。（註一一三）

朝鮮李星齡在《春坡堂日月錄》（註一一四）中記載寧遠之役較詳，玆抄錄於下：

我國譯官韓瑗，隨使命入朝。適見崇煥，崇煥悅之，請借於使臣，帶入其鎮，瑗目見其戰。軍事節制，雖不可知，而軍中甚靜，崇煥與數三幕僚，相與閒談而已。及賊報至，崇煥轎到敵樓，又與瑗等論古談文，略無憂色。俄頃放一炮，聲動天地，瑗怕不能擧頭。崇煥笑曰：「賊至矣！」乃開窗，俯見賊兵滿野而進，城中了無人聲。是夜賊入外城，蓋崇煥預空外城，以爲誘入之地矣。賊因幷力〔攻〕城，又放大炮，城上一時擧火，明燭天地，矢石俱下。戰方酣，自城中每於堞間，推出木櫃子，甚大且長，半在堞內，半出城外，櫃中實伏甲士，立於櫃上，俯下矢石。如是層〔屢〕次，自城上投枯草油物及棉花，堞堞無數。須臾，地炮大發，自城外遍內外，土石俱揚，火光中見胡人，俱人馬騰空，亂墮者無數，賊大挫而退。翌朝，見賊擁聚於大野一邊，狀若一葉，崇煥即送一使，備物謝曰：「老將橫行天下久矣，今日見敗於小子，豈其數耶！」奴兒哈赤先已重傷，及是俱禮物及名馬回謝，請借再戰之期，因懣恚而斃云。（註一一五）

明朝與後金的寧遠之戰，以明朝的勝利和後金的失敗而結束。明朝由「寧遠被圍，擧國洶洶」（

註一一六），到聞報寧遠捷音，京師空巷相慶。寧遠之捷是明朝從撫順失陷以來的第一個勝仗，也是自「遼左發難，各城望風奔潰，八年來賊始一挫」（註一一七）的一仗。與明相反，努爾哈赤原議師略寧遠城，奪取山海關，不料敗在袁崇煥手下。時袁崇煥四十二歲，初歷戰陣；努爾哈赤已六十八歲，久戎沙場。努爾哈赤在寧遠遭到用兵四十餘年來最嚴重的慘敗。對於軍事統帥，最大的痛苦莫過於指揮失敗。《清太祖武皇帝實錄》記載努爾哈赤寧遠之敗時說：

帝自二十五歲征伐以來，戰無不勝，攻無不克，唯寧遠一城不下，遂大懷忿恨而回。（註一一八）

後金汗努爾哈赤之所以在寧遠受挫，其原因是諸多方面而又錯綜複雜的。在政治上，後金進攻寧遠的戰爭，已由統一女眞各部、反抗民族壓迫的正義戰爭，變成爲掠奪土地人民、爭奪統治權力的不義戰爭，因而遭到遼東漢民的強烈反對。尤其是努爾哈赤對遼瀋地區漢民的錯誤政策，引起後金與明朝轄區兩方遼民的不滿和恐懼，從而促使寧遠軍民拼死抵禦後金軍的進犯。所以，人心向背是袁崇煥獲勝與努爾哈赤失敗的一個基本因素。在軍事上，三年之間，後金兵沒有作戰，額眞怠惰，兵無鬬志，器械不利（註一一九）；袁崇煥却在積極備戰，修築堅城，整械備炮，訓練士馬。努爾哈赤打了一場兵家最忌的無準備之仗。在策略上，以往後金向明進行攻堅戰，在堅城深塹之前，炮火矢石之下，多以誘敵出城、殲其主力，或以智取力攻、裏應外合取勝。這次袁崇煥堅壁清野，嬰城固守，「無奪門之叛民，內應之奸細」。（註一二〇）努爾哈赤以勞赴逸，以主爲客，以箭制炮，以短擊長，終至敗北。在武器上，明軍已使用新式武器紅夷大炮，而八旗兵照舊襲用刀戈弓矢。後金兵的進攻，被袁崇煥憑堅城、用洋炮所擊敗。袁崇煥說：「虜利野戰，惟有憑堅城以用大炮一著」。（註一二一）在思想上，後金軍居於優勢，努爾哈赤思想僵化，驕傲輕敵；明軍處於劣勢，袁崇煥群策群力，小心謹慎。後金劉學成在奏陳中分析道：「汗自取廣寧以來，馬步之兵，三年未戰，主將怠惰，軍無戰心，車梯朽壞，器械不利。汗視取寧遠甚易，故天使汗勞苦」。（註一二二）努爾哈赤犯了驕帥必敗的錯誤。在指揮上，後金汗在寧遠的對手已然不是紙上談兵的經略袁應泰，也不是浪言求寵的巡撫王化貞，而是傑出的將領袁崇煥。袁崇煥在寧遠之役中，嬰城固守，憑城用炮，調度得體，指揮有方，確勝過老謀深算的努爾哈赤一籌。

當然，上述諸因素中任何孤立的一項，可能不是後金寧遠之敗的必然因素。後金汗努爾哈赤的悲劇，在於他對上述條件的整合及其變化，尤其是對明軍的指揮與武器這兩個重要因素的變化，沒有起碼的認識，結果以己之短擊彼之長，鑄下了歷史性錯誤。

但是，歷史往往向著人們主觀願望相反的方向發展。袁崇煥在寧遠打敗努爾哈赤的奇勛，反成了他後來身死家破的一個機緣。他說：「凡勇猛圖敵，敵必仇；振刷立功，衆必忌。況任勞之必任怨，蒙罪始可有功。怨不深，勞不厚；罪不大，功不成。謗書盈篋，毀言日至，從來如此。」（註一二三）袁崇煥後遭敵仇衆忌，因後金反間，閹黨誣陷，明帝昏庸，而被含寃磔死。

努爾哈赤在寧遠兵敗之後回到瀋陽。他的統治權力從費阿拉逐漸地移到瀋陽，其間經歷著關於汗位及汗位繼承的激烈鬥爭。

【附註】

註　一　《滿文老檔·太祖》第二〇卷，天命六年四月初一日。
註　二　于燕芳：《剿奴議撮》第一頁：「撫順被虜軍丁八百餘人，又盡髡髮為夷」。
註　三　《滿文老檔·太祖》第二二卷，天命六年五月二十五日。
註　四　後清軍入關，多爾袞仍不汲取這一歷史教訓，以至出現「留頭不留髮，留髮不留頭」的口碑，釀成「揚州十日」、「嘉定三屠」的悲劇。
註　五　《滿文老檔·太祖》第二九卷，天命六年十一月二十二日。
註　六　《滿文老檔·太祖》第四八卷，天命八年四月初六日；第四九卷，天命八年四月十三日。
註　七　《滿文老檔·太祖》第五一卷，天命八年五月初七日。
註　八　《滿文老檔·太祖》第五二卷，天命八年五月二十三日。
註　九　《光海君日記》第一六九卷，十三年九月戊申。
註一〇　《滿文老檔·太祖》第二八卷，天命六年十一月十八日。
註一一　《滿文老檔·太祖》第二九卷，天命六年十一月二十一日。
註一二　《滿文老檔·太祖》第三五卷，天命七年二月初四日。
註一三　《滿文老檔·太祖》第六〇卷，天命九年正月初一日。
註一四　《滿文老檔·太祖》第七二卷，天命十一年八月初四日。
註一五　《滿文老檔·太祖》第三四卷，天命七年二月初三日。

註一六　《滿文老檔・太祖》第三八卷，天命七年三月初四日。

註一七　《滿文老檔・太祖》第三五卷，天命七年二月初五日和初六日。

註一八　《滿文老檔・太祖》第三七卷，天命七年二月二十七日。

註一九　《明清史料》甲編，第八册，第七六五頁。

註二〇　《滿文老檔・太祖》第三〇卷，天命六年十二月初一日。

註二一　《滿文老檔・太祖》第五九卷，天命八年九月初七日。

註二二　《滿文老檔・太祖》第五四卷，天命八年六月十四日。

註二三　《滿文老檔・太祖》第五四卷，天命八年六月十一日。

註二四　《滿文老檔・太祖》第六〇卷，天命九年正月初五日。

註二五　《滿文老檔・太祖》第六一卷，天命九年正月二十一日。

註二六　《滿文老檔・太祖》第六一卷，天命九年正月二十七日。

註二七　《滿文老檔・太祖》第二六卷，天命六年九月十三日。

註二八　《滿文老檔・太祖》第三九卷，天命七年三月十二日。

註二九　《明熹宗實錄》第十九卷，天啓二年二月乙酉。

註三〇　《滿文老檔・太祖》第四六卷，天命八年二月二十六日。

註三一　《滿文老檔・太祖》第五八卷，天命八年七月二十二日。

註三二　《滿文老檔・太祖》第六〇卷，天命九年正月初九日。

註三三　《滿文老檔・太祖》第五二卷，天命八年五月二十日。
註三四　《滿文老檔・太祖》第五五卷，天命八年六月二十三日。
註三五　《滿文老檔・太祖》第四九卷，天命八年四月十二日。
註三六　《滿文老檔・太祖》第四九卷，天命八年四月二十三日。
註三七　《滿文老檔・太祖》第六五卷，天命十年五月初三日。
註三八　《明清史料》甲編，第一本，第五〇頁。
註三九　《滿文老檔・太祖》第二二卷，天命六年五月二十六日。
註四〇　《滿文老檔・太祖》第二三卷，天命六年六月初七日。
註四一　《滿文老檔・太祖》第四二卷，天命七年六月十五日。
註四二　《滿文老檔・太祖》第五二卷，天命八年五月二十四日。
註四三　《滿文老檔・太祖》第二二卷，天命六年五月二十八日。
註四四　《滿文老檔・太祖》第六六卷，天命十年十月初三日。
註四五　《滿文老檔・太祖》第三九卷，天命七年三月十一日。
註四六　《明史紀事本末》第四冊，第一四二八頁。
註四七　《滿文老檔・太祖》第四九卷，天命八年四月二十四日。
註四八　《滿文老檔・太祖》第二五卷，天命六年八月十四日。
註四九　《滿文老檔・太祖》第五七卷，天命八年七月初七日。

註五〇 《滿文老檔·太祖》第二四卷，天命六年七月二十七日。
註五一 《滿文老檔·太祖》第五六卷，天命八年六月二十六日。
註五二 《明熹宗實錄》第二〇卷，天啓二年三月壬戌。
註五三 王在晉：《三朝遼事實錄》第十卷，第七頁。
註五四 《明清史料》甲編，第一本，第五〇頁。
註五五 《明史·孫承宗傳》第二一册，第二五〇卷，第六四六五頁。
註五六 《明史·孫承宗傳》第二一册，第二五〇卷，第六四六六頁。
註五七 袁崇煥籍貫有廣東東莞、廣西藤縣和平南縣三說，見拙文《袁崇煥籍貫考》載《歷史研究》一九八二年第一期。
註五八 夏允彝：《幸存錄·遼事雜誌》，《明季稗史初編》第十四卷，第三頁。
註五九 《新明史列傳·袁崇煥》鈔本。
註六〇 《明史·袁崇煥傳》第二二册，第二五九卷，第六七〇七頁。
註六一 《明熹宗實錄》第十八卷，天啓二年正月甲子。
註六二 《明熹宗實錄》第十九卷，天啓二年二月甲午。
註六三 《袁崇煥先生遺稿》第十九頁。
註六四 張伯楨：《明薊遼督師袁崇煥傳》，載《正風》半月刋，第七期。
註六五 《明史·王洽傳附王在晉傳》第二二册，第二五七卷，第六六二六頁。
註六六 《明熹宗實錄》第二一卷，天啓二年四月庚辰。

註六七　王在晉：《三朝遼事實錄》第九卷，第十一頁。

註六八　《明史．孫承宗傳》第二一冊，第二五〇卷，第六四六七頁。

註六九　《孫文正公年譜》第二卷，第十六頁。

註七〇　孫承宗：《高陽集》第十九卷，第二二頁。

註七一　《明史．袁崇煥傳》第二二冊，第二五九卷，第六七〇八頁。

註七二　孫承宗：《高陽集》第十九卷，第二一頁。

註七三　《明史．馬世龍傳》第二三冊，第二七〇卷，第六九三三頁。

註七四　茅元儀：《督師紀略》第六卷，第一頁。

註七五　《明史．魏忠賢傳》第二六冊，第三〇五卷，第七八二一頁。

註七六　孫承宗：《高陽集》第三卷，第十六頁。

註七七　孫承宗：《高陽集》第三卷，第十八頁。

註七八　《孫文正公年譜》第三卷，第十四頁。

註七九　夏燮：《明通鑑》第七九卷，天啓四年十一月。

註八〇　《明史．孫承宗傳》第二一冊，第二五〇卷，第六四七二頁。

註八一　孫承宗：《高陽集》第三卷，第十六頁。

註八二　佚名：《東林紀事本末論》第二頁。

註八三　柳河之役，《明史．孫承宗傳》、《明史．馬世龍傳》記於九月，《明通鑑》係於九月壬子（初七日）；但《清太祖武皇帝實錄》、《滿洲實錄》、《清太祖高皇帝實錄》和蔣良騏《東華錄》均記於八月，《三朝遼事實錄》記爲八月二十八日，《督師紀略》記爲九月二十八日。

註八四　《明史·馬世龍傳》第二三册，第二七〇卷，第六九三四頁。

註八五　《滿文老檔·太祖》第六五卷，天命十年八月。

註八六　蔡鼎：《孫高陽前後督師略跋》。

註八七　《明史·王洽傳附高第傳》第二二册，第二五七卷，第六六二六頁。

註八八　《明史·孫承宗傳》第二一册，第二五〇卷，第六四七二至六四七三頁。

註八九　王在晉：《三朝遼事實錄》第十五卷，第十一頁。

註九〇　《明熹宗實錄》第六四卷，天啓五年十月甲申。

註九一　周文郁：《邊事小紀》第一卷，第十九頁。

註九二　《東江疏揭塘報節抄》第四卷，第六五頁。

註九三　後金軍的兵數，《明熹宗實錄》第六七卷、天啓六年二月甲戌朔，兵部尚書王永光據山海關主事陳祖苞塘報奏稱：「虜衆五六萬人，力攻寧遠」；《清太祖武皇帝實錄》第四卷，第八頁稱引袁崇煥言：「乃謂來兵二十萬，虛也，吾已知十三萬」。此據《清太祖武皇帝實錄》。

註九四　《明熹宗實錄》第六八卷，天啓六年二月甲戌朔。

註九五　《明熹宗實錄》第六八卷，天啓六年二月丙子。

註九六　茅元儀：《督師紀略》第八卷，第二頁。

註九七　《明史·袁崇煥傳》第二二册，第二五九卷，第六七〇九頁。
註九八　茅元儀：《督師紀略》第十二卷，第十四頁。
註九九　徐光啓：《謹申一得以保萬全書》，《徐光啓集》，上册，第一七五頁。
註一〇〇　《明熹宗實錄》第六八卷，天啓六年二月乙亥。
註一〇一　《袁督師事迹》叢書集成本，第三五頁。
註一〇二　《袁督師遺集》滄海叢書本，第十一頁。
註一〇三　《淸太祖武皇帝實錄》第四卷，第八頁。
註一〇四　茅元儀：《督師紀略》第十二卷，第十四頁。
註一〇五　《明熹宗實錄》第七〇卷，天啓六年四月辛卯。
註一〇六　《袁督師遺事遺稿滙輯》第三卷。
註一〇七　《明熹宗實錄》第六七卷，天啓六年正月辛未。
註一〇八　《明熹宗實錄》第七十卷，天啓六年四月辛卯。
註一〇九　張岱：《石匱書後集·袁崇煥列傳》中華書局，第十一卷，第九一頁。
註一一〇　《明熹宗實錄》第七十卷，天啓六年四月辛卯。
註一一一　《淸太祖武皇帝實錄》第四卷，第九頁。
註一一二　《明熹宗實錄》第六八卷，天啓六年二月丙子。
註一一三　張岱：《石匱書後集·袁崇煥列傳》第十一卷，第九一頁。

註一一四　李肯翊：《燃藜室記述》第六輯，第二五卷，第五一五頁。

註一一五　努爾哈赤是否在寧遠城下負傷，史學界意見不一。《中國歷史文獻叢刊》一九八〇年第一期載孟森先生遺著《清太祖死於寧遠之戰不確》及商鴻逵教授附《贅言》，《社會科學戰線》一九八〇年第二期載李鴻彬同志《努爾哈赤之死》等文，均對努爾哈赤在寧遠城下負傷持異議。努爾哈赤在寧遠負傷，爲什麼僅見於朝鮮記載，而不見於明朝與後金記載？下述兩個問題值得研究：其一，《滿文老檔》獨於寧遠之敗斷簡；其二，袁崇煥部將周文郁《邊事小紀》又巧於寧遠之役存目闕文。

註一一六　《明熹宗實錄》第六八卷，天啓六年二月丁丑。

註一一七　《明熹宗實錄》第六八卷，天啓六年二月乙亥。

註一一八　《清太祖武皇帝實錄》第四卷，第九頁。

註一一九　《滿文老檔·太祖》第七一卷，天命十一年三月十九日。

註一二〇　《明熹宗實錄》第六八卷，天啓六年二月乙亥。

註一二一　《明熹宗實錄》第七九卷，天啓六年十二月庚申。

註一二二　《滿文老檔·太祖》第七一卷，天命十一年三月十九日。

註一二三　《明熹宗實錄》第七五卷，天啓六年八月丁巳。

第十二章　汗位之爭

一、遷都瀋陽

努爾哈赤隨著統一女眞和對明征戰的不斷勝利，人口日衆，疆土日廣，騎兵日強，國力日盛，其政治中心相應地進行轉移：最早爲費阿拉，後遷至赫圖阿拉，又移至界凡，再搬往薩爾滸山城，復徙至遼陽，最後遷都瀋陽。

費阿拉是努爾哈赤的第一個根據地。費阿拉東依鷄鳴山，南靠喀爾薩山，西偎烟筒山（虎攔哈達），北瀕蘇克素滸河，位置在蘇克素滸河支流加哈河與首里口河之間三角形河谷平原的臺地上。（註一）一五八七年（萬曆十五年），努爾哈赤在費阿拉築城三層，興建衙門，啓築樓臺，設堂祭天。《清太祖武皇帝實錄》記載：

> 丁亥年，太祖於首里口、虎攔哈達下，東南二道——一名夾哈，一名首里，夾河中一平山，築城三層，啓建樓臺。（註二）

這時努爾哈赤二十九歲，已起兵五年，尼堪外蘭授首，建州本部統一。努爾哈赤在這裏「定國政」，費阿拉成爲建州第一個政治中心。他在費阿拉居住十六年，統一建州，吞併哈達，創建軍隊，制定滿文，後遷至赫圖阿拉。

赫圖阿拉是繼費阿拉之後努爾哈赤的第一個都城。它位置於費阿拉北面，在蘇克素滸河與加哈河之間。一六〇三年（萬曆三十一年），努爾哈赤從費阿拉遷往赫圖阿拉。《清太祖高皇帝實錄》記載：

上自虎攔哈達南岡，移於祖居蘇克素滸河、加哈河之間赫圖阿喇地，築城居之。（註三）

後金汗努爾哈赤在赫圖阿拉居住十六年，滅輝發，併烏拉，創八旗，興屯田，征撫東海女眞，降服薩哈連部，發布「七大恨」誓師，獲取薩爾滸大捷。努爾哈赤在赫圖阿拉建立後金，強化汗權，奠下了他政治大業的基礎。但是，努爾哈赤不循舊苟安，他爲著銳意進取，又放棄赫圖阿拉，徙駐界凡。

界凡城是努爾哈赤向明發動大規模進攻的前哨陣地。一六一九年（萬曆四十七年，天命四年）二月，努爾哈赤派夫役一萬五千人往界凡運石築城。（註四）他在三月獲得薩爾滸之捷後，決意將後金政治中心西移，在界凡建衙門，修行宮（註五），屯田牧馬，待機攻明。六月，界凡城修竣。界凡又稱者片，在赫圖阿拉西一百二十里，位置於蘇克素滸河與渾河之間：「者片城在兩水間，極險阻，城內絕無井泉，以木石雜築，高可數丈，大小胡家皆在城外水邊」。（註六）界凡城初步竣工後，努爾哈赤的遷駐之議，受到諸貝勒大臣的阻撓，但他力排衆議，決計遷居界凡。史載：

上諭貝勒諸臣曰：「吾等勿回都城，築城界凡，治屋廬以居，牧馬邊境，勿渡渾河，何如？」貝勒諸臣議曰：「不如還都，近水草，息馬濃蔭之下，浴之、飼之，馬乃速壯；且使士卒歸家，繕治兵仗便。」上曰：「此非爾所知也。今六月盛夏，行兵已二十日矣。若還都二、三日乃至，軍士由都至各路屯寨，又須三、四日，炎蒸之時，復經遠涉，馬何由壯耶？吾居界凡，牧馬於此，至八月又可興師矣。」遂駐蹕界凡，令軍士盡牧馬於邊。（註七）

諸王貝勒不理解後金汗的政治抱負與軍事意圖，力請解韁釋弓，燕居家園。努爾哈赤說服諸貝勒大臣後，接親眷，擺大宴，遷駐「四面皆險截」（註八）的山城界凡。他遷居界凡後不久，即率師出征，兩月之間，擒介賽，陷鐵嶺，滅葉赫。努爾哈赤在界凡棲駐一年零三個月後，又移居薩爾滸山城。薩爾滸山城在界凡西十里許（註九）。努爾哈赤為向遼瀋地區進軍，遷至薩爾滸山城。（註一〇）不久，即連陷瀋、遼。他在薩爾滸山城未及半年，便遷都遼陽。

遼陽原為明遼東首府。一六二一年（天啓元年，天命六年）三月，後金占領遼陽後，努爾哈赤立即擬議遷都遼陽，諸貝勒大臣因循舊習，不願遷都。努爾哈赤說服他們，遂定遷都遼陽之大計。《清太祖高皇帝實錄》記載：

上集貝勒諸臣議曰：「天既眷我，授以遼陽，今將移居此城耶，抑仍還我國耶？」貝勒諸臣俱以還國對。上曰：「國之所重，在土地、人民，今還師，則遼陽一城，敵且復至，據而固守。周遭百姓，必將逃匿山谷，不復為我有矣。捨已得之疆土而還，後必復煩征討，非計之得也。且此地，乃明及朝鮮、蒙古接壤要害之區，天既與我，即宜居之。」貝勒諸臣皆曰：「善。」遂定議遷都。（註一一）

後金遷都遼陽議定，諸福晉在衆貝勒等的迎接下來到遼陽。她們踏著蘆葦席上鋪設的紅地毯，進入後金汗的衙門裏。（註一二）翌年三月，努爾哈赤議另築遼陽新城。他召集諸貝勒大臣曰：「天眷佑，遂有遼東之地。但今遼陽城大，年久傾圮。東南有朝鮮，北有蒙古，二國俱未弭帖。若捨此征明，恐貽內顧憂，必更築堅城，分兵守禦，庶得固我根本。」諸貝勒大臣以興建城郭，遼民勞苦爲諫。努爾哈赤執意建築新城，他說：

今既與明構兵，豈能即圖安逸？汝等所惜者，一時小勞苦耳！朕所慮者大也。苟惜一時之勞，何以成將來遠大之業耶？朕欲令降附之民築城，而廬舍各自營建。如此雖暫勞，亦永逸已。（註一三）

衆貝勒大臣同意努爾哈赤另築新城之議，後金汗即命在遼陽城東太子河畔，興築遼陽京城宮殿、城池、壇廟、衙署，是爲東京。據乾隆《盛京通志》記載：

東京城在太子河東，離遼陽州城八里（註一四），天命六年建。（註一五）周圍六里零十步，高三丈五尺，東西廣二百八十丈，南北袤二百六十二丈五尺。城門八：東向者左曰迎陽、右曰韶陽，南向者左曰龍源、右曰大順，西向者左曰大遼、右曰顯德，北向者左曰懷遠、右曰安遠。（註一六）

營建東京，大興傜役，徵發降民，夫役繁苦，引起遼瀋漢民的不滿與反抗。

然而，後金遷都遼陽，是努爾哈赤的重要決策，也是女眞發展史上意義深遠的重大事件。這反映了他的遠見卓識和英明果斷。從此，努爾哈赤將明朝統治東北的政治中心，變爲後金的都城；將明朝對抗後金的前線，變成後金進攻明朝的基地。努爾哈赤在東京統治達四年之久，最後遷都瀋陽。

瀋陽城當時僅有遼陽城一半大。如熊廷弼所說：「況遼城之大，兩倍於瀋陽有奇」。（註一七）但是，後金汗努爾哈赤最早看出瀋陽比遼陽更有發展前途，於是提議遷都瀋陽。一六二五年（天啓五年，天命十年）三月，後金汗與諸貝勒大臣就遷都瀋陽一事，發生了一場激烈的爭論：

帝聚諸王臣議欲遷都瀋陽。諸王臣諫曰：「東京城新築宮廨方成，民之居室未備，今欲遷移，恐食用不足，力役繁興，民不堪苦矣。」帝不允，曰：「瀋陽四通八達之處，西征大明，從都兒鼻渡遼河，路直且近；北征蒙古，二、三日可至；南征朝鮮，自清河路可進；瀋陽渾河通蘇蘇河（蘇克素滸河），於蘇蘇河（蘇克素滸河）源頭處，伐木順流而下，材木不可勝用；出遊打獵，山近獸多，且河中之利亦可兼收矣。吾籌慮已定，故欲遷都，汝等何故不從！」乃於初三日出東京，宿虎皮驛，初四日至瀋陽。（註一八）

後金汗努爾哈赤分析了瀋陽在地理、政治、經濟、軍事和交通上的重要地位之後，認爲它是「形勝之地」，便於控制整個東北地區，決定後金政治中心由遼陽遷至瀋陽。從此，瀋陽發展成爲我國東北地區政治、經濟、文化和交通的中心。

努爾哈赤遷都瀋陽，後稱瀋陽爲盛京。盛京，滿文音譯爲穆克屯和屯，簡稱穆克屯。其滿文體爲Mukden hoton，Mukden意爲興盛，hoton意爲城郭，合意譯爲盛京。後金遷都瀋陽後，開始

大政殿與十王亭

大 政 殿

改建瀋陽城，興修瀋陽宮殿。（註一九）先是，努爾哈赤凡遇大事或宴賞，則張設天幕八座，爲八旗諸王大臣分列處坐之所。他遷都瀋陽後，住居在一座二進式宮院裏。其前有宮門三楹，門內爲一進院，院內正中有一突起高臺，上有川堂。爾後爲二進院，中爲正殿三楹，東西各有配殿三楹，均爲懸山夾脊前後廊式建築。（註二〇）但是，努爾哈赤爲著典禮與議政，命將昔時設置天幕營帳之法，興建爲大政殿前之十王亭。大政殿和十王亭是瀋陽宮殿的主體建築，也是後金汗努爾哈赤進行統治的權力中心。大政殿坐北朝南，宏偉壯麗，金碧輝煌。基臺周圍用雕刻構件壘砌，文飾生動，造型優美。臺基上矗立朱紅圓柱，正面有金色雙龍盤繞，玲瓏剔透秀麗，象徵威嚴吉祥。它爲亭子式八角重檐建築，殿頂滿鋪黃琉璃瓦，綠鑲綠色剪邊，上列十六道五彩琉璃脊。這種重檐廡殿、木架結構、丹漆彩繪和五彩琉璃，是漢族傳統的建築形式。大殿內的梵文天花，又具有少數民族的建築特點。大政殿八脊頂端聚成尖狀，上面安設相輪寶珠與八個力士的寶頂，具有喇嘛教色彩。大政殿左右列署爲十大王亭，即右翼王亭、正黃旗亭、正紅旗亭、正白旗亭、正藍旗亭，左翼王亭、鑲黃旗亭、鑲紅旗亭、鑲白旗亭、鑲藍旗亭。大政殿與十王亭合成一組完整的建築群。它既是後金汗與八和碩貝勒等議政的殿亭，又是八旗制度在宮殿建築上的反映。

總之，努爾哈赤從費阿拉到瀋陽，爲加強和發展其統治權力而走過了漫長的歷程。同時，他爲著強化和擴大汗權，不惜將骨肉殘殺在血泊之中。

二、幽弟殺子

努爾哈赤爲加強汗權，同其胞弟舒爾哈齊發生了權力與財富之爭。

早在努爾哈赤起兵之初，舒爾哈齊處於其副手的地位。在明宮書中，往往努爾哈赤與舒爾哈齊並稱。舒爾哈齊曾以建州衞都督等身份，多次進京「朝貢」，如：

一五九五年（萬曆二十三年）八月，「建州等衞女直夷人速兒哈赤等赴京朝貢，命如例宴賞」。（註二一）

一五九七年（萬曆二十五年）七月，「建州等衞夷人都督都指揮速兒哈赤等一百員名、納木章等一百員名，俱赴京（朝）貢，賜賞如例」。（註二二）

一六〇六年（萬曆三十四年）十二月，「建州衞都督都指揮速兒哈赤等入貢」。（註二三）

一六〇八年（萬曆三十六年）十二月，「頒給建州右等衞女直夷人速兒哈齊等一百四十名，貢賞如例」。（註二四）

舒爾哈齊多次進京「朝貢」，這在他兄弟五人中，除其長兄努爾哈赤外是僅見的。

另從朝鮮史籍中，也能反映出舒爾哈齊的顯貴地位。如申忠一到費阿拉所繪建州首領住家圖錄僅二幅，即《木柵內奴酋家圖》和《外城內小酋家圖》。他所見舒爾哈齊「體胖壯大，面白而方，耳穿銀環，服色與其兄一樣」。（註二五）比申忠一先一月到費阿拉的朝鮮通事河世國，分別受到努爾哈赤和舒爾哈齊的接見與宴賞：

> 老乙可赤常時所住之家，麾下四千餘名，佩劍衞立，而設坐交椅。唐官家丁先爲請入拜辭而罷，然後世國亦爲請入，揖禮而出。小乙可赤處一樣行禮矣。老乙可赤屠牛設宴，小乙可赤屠豬設宴，各有賞給。（註二六）

朝鮮和明朝的史籍記載，都說明努爾哈赤與舒爾哈齊曾是主副配合、相輔相成的。

但是，努爾哈赤與舒爾哈齊之間的矛盾，在一五九五年（萬曆二十三年）已見端倪。申忠一見舒爾哈赤家裏的「凡百器具，不及其兄遠矣」；舒爾哈齊也向申忠一力言：「日後你僉使若有送禮，則不可高下於我兄弟」。（註二七）這表露出舒爾哈齊對已獲權位與財貨的不滿。爾後，一五九九年（萬曆二十七年）建州兵征哈達時，努爾哈赤在哈達城下當衆怒斥舒爾哈齊（註二八），他們之間的裂痕加深。一六〇七年（萬曆三十五年），努爾哈赤以舒爾哈齊在烏碣岩之役作戰不力，命將其二將常書、納奇布論死，後依舒爾哈齊懇請，二將免死，罰常書銀百兩，奪納奇布所屬牛彔。（註二九）自此，努爾哈赤「不遣舒爾哈齊將兵」（註三〇）削奪其兵權。一六〇九年（萬曆三十七年）三月，舒爾哈齊被奪去兵權後，鬱悶不樂，常出怨言，認爲活著還不如死了好，遂移居黑扯木。努爾哈赤命收回其弟舒爾哈齊貝勒的財產和阿哈，殺了他的兒子阿布什，又將他的部將武爾坤吊在樹上，以火燒死。（註三一）一六一一年（萬曆三十九年）八月十九日，舒爾哈齊貝勒死。據明人黃石齋《建夷考》載：

> 酋疑弟二心，佯營壯第一區，落成置酒，招弟飲會，入於寢室，鋃鐺之，注鐵鍵其戶，僅容二

穴，通飲食，出便溺。弟有二名裨，以勇聞，酋恨其佐弟，假弟令召入宅，腰斬之。（註三二）另如《三朝遼事實錄》也載：「奴酋忌其弟速兒哈赤兵強，計殺之」。（註三三）

據明人諸書所載，舒爾哈齊被其兄努爾哈赤加害，但清朝史書諱言。努爾哈赤為人威暴嚴厲，據《柵中日錄》記：

奴酋為人猜厲威暴，雖其妻子及素親愛者，少有所忤，即加殺害，是以人莫不畏懼。（註三四）

據努爾哈赤的威暴性格及明代史書的有關記載，努爾哈赤為著強化汗權，幽殺其胞弟舒爾哈齊貝勒是很有可能的。孟森先生斷言舒爾哈齊之死，「實乃殺之」。（註三五）

舒爾哈齊死後，汗位之爭的焦點移向努爾哈赤的長子褚英。

褚英，母佟佳氏，一五八〇年（萬曆八年）生。（註三六）他一五九八年（萬曆二十六年）率兵征安楚拉庫路，被賜號洪巴圖魯；一六〇七年（萬曆三十五年）在烏碣岩之戰中立功，被賜號阿爾哈圖土門；翌年，又偕貝勒阿敏等攻烏拉，克宜罕山城。（註三七）旋因居長，屢有軍功，被努爾哈赤授命執掌國政。褚英柄政後，因年紀輕，資歷淺，心胸偏狹，操切過急，受到「四貝勒」、「五大臣」內外兩方面的反對。「四貝勒」即努爾哈赤「愛如心肝」的代善、阿敏、莽古爾泰、皇太極。他們各為旗主貝勒，握軍險、擁權勢，厚財帛、領部民，建州又無立嫡以長的歷史傳統，不滿於褚英當嗣子、主國政的地位。他們上告長兄褚英，似有爭嗣之嫌，於是爭取同「五大臣」聯合，傾軋褚英。「五大臣」即努爾哈赤所「信用恩養、同甘共苦」的費英東、額亦都、扈爾漢、何和里、安費揚古。他們早年追隨努爾哈赤，威望高、權勢重，歷戰陣、建殊勛，當克圖倫時褚英尚在襁褓之中，自然也不滿於褚英專軍機、裁政事的地位。他們首告嗣儲褚英，似有二心之嫌，於是也力求同「四貝勒」結合。

努爾哈赤嗣子褚英對這些建州的「柱石」和「元勛」缺乏謙恭之態，想趁父汗在世時逐漸削奪他們的財富和權力，以便鞏固儲位。這促使「四貝勒」與「五大臣」採取內外夾擊的策略，共同對付褚英。褚英陷於孤立。「四貝勒」和「五大臣」經過密議之後，聯合向努爾哈赤告發褚英。努爾哈赤讓他們每人寫一份文書呈送。他們各寫文書、聯合控告褚英的「罪狀」是：第一，使「四貝勒」、「五大臣」彼此不睦；第二，聲稱要索取諸弟的財物、馬匹；第三，曾言：「我即位後，將誅殺與我爲惡的諸弟、諸大臣」。（註三八）努爾哈赤在權衡長子褚英與「四貝勒」、「五大臣」兩方力量對比之後，斷然寢疏褚英。爾後兩次耀兵烏拉，努爾哈赤沒有派褚英出征，讓他留居在家中。「褚英意不自得，焚表告天自訴，乃坐詛呪」（註三九）之罪，一六一三年（萬曆四十一年）三月二十六日，被幽禁在高牆之中。（註四〇）一六一五年（萬曆四十三年）八月二十二日，努爾哈赤下令將長子褚英處死，當時褚英年僅三十六歲。此段史事，《滿文老檔》記載簡略，且諱言其被處死。但是，《舊滿洲檔》載述較詳：

淑勒崑都侖汗念長子阿爾哈圖圖門心術不善，拒不反省，深恐日後破壞生存之道，故判其被囚於高牆家中二年。經過二年的深思熟慮，顧及長子之生存必會敗壞國家，倘憐惜一子，將危害於諸子、諸大臣和國家，故於乙卯年淑勒崑都侖汗五十七歲，長子三十六歲，八月二十二日，

始下決斷將長子處死」。(註四一)

後金汗努爾哈赤爲加強汗權而幽弟殺子,心懷慚德,久不平靜。他年事漸高,不願子孫們骨肉相殘,要不咎既往,惟鑑將來,子孫環護,長治久安。一六二一年(天啓元年,天命六年)正月十二日,後金汗召集諸子侄及長子代善、阿敏、莽古爾泰、皇太極、德格類、濟爾哈朗、阿濟格、岳託等,對天地神祇,焚香設誓:

蒙天父地母垂祐,吾與強敵爭衡,將輝發、兀喇、哈達、夜黑,同一音語者,俱爲我有。征仇國大明,得其撫順、清河、開原、鐵嶺等城,又破其四路大兵,皆天地之默助也。今禱上下神祇:吾子孫中縱有不善者,天可滅之,勿令刑傷,以開殺戮之端。如有殘忍之人,不待天誅,遽興操戈之念,天地豈不知之?若此者,亦當奪其算。昆弟中若有作亂者,明知之而不加害,俱壞〔懷〕禮義之心,以化導其愚頑。似此者,天地祐之,俾子孫百世延長。所禱者此也。自此之後,伏願神祇,不咎既往,惟鑑將來。(註四二)

後金統治集團內部殘酷的政治鬥爭,不會因努爾哈赤率領衆子侄等對神祇設誓而自行消失。同樣,「懷禮義之心」的諸王貝勒,對於覬覦汗位者,必不能「化導其愚頑」。在後金統治集團中,有汗位,就有激烈的爭奪;有爭奪,就有酷虐的鬥爭。滿洲這種爲爭奪皇位而骨肉相殘的宮廷鬥爭史,後來一再重演。

褚英被囚死後,後金汗努爾哈赤的「建儲」之爭更爲劇烈。這主要在四大貝勒中的代善和皇太極之間進行明爭與暗鬭。「天命年間四大貝勒各擁重兵，覬覦大位。顧阿敏為太祖侄，莽古爾泰之母則得罪太祖，故以代善與太宗最為有望。當開國之初，削平諸部，奪取遼、瀋，二王功最高」。(註四三)代善與皇太極，以序齒言，褚英已死，代善居長，皇太極為弟行；以武力言，代善獨擁二旗，為皇太極掌一旗所不及；以才德言，代善寬厚得衆心，皇太極則威厲為人畏憚。努爾哈赤自然決定讓代善繼褚英執掌國政。代善因被賜號古英巴圖魯，朝鮮史籍稱他貴盈哥。《建州聞見錄》記載，努爾哈赤死後，「則貴盈哥必代其父」。(註四四)努爾哈赤說過：「俟我百年之後，我的諸幼子和大福晉交給大阿哥收養」。(註四五)大阿哥即大貝勒代善，大福晉是努爾哈赤的大妃烏拉納喇氏阿巴亥。(註四六)努爾哈赤將愛妃大福晉和諸心肝幼子托付給代善，即預定他日後襲受汗位。代善性寬柔、孚衆望，軍功多、權勢大，自協助父汗主持國政後，凡努爾哈赤不在時，一些重大軍機便先報給他。(註四七)然而，代善也有其弱點。隨著代善的權位日重，他同其父汗及其弟皇太極的矛盾便趨向激化。

代善同努爾哈赤、皇太極之間的矛盾，以德因澤的告訐而爆發。《滿文老檔》記載，一六二〇年(萬曆四十八年，天命五年)三月，小福晉德因澤向後金汗告發道：「大福晉兩次備佳餚送給大貝勒，大貝勒受而食之。一次備佳餚送給四貝勒，四貝勒受而未食。大福晉一天二、三次派人去大貝勒家，大約商議要事。大福晉有二、三次在深夜出宮院」。(註四八)努爾哈赤派扈爾漢、額爾德尼、雅遜和莽阿圖四大臣去調查，後查明告發屬實。而諸貝勒大臣在汗的家裏宴會、集議國事時，大福晉飾金佩珠、錦緞妝扮，傾視大貝勒。諸貝勒大臣雖內心不滿，却因懼怕大貝勒和大福晉而不敢向汗報告。努爾哈赤對大貝勒同大福晉的曖昧關係極爲憤慨，但他既不願加罪於兒子，又不願家醜外揚，便藉口大福晉竊藏金帛，勒令離棄。（註四九）小福晉德因澤因告訐有功，被升爲與努爾哈赤同桌共食。或言德因澤告訐之謀出自皇太極。皇太極藉大貝勒與大福晉的陰私，施一箭雙雕之計，既使大福晉被廢，又使大貝勒聲名狼藉，並離間了努爾哈赤與代善的父子之情，爲他後來奪取汗位準備了重要條件。

時後金汗努爾哈赤年事已高，選立嗣君的計劃一次又一次地破產。這促使他試圖廢除立儲舊制，改革後金政體，實行八大貝勒共治國政的制度。

三、改革政體

後金的國體，是軍事農奴主階級的專政。後金的政體，即其政權構成的形式，是君主集權制。但是，後金汗努爾哈赤，爲使其汗權具有穩定性和延續性，解決擇立汗位繼任者的難題，試圖改革君主集權制政體，實行八大貝勒共治國政的體制。

努爾哈赤的八大貝勒共治國政制，是同八旗制度密切關聯的。

在經濟上，八旗的每旗都是一個龐大的經濟集團，旗主貝勒又都是本旗最大的財富擁有者。當時的習俗是，「有人必八家分養之，地土必八家分據之」。（註五〇）努爾哈赤告誡子孫們：「預定八家，但得一物，八家均分公用，毋得分外私取」。（註五一）每次兵馬出征所獲，按照八旗依軍功大小進行分配。其中各旗的旗主貝勒，在該旗中是金帛、牲畜、房田和人口的最大占有者。如大貝勒代善爲正紅旗的旗主貝勒，他早在一六一三年（萬曆四十一年），就占有諸申五千戶，牲畜八百群，白銀一萬兩，敕書八十道。（註五二）八旗軍進入遼瀋地區之後，旗主貝勒占有的財富更急劇地膨脹。八旗的旗主貝勒既爲該旗最大的財富擁有者，他必然要求在政權機關中，有與其財富相應的政治權力。

在政治上，八旗的每旗都是一個巨大的社會集團，旗主貝勒又都是本旗最大的封建主。各旗的固山額眞、梅勒額眞、甲喇額眞和牛彔額眞，各置官屬，領有部衆，分轄屬民，等級嚴格，各分有定。旗主貝勒即是試旗的最高行政長官。從後來盛京大政殿與十王亭的建築形式，可以反映出在後金汗之下，八旗的旗主貝勒所具有的特殊政治地位。旗主貝勒既爲該旗大小封建主的總代表，他必然要求在後金政權機關中，分享相應的決策權力，參與國事。

在軍事上，八旗的每旗都是一個強大的軍事集團，旗主貝勒又都是本旗的軍事統帥。努爾哈赤以「十三副遺甲」起兵，連年征戰，南北馳突，占領遼瀋，建立後金，主要是靠軍事勝利發展起來的。後金對外掠奪，對內鎮壓，都需要有一支精銳的軍隊。後金汗努爾哈赤依恃鐵騎勁旅，吞併諸部，攻城掠地，擄掠金帛，俘獲人畜，因而八旗軍隊成爲後金統治的八根支柱。所以，旗主貝勒在後金統治機構中占有極重要的地位。旗主貝勒既爲該旗的主帥，他必然要求在後金政權機關中，握有與本旗軍事實力相應的執政權力。

由上，旗主貝勒在後金政權機關中的權力，是按其經濟、社會和軍事的實力來分配的。努爾哈赤有鑑於此，又以嗣子褚英、代善爲訓，決定實行八大貝勒共治國政的制度。

一六二二年（天啓二年，天命七年）三月初三日，後金汗努爾哈赤發布實行八大貝勒共治國政的《汗諭》：

衆貝勒問上曰：「基業、天所予也，何以寧輯？休命、天所賜也，何以凝承？」上曰：「繼朕而嗣大位者，毋令強梁有力者爲也。以若人爲君，懼其尙力自恣，獲罪於天也。且一人縱有知識，終不及衆人之謀。今命爾八子，爲八和碩貝勒，同心謀國，庶幾無失。爾八和碩貝勒內，擇其能受諫而有德者，嗣朕登大位。若不能受諫，所行非善，更擇善者立焉。擇立之時，若不樂從衆議，艴然變色，豈遂使不賢之人，任其所爲耶！至於八和碩貝勒，共理國政，或一人心有所得，言之有益於國，七人宜共贊成之。如已〔己〕既無才，又不能贊成人善，而緘默坐視者，即當易此貝勒，更於子弟中，擇賢者爲之。易置之時，若不樂從衆議，艴然變色，豈遂使不賢之人，任其所爲耶！若八和碩貝勒中，或以事他出，告於衆，勿私往。若入而見君，勿一、二人見，其衆人畢集，同謀議以治國政。務期斥奸佞，擧忠直可也」。（註五三）

同日，努爾哈赤關於八大貝勒共治國政的《汗諭》，除《清太祖高皇帝實錄》上述載引外，《滿文老檔》中還載有如下內容：

其一，八王共議，設女眞大臣八人，漢大臣八人，蒙古大臣八人。在八大臣之下，設女眞理事官八人，漢理事官八人，蒙古理事官八人。衆理事官審理後，報告諸大臣；諸大臣審擬後，上報八王；八王定斷所擬定之罪。

其二，國主在一月之內，於初五日、二十日，兩次升殿。正月初一日，向堂子叩首，向神祇叩首。隨後，國主向諸叔諸兄叩首。然後，汗坐在御座上。汗及接受汗叩首之諸叔諸兄，均坐在一處，接受國人的叩賀。

其三，在父汗所規定八分所得之外，若另自貪隱一物，貪隱一次，革一次應得之一分；貪隱二次，革二次應得之一分；貪隱三次，則永革其應得之分。

其四，如不牢記父汗的訓言，不聽取衆兄弟的規勸，仍悖理行事，初則定罪；若不改，則沒收其諸申；若再不改，即加以監禁（註五四），等等。

上述八王即八大貝勒，又稱八和碩貝勒，和碩貝勒也稱旗主貝勒。努爾哈赤頒布八和碩貝勒共治國政諭，改革政體，旨在提高八和碩貝勒的地位，限制繼嗣新汗的權力，以維護後金長治久安的統治。通過這次政體改革，努爾哈赤使後金政權掌握在八和碩貝勒手中。八和碩貝勒擁有相當大的權力，如：

第一，推舉新汗。努爾哈赤身後新汗的繼立，在「八和碩貝勒內，擇其能受諫而有德者，嗣朕登大位」。八和碩貝勒握有擁立新汗的大權。新汗既不由先汗指定，也不是自封，而是爲八和碩貝勒議後共同推擧。新汗既被八和碩貝勒共同推擧，繼位之後便不能獨攬後金大權，其權力受到很大的限制。

第二，「並肩共坐」。新汗與八和碩貝勒並肩共坐一處，同受國人朝拜。新汗在正旦，一拜堂子，再拜神祇，三拜叔兄。隨後升御座，與八和碩貝勒並肩一處共坐，共受諸臣叩賀。這項朝儀規定將八和碩貝勒位列堂子、神祇之次，而居於新汗之上；在接受群臣朝拜時，新汗與八和碩貝勒居於平等的地位。從而在禮儀上給予新汗以嚴格的限制。

第三，共議國事。「一人縱有知識，終不及衆人之謀」，因命八和碩貝勒「同心謀國，庶幾無失」。努爾哈赤規定在會議軍國大政時，新汗要與八和碩貝勒共同議商，集體裁決。這就使八和碩貝勒操持後金軍國大事的最高決策權，從而限制新汗恣肆縱爲，獨斷專行。

第四，「八分」分配。就是後金軍掠獲的金帛、牲畜等，歸八和碩貝勒共有，按「八分」即八旗進行分配。這既爲著防止「八家」因財富分配不均而禍起蕭牆，更爲著防止新汗一人壟斷財貨。這項規定使諸和碩貝勒與新汗在經濟上享有同等的權力，從而對新汗的經濟權加以限制。

第五，任賢退奸。努爾哈赤規定八和碩貝勒要「斥奸佞，舉忠直。」凡牛彔額眞以上的官員，其任用、獎懲、升遷、貶斥，都由八和碩貝勒會議決定，而不由新汗一人專決。八和碩貝勒要撤換「己既無才，又不能贊成人善，而緘默坐視」的庸臣，並從八旗貴族子弟中選擇賢能者加以補充。這樣新汗喪失了任免官吏的權力，而人事大權掌握在八和碩貝勒手中。

第六，斷理訴訟。努爾哈赤規定後金審理訴訟的程序分爲三級：理事官初審，諸大臣複審，最後由八和碩定獻。新汗操生殺予奪之權受到限制，八和碩貝勒掌握最高司法權。

第七，禁止私議。努爾哈赤規定，八和碩貝勒如「以他事告於衆，勿私往。若入而見君，勿一、二人見，其衆畢集，同謀以治國政。」不許和碩貝勒在家中私議國政，也不許新汗同和碩貝勒單獨密議，以防奸謀。軍國大事需在廟堂聚集謀商，共同議決。

第八，廢黜新汗。八和碩貝勒如認爲擁立的新汗，「不能受諫，所行非善」，有權罷免，另爲擇立。

後金汗努爾哈赤改革後金政體，施行八和碩貝勒共議國政的制度。他將原來的君主集權，改革爲八和碩貝勒共理國政，使其擁有國君立廢、軍政議決、司法訴訟、官吏任免等重大權力。由八和碩貝勒組成的貴族會議，成爲後金國家的最高權力機關。努爾哈赤試圖通過實行八和碩貝勒共治國政制，在新汗嗣位之後，改革君主專制，實行貴族共治。這在我國二千多年的封建社會歷史中，是一項重大的創舉，也是一次可貴的嘗試。

但是，上述努爾哈赤改革後金政體的措施有其局限性。首先，這次改革僅局限在調整後金統治集團內部新汗與八和碩貝勒之間的關係。八和碩貝勒是後金汗下最大的女眞貴族，後金的統治權實際上掌握在幾個大貴族、主要是四大貝勒手中，同諸申毫不相干。其次，這次改革將異姓貴族排除在後金最高統治集團之外。如努爾哈赤建立後金政權，由五大臣執政。其後，「諸子皆長且才，故五大臣沒而四大貝勒執政」。（註五五）這時，費英東、額亦都雖死，何和里、安費揚古、扈爾漢尙在，但並不預政。這表明最高統治權局限在愛新覺羅氏大貴族之中，完全排除了異姓軍功貴族。再次，這次改革是以努爾哈赤《汗諭》形式進行的，意在平衡四大貝勒之間的關係，但這種權力平衡只能是暫時的。一六三二年（崇禎五年，天聰六年）正月，皇太極始「南面獨坐」（註五六），四大貝勒的平衡關係被打破，重新建立君主獨裁，努爾哈赤的改革失敗。

努爾哈赤頒布八和碩貝勒共治國政《汗諭》時已屆晚年。他逐漸將權力移交給八和碩貝勒、特別是四大貝勒，進行權力過渡，以準備後事。

四、疽發身死

後金汗努爾哈赤於一六二六年（天啓六年，天命十一年）正月寧遠兵敗，遭受起兵以來最重大的挫折。他自稱「朕心倦惰」，心情沮喪，悒悒不自得，懌懌思往事。《清太祖武皇帝實錄》三月三日，記載他的引咎之言：

吾思慮之事甚多，意者朕心倦惰而不留心於治道歟？國勢安危民情甘苦而不省察歟？功勳正直之人有所顚倒歟？再慮吾子嗣中果有效吾盡心爲國者否？大臣等果俱勤謹於政事否？（註五七）

他在晝夜殫思，稽省治策的失措，後金的困難，諸申的煩苦，忠奸的倒衡，臣吏的怠絀，子嗣的繼任等問題。努爾哈赤既在思索寧遠之敗的教訓，又在籌慮身後軍國的大計。但百思不得其解，陷於悶苦之中。

努爾哈赤爲掩飾寧遠兵敗的慚悶，重振士氣，把將士的不滿引向蒙古，以其背棄「若征明與之同征，和則與之同和」（註五八）的盟誓，興師問罪。四月初四日，他率領諸貝勒大臣統兵西渡遼河。前鋒軍射死蒙古喀爾喀巴林部葉赫巴圖魯幼子囊努克。努爾哈赤派大貝勒代善、二貝勒阿敏、三貝勒莽古爾泰、四貝勒皇太極以及濟爾哈朗、阿濟格、岳託等統兵往西拉木倫河，獲勝而歸。（註五九）五月二十一日，蒙古科爾沁奧巴貝勒來瀋陽，他出城十里升帳迎接。（註六〇）但後金汗努爾哈赤這兩次重大軍政活動，《滿文老檔》闕載。看來，這時努爾哈赤或傷創未癒，或患病在身，亦或兼而有之。

努爾哈赤遠襲和奧巴歸服，這都不能排解努爾哈赤因寧遠兵敗而潛鬱在心靈深處的悲苦。久經疆場、攻無不克的後金汗，竟然會輸給一名初歷戰陣、嬰城孤守的袁崇煥？努爾哈赤思索、慚赧、痛苦、焦躁，食不甘味，寢不安眠，肝鬱不舒，積憤成疾。努爾哈赤創傷未癒，癰疽突發。他於七月二十三日往清河湯泉沐養，八月初一日，派二貝勒阿敏殺牛燒紙，祈禱神祐（註六一），但毫無效果，病勢危重，尋乘船順太子河回瀋陽。

一六二六年（天啓六年，天命十一年）八月十一日，後金汗努爾哈赤在由清河返回途中，至離瀋陽東四十里的靉鷄堡死去。

《清太祖高皇帝實錄》記載：

（七月）癸巳（二十三日），上不豫，幸清河坐湯。八月庚子朔，丙午（初七日），上大漸，欲還京，乘舟順太子河而下。使人召大妃來迎，入渾河。大妃至，泝流至靉鷄堡，距瀋陽城四十里。庚戌（十一日），未刻，上崩。在位凡十一年，年六十有八。（註六二）

大妃納喇氏見努爾哈赤死去，悲痛欲絕，泣不成聲。群臣擡著努爾哈赤靈柩至瀋陽宮中。努爾哈赤的屍骨未寒，就發生汗位繼嗣之爭。

時四大貝勒爲代善、阿敏、莽古爾泰、皇太極，四小貝勒爲阿濟格、多爾袞、多鐸、濟爾哈朗。

阿敏和濟爾哈朗爲舒爾哈齊子，屬於旁支，不能爭位。莽古爾泰性魯鈍，或言曾弒其母繼妃富察氏（註六三）也不能爭位。承嗣汗位鼎爭者主要是皇太極、代善和納喇氏所出的多爾袞。大福晉納喇氏是努爾哈赤晚年的寵妃，爲阿濟格、多爾袞和多鐸的生母。努爾哈赤死時，多爾袞十五歲，多鐸十三歲，因受父汗偏愛，兩人領有正白、鑲白二旗，又有其三十七歲正當盛年的生母納喇氏控制於上，勢力強大。這自爲皇太極等所難容。諸王以「遺言」爲由，迫令納喇氏殉死：

后饒豐姿，然心懷嫉妒。每致帝不悅，雖有機變，終爲帝之明所制。留之恐后爲國亂，預遺言於諸王曰：「俟吾終，必令殉之。」諸王以帝遺言告后，后支唔不從。諸王曰：「先帝有命，雖欲不從，不可得也。」后遂服禮衣，盡以珠寶飾之，哀謂諸王曰：「吾自十二歲事先帝，豐衣美食，已二十六年。吾不忍離，故相從於地下。吾二幼子多爾衮、多鐸，當恩養之。」諸王泣而對曰：「二幼弟，吾等若不恩養，是忘父也。豈有不恩養之理！」於是，后於十二日，辛亥，辰時，自盡。壽三十七。乃與帝同柩。（註六四）

就這樣，大福晉納喇氏成爲後金汗位爭奪的犧牲品。同時殉葬的還有二庶妃阿濟根和德因澤。

一六二九年（崇禎二年，天聰三年）二月，努爾哈赤的梓宮葬於瀋陽東北二十里石嘴頭山（後稱天柱山），是爲福陵，又稱東陵。一六三六年（崇禎九年，崇德元年）四月，初謚爲承天廣運聖德神功肇紀立極仁孝武皇帝，廟號太祖。（註六五）一六六二年（康熙元年）四月，加謚爲承天廣運聖德神功肇紀立極仁孝睿武弘文定業高皇帝。（註六六）一七二三年（雍正元年）八月，再加謚爲承天廣運聖德神功肇紀立極仁孝睿武端毅弘文定業高皇帝。（註六七）一七三六年（乾隆元年）三月，復加諡爲承天廣運聖德神功肇紀立極仁孝睿武端毅欽安弘文定業高皇帝。（註六八）

納喇氏死後，多爾袞與多鐸年少，失去依恃，無力爭奪汗位。汗位的爭繼主要在皇太極與代善二人之間角逐。（註六九）代善雖爲大貝勒，但性情「寬柔」（註七〇），先已失寵（見本章第二節），並被削奪一旗，無力與皇太極抗爭。他在努爾哈赤生前，因恐皇太極圖己，曾跪在其父面前泣訴。（註七一）這說明代善在與皇太極爭奪嗣位時已居下風。四貝勒皇太極兼領鑲黃、正黃二旗，「奢得衆心」（註七二），將卒精銳，「智勇俱全」（註七三），戰功獨多，又得到其兄正紅旗旗主貝勒代善的退讓，遂得繼嗣父汗以登大位。但是，汗權的執行形式是四大貝勒共同聽政。他們並坐議政，實行貴族共治，暫未形成君主專制。

後金汗努爾哈赤死後，遼東巡撫袁崇煥向明廷奏報：「奴酋恥寧遠之敗，遂蓄慍患疽死」。（註七四）朝鮮《李朝仁祖實錄》也作了記載：努爾哈赤於「七月間得肉毒病，沐浴於遼東溫井（泉），而病勢漸重，回向瀋陽之際，中路而斃，立其第四子（按：應爲四貝勒）」。（註七五）努爾哈赤之死與皇太極繼立，對明朝和朝鮮的歷史，後來均發生很大的影響。

努爾哈赤戎馬倥傯的生涯四十四年。現將他的家庭簡況，略述如下：

努爾哈赤有十六個妻子：

㈠高皇后葉赫納喇氏，名孟古姐姐，爲葉赫貝勒揚佳努女，比努爾哈赤少十六歲，是皇太極的生母。

㈡元妃佟佳氏，名哈哈納札青，生子二：褚英、代善；女一：稱東果格格。

㈢大妃烏拉納喇氏，名阿巴亥，烏拉貝勒滿泰女，比努爾哈赤少三十一歲，生三子：阿濟格、多爾袞、多鐸。

㈣繼妃富察氏，名袞代，生子二：莽古爾泰、德格類；女一：莽古濟格格。

㈤壽康太妃博爾濟錦氏，蒙古科爾沁貝勒孔果爾女。

㈥側妃伊爾根覺羅氏，生子一：阿巴泰；女一：稱嫩哲格格，又稱沾河公主。

㈦側妃葉赫納喇氏，爲高后納喇氏之妹，生女一：稱聰古圖公主，即努爾哈赤之第八女。

㈧側妃博爾濟錦氏，蒙古科爾沁貝勒明安女。

㈨側妃哈達納喇氏，哈達貝勒扈爾干女。

㈩庶妃兆佳氏，生子一：阿拜。

㈪庶妃鈕祜祿氏，生子二：湯古代、塔拜。

㈫庶妃嘉穆瑚覺羅氏，名眞哥，生子二：巴布泰、巴布海；女三：穆庫什及努爾哈赤之第五女、第六女。

㈬庶妃西林覺羅氏，生子一：賴慕布。

㈭庶妃伊爾根覺羅氏，生女一，即努爾哈赤之第七女。

(十五)庶妃阿濟根，努爾哈赤死時從殉。

(十六)庶妃德因澤，努爾哈赤死時從殉。（註七六）

努爾哈赤有十六子：（註七七）

長子褚英，又稱褚燕，因賜號洪巴圖魯，也稱紅把兎。

次子代善，又稱貴永介，因賜號古英巴圖魯，也稱貴盈哥，或稱大貝勒，後封禮親王。

第三子阿拜。

第四子湯古代。

第五子莽古爾泰，又稱三貝勒、掌正藍旗貝勒。

第六子塔拜。

第七子阿巴泰。

第八子皇太極，又稱紅歹是、四貝勒，是爲清太宗。

第九子巴布泰。

第十子德格類。

第十一子巴布海。

第十二子阿濟格，後封英親王。

第十三子賴慕布。

清福陵——努尔哈赤葬地

第十四子多爾袞，又稱多兒哄，後稱睿親王。

第十五子多鐸，又稱多躲，後封豫親王。

第十六子費揚古。（註七八）

努爾哈赤有八女：

長女東果格格，又稱東果公主，母元妃佟佳氏，嫁何和里。

次女稱嫩哲格格，又稱沾河公主，母側妃伊爾根覺羅氏，嫁常書之子都統達爾漢。

第三女名莽古濟，母繼妃富察氏，先嫁給哈達貝勒孟格布祿之子吳爾古代，稱哈達格格，又稱哈達公主；後夫亡，改嫁蒙古敖漢部瑣諾木杜稜。

第四女名穆庫什，母庶妃嘉穆瑚覺羅氏，先嫁烏拉貝勒布占泰，後因布占泰欲射之以鳴鏑，被努爾哈赤取回；又嫁額亦都；額亦都死後再嫁其第八子圖爾格，稱和碩格格，又稱和碩公主。

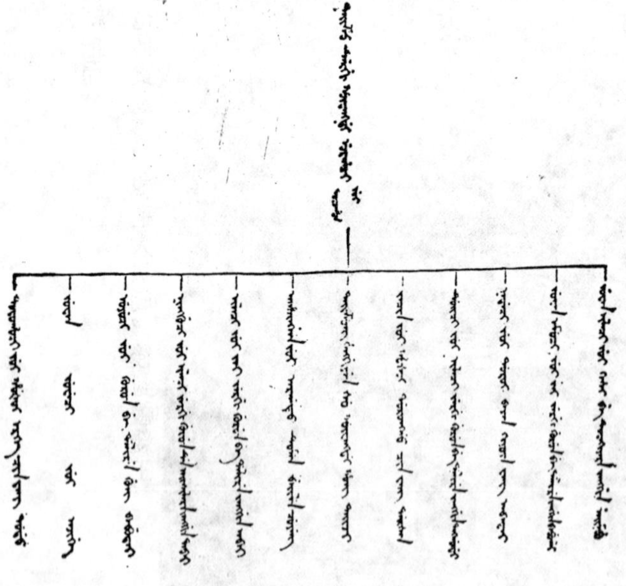

《玉牒》（滿文）清太祖諸子表

（註七九）

第五女爲穆庫什同母妹，嫁額亦都之次子達啓。

第六女爲穆庫什同母妹，嫁葉赫納喇氏蘇鼐。

第七女母爲庶妃伊爾根覺羅氏，嫁納喇氏鄂托伊。

第八女稱聰古圖公主，母爲側妃葉赫納喇氏，嫁蒙古喀爾喀臺吉古爾布什。（註八○）

【附註】

註一　《興京二道河子舊老城》第一一一頁。

註二　《清太祖武皇帝實錄》第一卷，第八頁。

註三　《清太祖高皇帝實錄》第三卷，第七頁。

註四　《滿文老檔・太祖》第八卷，天命四年二月十五日。

註五　《滿文老檔・太祖》第十卷，天命四年六月。

註六　李民寏：《建州聞見錄》第三○頁。

註七　《清太祖高皇帝實錄》第六卷，第二○頁。

註八　《光海君日記》第一四七卷，十一年十二月丁卯。

註九　李民寏：《柵中日錄》第二六頁。

註一〇　《滿文老檔．太祖》第十六卷，天命五年九月二十日。

註一一　《清太祖高皇帝實錄》第七卷，第二二至二三頁。

註一二　《滿文老檔．太祖》第二一卷，天命六年四月初五日。

註一三　《清太祖高皇帝實錄》第八卷，第十七頁。

註一四　《滿洲實錄》第七卷第十一頁、《清太祖武皇帝實錄》第四卷第二頁、《清太祖高皇帝實錄》第八卷第十七頁均言距遼陽城「五里太子河邊」。

註一五　《清太祖武皇帝實錄》第四卷第三頁、《滿洲實錄》第七卷第十一頁、《清太祖高皇帝實錄》第八卷第十七頁均記於天命七年始建。

註一六　《盛京通志》第五卷，第三頁。

註一七　《明經世文編》第六册，第五三一五頁。

註一八　《清太祖武皇帝實錄》第四卷，第六頁。

註一九　瀋陽故宮是我國保存下來的比較完整的古代宮殿建築群之一，於一六二五年開始籌建，一六三六年基本建成，乾隆、嘉慶時又有部分增建。全部建築有三百餘間，占地六萬多平方米。它分爲東路——大政殿與十王亭；中路——大清門、崇政殿（篤恭殿）、鳳凰樓、清寧宮等，是封建皇帝進行政治活動和后妃居住的地方；西路——戲臺、嘉蔭堂、仰熙齋和文溯閣等，是清軍入關後清帝東巡盛京時，讀書、看戲和存放《四庫全書》的場所。

註二〇　《盛京城闕圖》（滿文），中國第一歷史檔案館藏。

註二一　《明神宗實錄》內閣文庫本，第二三卷，萬曆二十三年八月丙寅。

註二二　《明神宗實錄》第三一二卷，萬曆二十五年七月戊戌。

註二三　談遷：《國榷》第八〇卷，第四九六六頁。

註二四　《明神宗實錄》第四五三卷，萬曆三十六年十二月甲戌。

註二五　申忠一：《建州紀程圖記》，圖版十七。

註二六　《李朝宣祖實錄》第六九卷，二十八年十一月戊子。

註二七　申忠一：《建洲紀程圖記》，圖版二十。

註二八　《滿洲實錄》第三卷，第三頁。

註二九　《清太祖武皇帝實錄》第二卷，第三頁。

註三〇　《清史稿・舒爾哈齊傳》第三〇冊，第二二五卷，第八九四二頁。

註三一　《滿文老檔・太祖》第一卷，己酉年（萬曆三十七年）三月十三日。

註三二　黃石齋：《建夷考》。

註三三　王在晉：《三朝遼事實錄・總略》第十六頁。

註三四　李民寏：《建州聞見錄》第三四頁。

註三五　孟森：《明清史論著集刊》上冊，第一八二頁。

註三六　《清皇室四譜》第三卷，第三頁。

註三七　《清史列傳・褚英》第三卷，第十二至十三頁。

註三八　《滿文老檔・太祖》第三卷，癸丑年（萬曆四十三年）。

註三九　《清史稿．褚英傳》第三〇册，第二一六卷，第八九六六至八九六七頁。
註四〇　《滿文老檔．太祖》第三卷，癸丑年（萬曆四十一年）三月二十六日。
註四一　《舊滿洲檔》第一册，第七三至七四頁。
註四二　《清太祖武皇帝實錄》第三卷，第十一頁。
註四三　趙光賢：《清初諸王爭國記》，載《輔仁學志》第十二卷，第一第二合期。
註四四　李民寏：《建州聞見錄》第三四頁。
註四五　《滿文老檔．太祖》第十四卷，天命五年三月二十五日。
註四六　《滿文老檔．太祖》第十四卷、天命五年三月所載大福晉，未明言其姓氏。因有兩種意見：一種意見認爲大福晉爲富察氏袞代，即莽古爾泰的生母；另一種意見認爲大福晉爲大妃烏拉納喇氏阿巴亥，即多爾袞的生母。
註四七　《滿文老檔．太祖》第十六卷，天命五年九月初三日。
註四八　《滿文老檔．太祖》第十四卷，天命五年三月二十五日。
註四九　《滿文老檔》第二一卷，天命六年四月十五日載，努爾哈赤已復立大福晉。
註五〇　《天聰朝臣工奏議》上卷《胡貢明五進狂瞽奏》。
註五一　《清太祖武皇帝實錄》第四卷，第十一頁。
註五二　《滿文老檔．太祖》第三卷，癸丑年（萬曆四十一年）
註五三　《清太祖高皇帝實錄》第八卷，第十五至十六頁。
註五四　參見《滿文老檔．太祖》第三八卷，天命七年三月初三日。

註五五 《清史稿・列傳十二》第三一冊，第二二五卷，第九一九〇頁。
註五六 《清太宗文皇帝實錄》第十一卷，第二頁。
註五七 《清太祖武皇帝實錄》第四卷，第九頁。
註五八 《滿洲實錄》第八卷，第八頁。
註五九 《清太祖武皇帝實錄》第四卷，第九頁。
註六〇 《滿洲實錄》第八卷，第八頁。
註六一 《滿文老檔・太祖》第七二卷，天命十一年八月初一日。
註六二 《清太祖努爾哈赤實錄》第十卷，第七九頁。
註六三 《清皇室四譜》第二卷，第三頁。
註六四 《清太祖武皇帝實錄》第四卷，第十二頁。
註六五 《清太宗文皇帝實錄》第二八卷，第二五頁。
註六六 《清聖祖仁皇帝實錄》第六卷，第十九頁。
註六七 《清世宗憲皇帝實錄》第一〇卷，第一頁。
註六八 《清高宗純皇帝實錄》第十四卷，第十八頁。
註六九 《明熹宗實錄》第七六卷，天啓六年九月丁酉。
註七〇 李民寏：《建州聞見錄》第三五頁。
註七一 《光海君日記》第一六九卷，十三年九月戊申。

註七二　李民寏：《建州聞見錄》第三五頁。

註七三　《光海君日記》第一六九卷，十三年九月戊申。

註七四　《明熹宗實錄》第七六卷，天啓六年九月戊戌。

註七五　《李朝仁祖實錄》第十四卷，四年九月庚寅。

註七六　《清皇室四譜》第二卷《后妃》。

註七七　《玉牒》作十五子，無第十六子費揚古。

註七八　費揚古之生母待考。

註七九　《衍慶錄》第三卷《鈕祜祿氏家譜》；《清太宗文皇帝實錄》第三五卷，第十七至十九頁。

註八〇　《清史稿・公主表》載：「太祖尙有女：一下嫁吳爾古代。吳爾古代，哈達納喇氏，附見《萬傳》，《玉牒》不列，不知所自出。一下嫁圖爾格。圖爾格，鈕祜祿氏，有傳。主與之不睦，崇德間離婚，命兄巴布泰、弟巴布海養贍。是必庶妃嘉穆瑚覺羅氏所生，《玉牒》亦不列。」案：前一女卽第三女莽古濟，以其與兄莽古爾泰被誅死，故《玉牒》不載；後一女卽第四女穆庫什，因罪與其夫圖爾格俱免死，且華和碩公主名號，事見《清太宗實錄》第三五卷、崇德二年五月乙未，故《玉牒》亦不載。

第十三章　滿族傑出的政治家和軍事家

努爾哈赤是我國滿族的著名首領和民族英雄，是中國歷史上傑出的政治家和軍事家。滿族著名的首領努爾哈赤，自一五八三年（萬曆十一年）圖倫之役，迄一六一九年（萬曆四十七年，天命四年）葉赫之役，經過三十六年的征撫，統一了建州女眞、海西女眞、東海女眞和黑龍江女眞。女眞各部的統一，結束了長期以來女眞內部彼此殺伐、骨肉相殘的混亂局面，促進了女眞諸部的經濟交往與生產發展，也有利於女眞文化的發展。因爲只有諸部女眞統一，才可能創制無圈點滿文，並使它推行到主要女眞地區，從而加強滿漢文化交流，提高滿族文化水準。而女眞各部重新整合的過程，就是滿族共同體形成的過程。努爾哈赤利用人民的力量，實現女眞各部統一，促使滿族共同體形成，並爲清朝建立奠下基業，後被清追尊爲太祖高皇帝。

滿族傑出的政治家努爾哈赤，不僅統一女眞各部，而且基本統一了東北地區。繼努爾哈赤之後，皇太極繼續統一女眞星散諸部和中國東北地區。至一六四二年（崇禎十五年，崇德七年），皇太極完成了對女眞各部和東北地區的統一。爲此，他莊嚴詔告天下：

予纘承皇考太祖皇帝之業，嗣位以來，蒙天眷佑，自東北海濱，迄西北海濱，其間使犬、使鹿

之邦，及產黑狐、黑貂之地，不事耕種、漁獵爲生之俗，厄魯特部落，以至斡難河源，遠邇諸國（部），在在臣服。（註一）

「斡難河」即鄂嫩河，「東北海濱」係指鄂霍次克海，「西北海濱」是指貝加爾湖。這就是說，經過努爾哈赤和皇太極兩代經營，東起鄂霍次克海，西迄貝加爾湖，南瀕日本海，北跨外興安嶺的廣濶地域，明奴兒干都司等境內的各族人民，已被置於清代東北疆域的管轄之下，各族人民密切聯繫，迅速融合。

但是，從薩爾滸之戰以降，後金與明朝戰爭的性質開始轉化，由實現女眞統一、反對民族壓迫的正義戰爭，轉化爲爭奪明統、進行民族掠奪的非正義戰爭。努爾哈赤同明朝進行的撫淸之役、開鐵之役、瀋遼之役、廣寧之役和寧遠之役，都是後金統治者與明朝統治者之間，爭奪對遼東地區統治權的鬥爭。它給遼東人民帶來深重的災難。

努爾哈赤遺劍

滿族傑出的政治家努爾哈赤，在女眞各部統一戰爭中，不自覺地摧毀女眞的奴隸制，開拓女眞的封建制。十六世紀下半葉和十七世紀上半葉，是我國滿族社會由奴隸制向封建制轉變的時期。努爾哈赤受社會生產力發展和奴隸、農奴階級鬥爭的推動，以及明朝封建經濟的影響，能夠順應女眞社會發展趨勢，採取一些重大措施，發展生產，改革社會，因而加速了女眞奴隸制向封建制的過渡。在所有制方面，如他推行牛彔屯田，頒布「計丁授田」，實行「按丁編莊」，鼓勵發展封建個體經濟和商業貿易，把奴隸田莊轉化爲農奴田莊，將牛彔屯田發展爲八旗旗地，從而逐漸地形成八旗軍事封建土地所有制。

在改革所有制的同時，努爾哈赤注重女眞社會生產力的發展。他提倡引進漢族的先進生產工具和生產技術，優待進入女眞地區的漢人工匠。他發展女眞的採集業、畜牧業、手工業和農業，推廣種植棉花。他下令對貧窮的女眞單身漢給予資助，使他們能夠婚娶，以保護和增加社會生產力。他把大量「野人」女眞的部民遷至遼河平原，改變其以魚肉爲食、魚皮爲衣的原始生活方式，使他們定居務農。因此，在十六世紀末和十七世紀初期，女眞社會生產力經歷著一場巨大的飛躍。生產力的發展又催促著女眞社會的變革。努爾哈赤利用人民力量，發展女眞社會生產，施行女眞社會改革，促使女眞社會由奴隸制向封建制轉變。從而進一步實現了中國東北地區少數民族的封建化。

滿族傑出的政治家努爾哈赤，在實現女眞統一、改革女眞社會的過程中，善於團聚女眞內部力量，團結血親，嚴密組織，由汗、四大貝勒、五大臣等組成諸貝勒大臣會議，形成最高領導集團。這個領導集團，堅強穩定，精萃有力。史稱：「太祖創業之初，日與四大貝勒、五大臣討論政事得失，咨訪士民疾苦，上下交孚，鮮有壅蔽，故能掃清群雄，肇興大業」。（註二）努爾哈赤通過四大貝勒和五大臣，以八旗制度爲紐帶，把女眞各部分散力量的涓涓細流，滙集成沖決明朝遼東政治堤壩的滔滔江河。

扈倫四部却與上相反。輝發貝勒拜音達里，殺叔自稱首領，內部紛爭不休。哈達貝勒王臺，「不察明隱，惟聽譖言」（註三），死後子孫內鬨，骨肉殘殺。烏拉貝勒滿泰父子，荒淫無道，不得其死：「淫其村內二婦，其夫夜入，將滿泰父子殺之」。（註四）葉赫貝勒二人，各領其兵，分庭抗禮，駐居兩城，也分散了力量。葉赫、烏拉、哈達、輝發的首領，不能團聚本部的力量，又怎能去統一女眞各部呢？

有人把傑出的人物稱作創始人。因爲他的見識要比別人的遠大些，他的洞察力要比別人的深邃些，他的胸懷要比別人的寬廣些。他的毅力要比別人的堅韌些，他的願望要比別人的強烈些，爲實現其願望所採取的手段，要比別人的高明些。努爾哈赤正是如此。他把女眞社會生產力發展所造成的各部統一與社會改革的需要加以指明，把女眞人對明朝封建統治者實行民族壓迫的不滿情緒加以集中，並擔負滿足這些需要發起者的責任。他在將上述社會需要由可能轉變爲現實的過程中，能夠剛毅沉著，機智韜達，知人善任，賞罰分明，組成堅強穩定的領導集團，對女眞、蒙古、明朝分別採取不同政策，並通過八旗制度去組織女眞社會力量，實現歷史賦予的女眞各部統一與社會改革的任務。因此，努爾哈赤是我國歷史上傑出的政治家。

努爾哈赤不僅是滿族傑出的政治家，而且是滿族傑出的軍事家。

滿族傑出的軍事家努爾哈赤，在四十四年戎馬生涯中，身歷數十次戰陣，雖始終處於戰略劣勢，却能以少勝多，以弱克強。他之所以能夠在戰略上以少勝多，以弱克強，主要採取了這樣一些重要軍事原則：重視偵察，臨機善斷，誘敵深入，據險設伏，巧用疑兵，驅騎馳突，縱向衝殺，兩翼合圍，集中兵力，各個擊破，一鼓作氣，速戰速決，用計行間，裏應外合。

滿族傑出的軍事家努爾哈赤的上述軍事原則，在其親自指揮的十一個重要戰役中，得到具體而靈活的運用。這十一次戰役是：古勒山之役，哈達之役，輝發之役，烏拉之役，撫清

後金天命雲版——邊臺報警器

之役，薩爾滸之役，葉赫之役，開鐵之役，瀋遼之役，廣寧之役和寧遠之役。其戰績是十勝一負。作爲一個軍事統帥來說，在指揮重大戰役中，五勝一負要算是優秀的統帥，至於十勝一負則堪稱其爲傑出的統帥。

滿族傑出的軍事家努爾哈赤，締造了一支八旗軍。他創建、組織、訓練和指揮的這支八旗軍，「號令嚴肅，器械精利」（註五），紀律整肅，賞罰嚴明，兵馬精強，勇猛拼搏，是我國古代史上戰鬬力最強的一支軍隊，也是當時世界上攻擊力最強的一支騎兵。

有人評論道：努爾哈赤「用兵如神」。（註六）這個評論雖顯係溢飾，但說明努爾哈赤具有卓越的軍事才能，是滿族傑出的軍事家。

但是，對歷史上英雄人物隱惡揚善，並不是眞正尊崇英雄。努爾哈赤是女眞軍事封建主階級的政治代表人物，對其善惡功過、得失、是非，要作公正的歷史評估。像世界上一切事物無不具有多種性一樣，對努爾哈赤也應當作具體分析。在肯定努爾哈赤實現女眞諸部統一，加強中國東北邊疆、促進滿族共同體形成、實行女眞社會改革的進步歷史作用的同時，也要看到其歷史、階級和民族的局限，看到其歷史的過失。

後金汗的社會改革是極不徹底的。他在女眞社會奴隸制向封建制過渡中，雖然採取了一些改革措施，但給掙脫奴隸枷鎖的女眞奴隸戴上農奴的桎梏；又使遼東大量漢民淪於農奴的地位。而在女眞大量拖克索田莊裏，依舊嚴重地存在著奴隸制殘餘。後金汗對女眞社會的改革，主要是在遼瀋地區。由於女眞各地區、各部族的經濟文化發展不平衡，那些散居在邊遠地區的女眞人，仍然沉睡在奴隸制度或原始部民的落後狀態。因此，努爾哈赤的社會改革帶有很大的局限性不徹底性。

後金汗占據遼瀋地區，給遼東人民帶來深重災難。努爾哈赤利用女眞人對明朝統治者施行民族壓迫和民族剝削政策的不滿，起兵反抗明朝。但他在取得遼東地區統治權之後，即用一種新的民族剝削替代另一種民族剝削，用一種新的民族壓迫替代另一種民族壓迫。如後金軍攻占淸河後，「軍兵及居民五萬餘人，或被擄，或被殺」（註七）；八旗兵強剝遼民的衣服，使金、復二州漢民數千人「俱裸體不蔽形」，許多「裸體婦女，不勝辱，自縊」（註八）而死，令人慘不忍睹！努爾哈赤的弊政，破壞了遼東地區的社會安寧和生產秩序，使得人丁銳減，廬舍殘破，田園荒蕪，餓莩塞路，百業凋零，糧價騰貴，民不寧居，社會混亂。

據史籍載：「奴酋本性凶惡，取財服人，皆以兵威脅之。人人欲食其肉，怨苦盈路」。（註九）誠然，努爾哈赤降給遼民的災禍，並不是由於他本性凶殘，而是被其剝削階級本性所規定的。女眞和漢族內部的階級剝削和階級對抗沒有消失，努爾哈赤和明朝統治者一樣，不能消除民族之間的壓迫和剝削。只有民族內部的階級對立已經消失，人對人的剝削也已經消滅，那麼各個兄弟民族之間才能消滅對立關係和剝削關係，而代之以平等友愛和團結互助。

後金汗努爾哈赤一生謹愼，攻無不克；但晚年思想僵化，驕傲輕敵。他驕傲輕敵的突出一例是寧遠兵敗。努爾哈赤像其他傑出的歷史人物一樣，一生中有上升時期，也有下降時期。如果說奪遼瀋、占廣寧是他上升時期的高峰，那麼寧遠之敗則是其下降時期的低谷。後金汗努爾哈赤在寧遠吞下驕傲輕敵的苦果，也因此結束了自己的生命。

努爾哈赤在十六世紀後期和十七世紀初期，值明朝政治腐敗的客觀條件，利用人民群衆的力量，領導統一女眞各部的戰爭，促進滿族共同體的形成，推動女眞社會由奴隸制向封建制的轉變，使它在經歷了混亂殺伐和奴隸制度的漫漫長夜之後，在中國東北大地上，出現了滿族興起與社會進步的曙光。滿族封建主階級傑出政治家努爾哈赤的英名和業績，在中華民族的歷史典册中，將與世長存。

【附註】

註一 《清太宗文皇帝實錄》第六一卷，第三頁。
註二 《清史稿·諸王一》第三〇册，第二一五卷，第八九四九頁。
註三 《清太祖武皇帝實錄》第一卷，第三頁。
註四 《滿洲實錄》第二卷，第十五頁。
註五 《光海君日記》第七九卷，六年六月丙午。
註六 《光海君日記》第一四四卷，十一年九月甲申。
註七 《光海君日記》第一三一卷，十年八月辛酉。
註八 彭孫貽：《山中聞見錄》第三卷，第六頁。
註九 《光海君日記》第二一卷，元年十月辛酉。

努爾哈赤年譜

說明：1.自一五八三年（萬曆十一年）起，按月、日繫事。
2.《年譜》仍同《努爾哈赤傳》，月、日用陰曆。

一五五九年（嘉靖三十八年　己未）一歲

出生於明建州左衞蘇克素滸河部赫圖阿拉一個中產之家。

安費揚古生，後爲五大臣之一。

明總督薊遼保定（註一）右都御史王忬被以貽誤軍機罪逮赴京師，以楊博代之，又以許論代楊博。明以路可由、尋以王崇、又以侯如諒巡撫遼東。

一五六〇年（嘉靖三十九年　庚申）二歲

遼東大飢。蒙古數萬騎犯廣寧，大掠。明薊遼總督兵部右侍郎王忬坐疆事死。

一五六一年（嘉靖四十年　辛酉）三歲

二弟穆爾哈齊生。（註二）

何和里生，後爲五大臣之一。

明以楊選總督薊遼、以吉澄爲都察院右僉都御史巡撫遼東。

一五六二年（嘉靖四十一年　壬戌）四歲

額亦都生，後爲五大臣之一。

建州王杲結土蠻犯東州、鳳凰，明副總兵黑春死之。

明以王之誥代吉澄巡撫遼東。

一五六三年（嘉靖四十二年　癸亥）五歲

始習騎射。

明以蒙古騎兵自牆子嶺潰牆入犯，京師戒嚴。總督薊遼侍郎楊選以失事罪梟首示邊，由劉燾代之。朱翊鈞生，後爲萬曆帝。李成梁任陰山參將。

一五六四年（嘉靖四十三年　甲子）六歲

三弟舒爾哈齊生。

費英東生，後爲五大臣之一。

明以劉應節爲都察院右僉都御史巡撫遼東。

一五六五年（嘉靖四十四年　乙丑）七歲

明以張西銘爲都察院右僉都御史巡撫遼東。

一五六六年（嘉靖四十五年　丙寅）八歲

四弟雅爾哈齊生。（註三）

明以魏學曾爲都察院右僉都御史巡撫遼東。

一五六七年（隆慶元年　丁卯）九歲

明廷從遼東巡按御史李叔和言，遼東總兵官在遼河冰合後移鎭遼陽。

張居正爲吏部左侍郎兼東閣大學士，預機務。

一五六八年（隆慶二年　戊辰）十歲

母喜塔拉氏死。

明以險山參將李成梁爲遼陽總兵。

明以譚綸爲薊遼總督，以戚繼光爲總理練兵都督同知鎭守薊門。

一五六九年（隆慶三年　己巳）十一歲

明以方逢時爲都察院右僉都御史巡撫遼東。

一五七〇年（隆慶四年　庚午）十二歲

黃臺吉等犯錦州大勝堡，遼東總兵官王治道等死之。明升李成梁爲遼東總兵官。

明以劉應節總督薊遼。

明都察院右僉都御史方逢時調職，以李秋代之；又以毛鋼（註四）代李秋爲都察院右僉都御史巡撫遼東。

一五七一年（隆慶五年　辛未）十三歲

明以張學顏爲都察院右僉都御史巡撫遼東。

土蠻等犯遼東，總兵官李成梁大破之，斬首五百八十餘級。

明發兵討建州，斬汪柱等近六百人。

明封俺答爲順義王，許納款貢市。

明薊、昌長城、敵臺工成。

一五七二年（隆慶六年　壬申）十四歲

王臺以千騎入建州王杲寨。

遼東巡撫張學顏奏，建州王杲犯撫順，肆刼掠。

一五七三年（萬曆元年　癸酉）十五歲

土蠻等犯遼東，明死傷官兵一千一百一十四人。

一五七四年（萬曆二年　甲戌）十六歲

胡，建州都指揮王杲殺明備御裴承祖。十月，李成梁提兵火攻王杲寨，破之，先後斬首千餘級，「殺略人畜幾盡」。後王杲走哈達，投王臺。

明以楊兆總督薊遼。

一五七五年（萬曆三年　乙亥）十七歲

哈達貝勒王臺縛執王杲以獻。獻俘王杲於午門，旋殺之。明授王臺爲龍虎將軍。

葉赫貝勒揚佳努幼女納喇氏孟古姐姐生，後爲努爾哈赤之妻，死後被淸尊爲孝慈高皇后。

一五七六年（萬曆四年　丙子）十八歲

扈爾漢生，後爲五大臣之一。

明於寬奠設倉、建學，並於永奠北互市，准市米、布、豬、鹽等。

明命建州右衞阿臺（王杲之子）襲都督僉事。

一五七七年（萬曆五年　丁丑）十九歲

家裏分居，得產獨薄。與佟佳氏成婚，是爲元妃。

明梁夢龍總督薊遼，又以周詠爲都察院右僉都御史巡撫遼東。

一五七八年（萬曆六年　戊寅）二十歲

到撫順關市易人參、松子、蘑菇等。

長女東果格格生，母佟佳氏。

覺昌安等於五月、七月入市貿易。

李成梁擊斬土蠻等一千八百九十三級。

一五七九年（萬曆七年　己卯）二十一歲

明封遼東總兵官李成梁爲寧遠伯。

一五八〇年（萬曆八年　庚辰）二十二歲

長子褚英生，母佟佳氏。

建州王兀堂率千騎入永奠，李成梁大破之，斬首七百五十四級，俘一百六十名口。

額亦都始從之。

一五八一年（萬曆九年　辛巳）二十三歲

明以「燒荒一事，邊防要務」，命薊、遼二鎭，派哨遠出燒荒。明以吳兌總督薊遼。

順義王俺答汗死。

俄國武裝勢力越過烏拉爾山，進入西伯利亞。

一五八二年（萬曆十年　壬午）二十四歲

葉赫貝勒揚佳努以愛女相許，並贈馬四、甲冑。

五弟巴雅喇生。

明總兵李成梁提兵出塞破阿臺部，斬首一千五百六十三級。宣遼東捷，敍功晉張居正爲太師，旋死；命寧遠伯李成梁世襲錦衣衞指揮使。明以周詠總督薊遼，又以李松爲遼東巡撫。

哈達貝勒王臺病死。

一五八三年（萬曆十一年　癸未）二十五歲

正月，王杲子阿臺等從靜遠、榆林入犯，李成梁督兵大敗之。二月，成梁復合兵破莽子寨，阿海死；陷古勒寨，阿臺死。李成梁先後斬二千三百餘人。

是役，祖覺昌安、父塔克世被明軍誤殺。

五月，以父祖「十三副遺甲」起兵，攻尼堪外蘭，克圖倫城。

七月，次子代善生，母佟佳氏。

八月，以計殺諸米納，取薩爾滸城。同母妹妻噶哈善。

九月，明以兵部尚書張佳胤總督薊遼。

十二月，李松、李成梁設「市圈計」，伏兵中固城，誘斬葉赫貝勒淸佳努、揚佳努並三百一十一級，又設伏邀斬一千二百五十二級。

是歲，受明敕書三十道，馬匹三十四，襲建州左衞指揮使。

一五八四年（萬曆十二年　甲申）二十六歲

正月，征李岱，克兆佳城。

六月，率兵四百攻取馬兒墩寨。

九月，領兵攻翁科洛城，被鄂爾果尼與洛科射中，傷重幾死；創癒後，又率兵往攻，俘鄂爾果尼與洛科，授爲牛彔額眞。

是歲，同鈕祜祿氏成婚，是爲庶妃；又同兆佳氏成婚，是爲庶妃。

一五八五年（萬曆十三年　乙酉）二十七歲

二月，攻界凡，斬其城主納申、巴穆尼。

四月，攻哲陳部，在渾河畔以少勝多。

六月，明以顧養謙爲都察院右僉都御史巡撫遼東。

八月，第三子阿拜生，母兆佳氏。

九月，率兵攻取蘇克素滸河部安土瓜爾佳城。

十一月，第四子湯古代生，母鈕祜祿氏。

是歲，同富察氏成婚，是爲繼妃。

一五八六年（萬曆十四年　丙戌）二十八歲

五月，率兵攻克渾河部播一混寨。

七月，率兵取哲陳部托漠河城。統兵攻克尼堪外蘭駐地鵝爾渾城，被創三十餘處。時尼堪外蘭出走並受明軍庇護，派齋薩往取；明執尼堪外蘭付齋薩，斬之。明自此歲與銀八百兩，蟒緞十五匹，通好。

九月，遼東水災。

十一月，明以佟養眞爲參將，分守復州地方。

是歲，同伊爾根覺羅氏成婚，是爲側妃。

一五八七年（萬曆十五年　丁亥）二十九歲

正月，築費阿拉城，並建宮室。

四月，明以張國彥總督薊遼。

六月，始定國政，立法制。在費阿拉「自中稱王」。率兵攻哲陳部阿爾泰，克其山城。

七月，王臺妾、康古之妻溫姐死。

八月，派額亦都率兵攻取哲陳部巴爾達城。率兵攻克哲陳部洞城。

十月，遼東巡撫顧養謙統兵攻哈達部，哈達受重創。

十一月，遼東巡撫顧養謙奏言：「奴兒哈赤日驕。」

是歲，第五子莽古爾泰生，母富察氏。第二女生，稱嫩哲格格，母伊爾根覺羅氏。歲以人參、貂皮等於撫順、清河、寬奠、靉陽四關與明互市。

一五八八年（萬曆十六年　戊子）三十歲

正月，遼東巡撫顧養謙奏言：「奴兒哈赤者，建州黠酋也，驍騎已盈數千。」

三月，李成梁率師攻葉赫，破其二山城，斬五百餘級。

四月，娶哈達貝勒扈爾干女哈達納喇氏爲妻。蘇完部主索爾果歸附，以其子費英東爲一等大臣，後以褚英女妻之；董鄂部主何和里歸附，授爲一等大臣，並以長女妻之；又雅爾古部主扈拉瑚歸附，收其子扈爾漢爲養子，後授爲一等大臣。

五月，將犯柴河堡之克五十斬首以獻。

九月，娶葉赫貝勒納林布祿妹葉赫納喇氏孟古姐姐爲妻。率兵征取王甲城（完顏城），滅其部。

一五八九年（萬曆十七年　己丑）三十一歲

正月，率兵攻克兆佳城，斬城主寧古親。

二月，第六子塔拜生，母鈕祜祿氏。

六月，第七子阿巴泰生，母伊爾根覺羅氏。

七月，分其兵爲環刀軍、鐵錘軍、串赤軍和能射軍。明以郝傑爲都察院右僉都御史巡撫遼東。

九月，受明封爲建州左衞都督僉事。

一五九〇年（萬曆十八年　庚寅）三十二歲

四月，首次到京「進貢」，受明廷宴賞。

六月，養女生，其父爲舒爾哈齊，母瓜爾佳氏，後養育宮中。

明以蹇達總督薊遼。

是歲，烏拉貝勒滿泰女烏拉納喇氏阿巴亥生。是爲多爾袞之母。第三女莽古濟生（註五），母富察氏。

一五九一年（萬曆十九年　辛卯）三十三歲

正月，遣兵併長白山鴨綠江部。葉赫、哈達、輝發三部遣使建州索地訛詐，揮刀斷案斥之。

十月，明命成遜速赴遼東任總督事。

十一月，明遼東總兵官李成梁解任，以楊紹勛代之。

是歲，同嘉穆瑚覺羅氏成婚，是爲庶妃。

一五九二年（萬曆二十年　壬辰）三十四歲

七月，明以郝傑總督薊遼。

八月，上奏文四道乞升賞冠帶、敕書及龍虎將軍職銜。

九月，明以鮑晞顏、尋以趙燿爲都察院右僉都御史巡撫遼東。

十月二十五日，第八子皇太極生，是爲淸太宗，母葉赫納喇氏，名孟古姐姐。

十一月，第九子巴布泰生，母嘉穆瑚覺羅氏。

是歲，日軍侵朝鮮，入漢京、抵平壤。明應朝鮮國王請求，發兵朝鮮。努爾哈赤請求明兵部尙書石星允准師援朝鮮，不答。

一五九三年（萬曆二十一年　癸巳）三十五歲

正月，明李如松率師入援朝鮮，攻日本軍於平壤、開城，克之。明以顧養謙總督薊遼。

六月，葉赫、哈達、輝發、烏拉四部兵刼建州戶布察寨，率兵追擊之。

九月，大敗葉赫等九部聯軍於古勒山，自此威名大震。

十月，遣兵收取朱舍里部。明以韓取善巡撫遼東。

閏十一月，第二次到北京「朝貢」，受到明廷宴賞。命額亦都等率兵攻訥殷部佛多和山寨，圍三月而下。明以尤繼先爲遼東總兵官。

十二月，明以薊遼總督顧養謙兼理朝鮮戎事。

一五九四年（萬曆二十二年　甲午）三十六歲

正月，蒙古科爾沁部貝勒明安、喀爾喀部貝勒勞薩遣使建州通好。

五月，明以李化龍爲都察院右僉都御史巡撫遼東，以董一元爲遼東總兵官。

七月，明以孫鑛代顧養謙爲薊遼經略。

一五九五年（萬曆二十三年　乙未）三十七歲

六月，率兵攻輝發，克多壁城。

八月，弟舒爾哈齊赴京「朝貢」，受到明廷宴賞。

十一月，在費阿拉接見朝鮮通事河世國，並致朝鮮國王書。

十二月，朝鮮南部主簿申忠一受命至費阿拉。

是歲，以「保塞有功」受明晉封爲龍虎將軍。第四女穆庫什生，母嘉穆瑚覺羅氏。達海生。明開遼東義州木市。

一五九六年（萬曆二十四年　丙申）三十八歲

正月，在費阿拉接見並宴請朝鮮南部主簿申忠一等，申氏著有《建州紀程圖記》。

二月，明游擊胡大受遣余希元至建州，禮迎之。

七月，派人送布占泰回烏拉，並立爲烏拉貝勒。

是秋，患癘疫，幾至死。

十月，明革遼東總兵官董一元職，以王保代之。

十二月，烏拉貝勒布占泰送其妹與舒爾哈齊爲妻。

是歲，第十子德格類生，母富察氏。第十一子巴布海生，母嘉穆瑚覺羅氏。日軍復侵朝鮮。

一五九七年（萬曆二十五年　丁酉）三十九歲

正月，與葉赫、哈達、輝發、烏拉四部使臣盟誓通好。

三月，明以楊鎬爲右僉都御史，經略朝鮮軍務。明以兵部侍郎邢玠爲尙書，總督薊遼軍務。

四月，明以張思忠爲都察院右僉都御史巡撫遼東。

五月，第三次到北京「進貢」，受到明廷宴賞。

七月，弟舒爾哈齊赴京「朝貢」，受明廷如例宴賞。

八月，遼陽、開原地震。

十一月，泰寧部粆花糾土默特犯遼東，入瀋陽，殺掠無算。

十二月，明內旨以李如松鎭守遼東。粆花、土蠻等衆逾十萬，結營百里，犯遼東，略瀋陽。第五女生。母嘉穆瑚覺羅氏。孫、褚英長子杜度生。

是歲，明任楊鎬爲經略，邢玠爲總督，麻貴爲總兵，援朝抗倭。

一五九八年（萬曆二十六年戊戌）四十歲

正月，命其五弟巴雅喇、長子褚英等率兵征安褚拉庫路，獲人畜萬餘而回。賜褚英號洪巴圖魯。

四月，土蠻犯遼東，總兵官李如松敗歿，命其弟李如梅繼之。

五月，明以李植爲都察院右僉都御史巡撫遼東。

六月，明以楊鎬在朝鮮棄師，命回籍聽勘。

七月，日本豐臣秀吉死，尋朝鮮事平。

十月，第四次到江京「朝貢」，受泰寧侯陳良弼接待。

十二月，在費阿拉接見烏拉貝勒布占泰，並以弟舒爾哈齊女妻之。

是歲，孫、代善長子岳托生。明罷義州木市，又罷馬市。

一五九九年（萬曆二十七年己亥）四十一歲

正月，東海渥集部虎爾哈路長王格、張格至費阿拉，貢狐皮、貂皮。

二月，命額爾德尼、噶蓋創制無圈點滿文。明遼東總兵官李如梅革任，後以孫守廉代之。

三月，始開金銀礦及鐵冶。

五月，應哈達貝勒孟格布祿之請，派費英東率兵駐防其地，以防葉赫兵。
六月，明稅監高淮至開原，以尅剝激變。
九月，率兵攻哈達，克哈達城，俘孟格布祿，後殺之。明以馬林爲遼東總兵官。
十一月，在致朝鮮文書中自稱「建州等處地方國王」。

一六〇〇年（萬曆二十八年　庚子）四十二歲

二月，耶穌會利瑪竇至京師。
七月，明以趙楫爲都察院右僉都御史巡撫遼東。
八月，遼東金得時起義，旋被平息。
九月，粆花犯遼東，明副總兵解生敗歿。
是歲，第六女生，母嘉穆瑚覺羅氏。侄、舒爾哈齊第六子濟爾哈朗生。

一六〇一年（萬曆二十九年　辛丑）四十三歲

正月，以三女莽古濟與哈達孟格布祿子吳爾古代爲妻。滅哈達。
二月，遣官去朝鮮，以水災求濟糧米。
五月，明以萬世德總督薊遼。
七月，在撫順斬白馬，與吳爾古代和。
八月，李成梁復任爲遼東總兵官。

十一月，娶烏拉貝勒布占泰之侄女（滿泰女）烏拉納喇氏阿巴亥爲妻。遼東巡撫李植免，以趙楫代之。

十二月，第五次到北京「朝貢」，受侯陳良弼宴待。明復開馬、木二市。

是歲，令整編三百人爲一牛彔，設牛彔額眞管轄。

一六〇二年（萬曆三十年　壬寅）四十四歲

二月，何爾健巡按遼東，後上《按遼御璫疏稿》三十疏。

三月，遼陽罷市，先後達數月之久。

九月，明總督薊遼右都御史萬世德死，以蹇達代之。

十月，明巡撫遼東右僉都御史趙楫，以稅監高淮請開廣寧夏馬市、義州木市疏奏。

一六〇三年（萬曆三十一年　癸卯）四十五歲

正月，再以弟舒爾哈齊女與烏拉貝勒布占泰爲妻。由費阿拉遷至赫圖阿拉。

三月，明遼東大福堡火，焚毀房舍、軍器無算。

五月，明諸臣交章劾奏遼東稅監高淮罪五款。

九月，妻葉赫納喇氏孟古姐姐死，年二十九，以四婢殉之，哀泣不已，停靈院內，三載方葬。

一六〇四年（萬曆三十二年　甲辰）四十六歲

正月，率兵攻葉赫，克張城、阿氣蘭城而還。

三月，第七女生，母伊爾根覺羅氏。

是歲，孫、代善第三子薩哈璘生。蒙古察哈爾部林丹汗即位，號庫圖克圖汗，明人稱之爲虎墩兔。

一六〇五年（萬曆三十三年　乙巳）四十七歲

二月，明遼東總兵官李成梁年八十，乞休，不許。

三月，發明人參「養曬法」。築赫圖阿拉外城。

七月，第十二子阿濟格生，母烏拉納喇氏。

八月，明遼陽副總兵應琪阻議棄寬甸等六堡無效憤疾而死。

一六〇六年（萬曆三十四年　丙午）四十八歲

八月，受明廷賜賞銀兩等。

十二月，受蒙古臺吉恩格德爾率喀爾喀五部貝勒之使臣尊爲「昆都侖汗」。弟舒爾哈齊赴京「朝貢」。明棄寬甸等六堡，漢人壯健者逃入建州。

一六〇七年（萬曆三十五年　丁未）四十九歲

二月，致書朝鮮，咨明出兵邊境無侵擾之意。

三月，派弟舒爾哈齊、長子褚英、次子代善統兵搬接東海瓦爾喀歸附部衆，烏拉來爭，遂激戰於烏碣岩，敗烏拉兵。因賜褚英號阿爾哈圖土門，賜代善號古英巴圖魯。瓦爾喀斐優城主策穆特赫率衆歸服。

五月，派幼弟巴雅喇等統兵征渥集部，取赫席赫、俄漠和蘇魯、佛納赫拖克索，俘二千而歸。

八月，至明邊強裁參價索償，混同哈達敕書。

九月，率師攻輝發，滅之。

一六〇八年（萬曆三十六年　戊申）五十歲

三月，明大學士朱賡等言：「建酋桀驁非常，旁近諸夷，多被呑并，恃強不貢。」派兵攻占烏拉宜罕阿麟城。

四月，明遼東前屯衞軍嘩，誓食稅監高淮肉；尋錦州、松山明軍復變。後召還高淮。

六月，明遼東巡撫趙楫、總兵官李成梁解任。與明遼東副將、撫順備御勒誓鐫碑，各守邊境。

七月，明薊遼總督蹇達死，以王象乾代之。明以張悌爲都察院右僉都御史巡撫遼東，以杜松爲遼東總兵官。

九月，以第四女穆庫什給與布占泰爲妻。明以李炳爲遼東巡撫。

十二月，第六次到北京「朝貢」，弟舒爾哈齊亦赴京「朝貢」，俱受明廷宴賞。

是歲，以第五女給與額亦都之子達啓爲妻。那林布祿死。

一六〇九年（萬曆三十七年　己酉）五十一歲

二月，上書明萬曆帝，請令朝鮮國王查出歸還散入其境的瓦爾喀部民一千戶，從之。

三月，幽禁弟舒爾哈齊。孫、皇太極長子豪格生，母烏拉納喇氏。
四月，明遼東總兵官杜松解任回籍，以王威代之。
五月，明兵部尚書李化龍援遼東按臣熊廷弼言謂：「今爲患最大，獨在建奴。」
六月，派莽古爾泰率萬騎駐紮撫順關外，並修復南關舊城。
九月，虎爾哈兵攻寧古塔城，建州兵敗之。
十二月，派扈爾漢率兵征取滹野路。

一六一〇年（萬曆三十八年　庚戌）五十二歲

正月，設漢幕千餘所以防明兵。
二月，扈爾漢奪取滹野路，俘獲二千而還。
三月，明以麻貴爲遼東總兵官。
閏三月，明以楊鎬爲右僉都御史、巡撫遼東。
十一月，派額亦都率兵略渥集部之那木都魯、綏芬、寧古塔、尼馬察四路，帶回部民編戶。
十二月，派額亦都等率兵擊取雅攬路，獲人畜一萬而回。
是歲，同葉赫納喇氏成婚，是爲側妃；又同西林覺羅氏成婚，是爲庶妃。

一六一一年（萬曆三十九年　辛亥）五十三歲

二月，命對因貧窮沒有娶妻的千餘人，給布匹，資婚娶。

六月，明兵部奏：建州奴兒哈赤初以車價遲貢，又以疆界停貢。
七月，派兵征取渥集部之烏爾古宸、木倫二路。
八月，弟舒爾哈齊死，終年四十八歲。
十月，第七次到北京「朝貢」，受明頒給雙賞絹匹銀鈔。
十二月，第十三子賴慕布生，母西林覺羅氏。派何和里等統兵征虎爾哈部，克扎庫塔城，並招撫環近地區部民。

一六一二年（萬曆四十年 壬子）五十四歲

正月，娶蒙古科爾沁貝勒明安女博爾濟錦氏爲妻，後稱側妃。
九月，統兵征烏拉，克其臨河六城。明以兵部右侍郎薛三才總督薊遼。
五月，明以張承胤爲遼東總兵官。
七月，養孫女生，後稱肫哲公主，其父爲舒爾哈齊第四子圖倫，母王佳氏。
十月二十五日，第十四子多爾袞生，母烏拉納喇氏。
十二月，第八女生，母葉赫納喇氏。明以張濤爲都察院右僉都御史、巡撫遼東。

一六一三年（萬曆四十一年 癸丑）五十五歲

正月，統軍滅烏拉，烏拉貝勒布占泰逃往葉赫。
二月，蒙古科爾沁部貝勒塞桑女博爾濟錦氏生，是爲清世祖福臨生母。

三月，下令幽禁長子褚英。

四月，第五女死。

九月，率師征葉赫，克兀蘇等十九城寨。葉赫奏報於明，明派兵助葉赫守城，並遣官責之。遂修書申辯，並派第十一子巴布海入質於明，明不納而返。

十月，至明撫順所，會見明游擊李永芳。

十一月，明以郭光復爲都察院右僉都御史巡撫遼東。

是歲，令每牛彔出十男四牛在空地屯田。以第六女與葉赫納喇氏蘇鼐爲妻。東北境大水，癘疫嚴重。

一六一四年（萬曆四十二年　甲寅）五十六歲

二月，第十五子多鐸生，母烏拉納喇氏。

四月，在赫圖阿拉迎接明蕭備御，以婉言折之。次子代善娶蒙古鐘嫩貝勒女爲妻。第五子莽古爾泰娶蒙古納齊貝勒妹爲妻。

六月，第八子皇太極娶蒙古科爾沁貝勒莽古思女博爾濟錦氏爲妻，後清尊爲孝端文皇后。

七月，捕殺部民盜鬉陽馬四者於界碑下，並退地定界。

十一月，派兵襲擊錫林、雅攬二路。

十二月，第十子德格類娶蒙古額爾濟格貝勒女爲妻。

一六一五年（萬曆四十三年 乙卯）五十七歲

正月，娶蒙古科爾沁部孔果爾貝勒女博爾濟錦氏爲妻，是爲壽康太妃。

三月，第八次往北京「朝貢」。後遂絕。

四月，命在赫圖阿拉始建喇嘛廟、玉皇廟等七大廟。明遼東總兵張承胤派官來建州，令還柴河、撫安和三岔等地。

六月，已聘葉赫貝勒布揚古之妹（葉赫老女），葉赫又將改嫁蒙古。

八月，將長子褚英處死，其年三十六歲。

九月，受蒙古科爾沁貝勒明安第四子噶爾齋臺吉之叩謁。

十一月，派兵征渥集部額赫庫倫，後俘獲一萬而還。

是歲，確定八旗制度。再命按牛彔屯田。設置理政聽訟大臣五人，扎爾固齊十人。

一六一六年（萬曆四十四年 天命元年 丙辰）五十八歲

正月，在赫圖阿拉稱「覆育列國英明汗」，建立後金，年號天命。

二月，明以李維翰爲都察院右僉都御史、遼東巡撫。

四月，明以李維功爲遼東總兵官。

五月，發布「汗諭」，稱用人之道，在隨才器使。

六月，達爾漢率衆捕殺明至清河採木兵五十餘人。尋李維翰執繫其使臣綱古里、方吉納。命於獄中取前俘葉赫十人殺之撫順關下。李維翰遂釋綱古里、方吉納。

七月，派扈爾漢等統兵征薩哈連部。

十月，扈爾漢等招服使犬路、諾洛路、石拉忻路路長四十人。

十一月，扈爾漢等師回赫圖阿拉。

是歲，命國人種棉養蠶，繅絲織緞。建州水災，飢饉嚴重。鑄「天命汗錢」。（註六）

一六一七年（萬曆四十五年　天命二年　丁巳）五十九歲

正月，蒙古科爾沁貝勒明安至赫圖阿拉，郊迎百里，盛宴接待。派兵往攻東海沿岸散居未服諸部民。

二月，以弟舒爾哈齊第四女嫁與蒙古喀爾喀部恩格德爾臺吉爲妻。派兵盡取東海沿岸散居之民。

三月，明以兵部左侍郎汪可受總督薊遼。

九月，明以杜松爲新設山海關總兵。

十月，受蒙古科爾沁貝勒明安第五子巴特瑪臺吉的叩謁。

是歲，命殺死離間汗與四貝勒關係的大臣伊拉喀。頒布禁殺農奴的法令。後金災荒嚴重。

一六一八年（萬曆四十六年　天命三年　戊午）六十歲

正月，諭諸貝勒大臣：「吾決心已定，今年要出征。」

二月，命對歸服之使犬路等路長四十人各授官、賞賜有差。

三月，命整械肥馬，準備攻明。

四月，十二日，頒布《兵法之書》。十三日，發布「七大恨」誓師。十四日，率師攻明。十五日，襲破撫順，明游擊李永芳降。明儒生范文程降。二十一日，明總兵張承胤率師援救撫順敗歿。二十八日，明以李如柏爲遼東總兵官。

閏四月，明起升楊鎬爲遼東經略。遼東巡撫李維翰移駐遼陽。將其第七子阿巴泰之女與李永芳爲妻。

五月，率師攻明，連克撫安、三岔等十餘屯堡。明命楊鎬爲遼東經略兼巡撫。

六月，明革遼東巡撫李維翰職爲民。明派陳王庭巡按遼東兼監軍事。

七月，率兵攻取清河堡。

八月，明以周永春爲都察院右僉都御史巡撫遼東。明開海運，通餉遼東。

九月，命築界凡城。明始加派遼餉。明以兵部右侍郎文球總督薊遼。

十月，御殿宴賜虎爾哈部長納喀達等。

十一月，葉赫貝勒金臺什派兵襲擊輝發城。

是歲，派官至朝鮮買紙。布占泰病死於葉赫，年四十四。

一六一九年（萬曆四十七年　天命四年　己未）六十一歲

正月，率兵征葉赫，以明軍馳援而回師。派穆哈連帶兵收取東海虎爾哈散處部民。明兵部刋印榜文：「能擒斬奴兒哈赤，賞銀一萬兩，升都指揮世襲。」明遼東經略楊鎬派李繼學等來和談。

二月，派夫役一萬五千人築界凡城。明經略楊鎬於遼陽誓師，分兵四路進攻赫圖阿拉。得到明軍師期之諜報。遣送明使李繼學等返回，要求給予敕書一千五百道及金銀等物。

三月，破楊鎬四路之師，獲薩爾滸大捷。

四月，明以李如楨爲遼東總兵官。築界凡城。

五月，接見朝鮮使臣。

六月，率兵攻陷開原。遷駐界凡。明命熊廷弼爲遼東經略。盛宴款待東海虎爾哈部降民。

七月，率兵占鐵嶺。擒蒙古喀爾喀部貝勒介賽。

八月，率師攻克葉赫東、西二城，葉赫滅亡，扈倫四部盡歸後金。明逮問遼東經略楊鎬。

九月，明從經略熊廷弼請，以李懷信代李如柏爲遼東總兵官。明遣給事中姚宗文閱遼東士馬。

十月，以第七女給與納喇氏鄂托伊爲妻。以蒙古林丹汗來使語極傲慢，命留其使臣。

十一月，派額克星格等與喀爾喀五部貝勒誓盟。派騎入開原松山堡收穫。

十二月，命遣還介賽子克石克圖。派諜工扮成婦女，謀焚明海州芻粟。明再加派遼餉。

一六二〇年（萬曆四十八年　泰昌元年　天命五年　庚申）六十二歲

正月，遣使報林丹汗書。

二月，釋放介賽之子色特希爾臺吉。繼妃富察氏死。

三月，一等大臣費英東死，年五十七。命修建溫德亨、扎克丹、德里斡赫、扎庫木等城。達海巴克什以通奸罪被免死鎖禁。以大妃烏拉納喇氏阿巴亥傾心於大貝勒代善，與之離棄。明復加派遼餉。

四月，與喀爾喀五部諸貝勒書。明征石砫女土官秦良玉率兵援遼。

五月，派兵略明花嶺山城。派兵入明邊掠王大人屯，挖取窖藏糧食。

六月，派人去東海邊開始煮鹽。明經略熊廷弼奏「奴賊招降榜文一紙內稱後金國汗，自稱曰朕。」

七月，朝鮮李民寏曾於薩爾滸之役被俘，至是獲釋歸國，著有《柵中日錄》、《建州聞見錄》。致朝鮮國王書。明總兵官李如楨罷。明萬曆帝死。

八月，明泰昌帝立。率兵取明懿路、蒲河二城，盡奪其糧食。明以袁應泰爲遼東巡撫。

九月，明泰昌帝死。明天啓帝立。後金陷十三山寨。弟穆爾哈齊死。由界凡遷至薩爾滸城。明遼東總兵李如柏聞逮自縊。李如楨下刑部獄。明罷遼東經略熊廷弼。

十月，第十六子費揚古生。明以袁應泰爲遼東經略。明以薛國用爲遼東巡撫。

是歲，遼東大旱，赤地千里；後金尤甚，乞丐塞路。

一六二一年（天啓元年　天命六年　辛酉）六十三歲

正月，率四大貝勒等焚香祝誓。致書朝鮮國王，申明結好。

二月，率軍略明奉集堡。命按男丁分配食鹽。

閏二月，築薩爾滸城竣工。

三月，率八旗軍連陷瀋陽、遼陽及遼河以東大小七十餘城堡。命將明朝法規律例删刪呈報。明啓用熊廷弼爲兵部右侍郎。

四月，遷都遼陽。烏拉納喇氏已復立爲大妃，並遷居遼陽。明以遼東巡撫薛國用爲兵部侍郎，經略遼東；以王化貞爲右僉都御史，巡撫廣寧。

明金、復衞軍民及東山礦工多結寨自保，拒不剃髮投降。

五月，定訴訟審理程序。一等總兵官額亦都死（註七），年六十。派兵鎮壓鎮江拒絕剃髮投降之漢民。遼陽、海州漢民向井中投毒，以反抗後金汗的統治。

六月，任命管理貿易的額眞。下達文書至村領催，嚴防漢人在食物中投毒。薩哈爾察部派人來貢貂皮。明以熊廷弼爲兵部尙書兼右副都御史，經略遼東，駐山海關。明以兵部尙書王象乾總督薊遼。

七月，命八旗設巴克什，召兒童入學。頒布「計丁授田」令。明毛文龍兵攻鎮江，內應，克之。以鎮江漢民執城守游擊佟養眞投毛文龍，派兵前往鎮壓，俘一萬二千人。

八月，明擢毛文龍爲副總兵，駐鎮江城。與介賽盟誓聯姻後釋放之。派兵鎮壓長山島、蓋州等地漢人反抗鬥爭。始命築遼陽新城，是爲東京。

九月，准遼東商人繼續開店做生意。派兵鎮壓湯站堡、鎮江、復州等地漢民的反抗。

十一月，濟爾哈朗等四貝勒以私授財物，命監禁之。命廢止明以戶徵賦舊制，實行按丁貢賦制度。蒙古喀爾喀臺吉固爾布什等率衆歸附，以第八女妻之，並予二牛彔，授爲總兵官。下令遷徙鎮江、鳳凰、湯山、長奠、鎮東漢民至奉集、薩爾滸一帶，五城空若無人。派阿敏率兵攻毛文龍，斬明官兵一千五百人。

十二月，下令清查糧食，諸申計口給糧。明遼東「經撫不和」。

一六二二年（天啓二年　天命七年　壬戌）六十四歲

正月，率師破西平、占廣寧。獲明右屯衞糧食五十萬石。明以袁崇煥爲兵部主事。

二月，命遼河以西漢民遷居河東地區。大貝勒代善殺義州漢民三千餘人。下令派夫役、牛車趕運右屯衞糧食。後妃等至廣寧叩謁。宴迎蒙古兀魯特部明安等十七貝勒率數千戶部衆歸附之諸貝勒等。明以孫承宗爲兵部尙書兼東閣大學士，預機務。明逮王化貞、罷熊廷弼職。

三月，頒行「八大貝勒共治國政」制度。令遼東新舊民戶房合住、糧合吃、田合耕。命築東京城。命在遼陽修喇嘛廟塔。始設蒙古旗。

明以王在晉爲兵部尙書兼右副都御史，經略薊遼、天津、登萊軍務。

四月，發布文書稱，北京應由女眞與漢人輪換居住。

五月，明毛文龍從鎮江襲擊後金湯站等地。

六月，明加毛文龍署都督僉事平遼總兵官。命店主書名立牌於店前，以備稽查。廢止穿刺耳鼻之刑。

七月，一等大臣安費揚古死，年六十四。明以袁崇煥爲監軍道兵備副使。

八月，明命大學士孫承宗督師，經略山海關及薊遼、天津、登萊軍務；孫承宗巡邊，支持袁崇煥主守寧遠之議。明以閻鳴泰巡撫遼東。

一六二三年（天啓三年　天命八年　癸亥）六十五歲

正月，蒙古喀爾喀扎魯特部貝勒巴克至遼陽朝見。「汗諭」稱汗與貝勒大臣爲君臣父子關係。明賜遼東總兵馬世龍尙方劍。

二月，任命每旗都堂二人，斷事官二人，蒙古、漢斷事官各一人。定淘金、煉銀男丁賦額。明賜平遼總兵官毛文龍尙方劍。明遣太監刺邊事。

四月，派兵征喀爾喀扎魯特部，斬貝勒昂安父子並獲其妻子、軍民、畜產。禁遼東漢民製造、買賣和收藏兵器。試驗焊接技術。

五月，額爾德尼巴克什以私收財物，命殺之。第十二子阿濟格娶蒙古孔果爾貝勒女爲妻。

六月，明以張鳳翼代閻鳴泰爲遼東巡撫。始製作黃色火藥。訓教諸公主不得恣意驕縱。派兵鎭壓復州漢民的反抗。

七月，令諸子與蒙古兀魯特諸貝勒盟誓。派兵鎭壓岫岩漢民反抗，俘擄人畜萬餘。

八月，諸貝勒上書自責。

九月，賣倉糧與漢民，每升銀一兩。同母妹死，二女同殉。以蒙古扎魯特貝勒勞薩之女與代善子瓦克達爲妻。

十月，一等大臣扈爾漢死，年四十八。

十二月，明以魏忠賢提督東廠。

一六二四年（天啓四年 天命九年 甲子）六十六歲

正月，額駙恩格德爾臺吉偕妻定居東京，賞給田莊、奴僕、金帛等。再命逐村逐戶清查遼民糧食，並下令屠殺「無糧之人」。

二月，弟巴雅喇死。派庫爾纏等與蒙古科爾沁臺吉奥巴會盟修好。明以喻安性爲遼東巡撫。

三月，明以吳用先總督薊遼。

四月，移景祖、顯祖、孝慈皇后諸陵，葬於東京。

五月，明總兵毛文龍遣兵沿鴨綠江越長白山入輝發地方，被守將所擊敗。蒙古科爾沁部臺吉桑阿爾寨送女與多爾袞爲妻。

六月，明左副都御史楊漣，抗疏劾魏忠賢二十四大罪，東林黨與閹黨決裂。

八月，一等大臣何和里死，年六十四。遣將襲擊毛文龍，斬五百級，盡焚島中糧食而還。

九月，明袁崇煥築寧遠城工竣，並偕總兵馬世龍東巡廣寧。

十一月，明大學士孫承宗請入覲、奏機宜，受魏忠賢阻遏。

十二月，派兵征東海瓦爾喀部，進至柯伊。

是歲，荷蘭侵占臺灣南部。

一六二五年（天啓五年　天命十年　乙丑）六十七歲

正月，朝鮮韓潤、韓義來降，分別授與游擊、備御之職。遣將率兵攻破明旅順城。以第八女與蒙古臺吉固爾布什爲妻。派兵征討東海瓦爾喀部。

二月，命子皇太極娶蒙古科爾沁部貝勒齋桑之女博爾濟錦氏爲妻，後清尊爲孝莊文皇后。攻破旅順，殲守兵，毀其城。

三月，遷都瀋陽，始建瀋陽宮殿。征東海瓦爾喀軍還，俘獲甚衆。明楊漣、左光斗下獄。

四月，宴賞出征瓦爾喀凱還之將士及編戶降民。明以王之臣爲兵部右侍郎、總督薊遼。

五月，以銀子充足，命停鑄銅錢。命對諸貝勒大臣家的太監嚴加限制。

六月，派將統兵出征瓦爾喀部。漢文師傅圖沙以罪被殺。青加努和那代之妻，以殺毛文龍夜襲耀州兵功，命授爲女備御。

七月，明副都御史楊漣、僉都御史左光斗死於獄。

八月，明派兵襲擊耀州城，被守將擊敗之。出城迎接征瓦爾喀部凱歸之將士。迎宴出征卦爾察部歸來之將士。明前經略熊廷弼被棄市，傳首九邊。

九月，明遼東總兵馬世龍遣副將魯之甲等謀襲耀州，敗歿於柳河。蒙古科爾沁部臺吉奥巴以林丹汗來攻，請援。

十月，頒布「按丁編莊」令。出城迎接子塔拜率師征東海北路虎爾哈部俘衆而歸。重新按漢制考選秀才三百餘人，各優免二丁貢賦。明大學士孫承宗以忤魏忠賢罷，兵部尚書高第佩尚方劍，經略遼東。

十一月，林丹汗圍奧巴城，遣將率兵往援，旋圍解。

一六二六年（天啓六年　天命十一年　丙寅）六十八歲

正月，率師攻明，圍攻寧遠城，被袁崇煥所敗。又派軍攻明覺華島，焚其船隻、糧草而還。

二月，謂：「自二十五歲征戰以來，戰無不勝，攻無不克，惟寧遠一城不下」，遂胸懷忿恨而回瀋陽。

三月，明升袁崇煥爲右僉都御史巡撫遼東。明以王之臣代高第爲兵部尚書、經略。明以閻鳴泰總督薊遼。

四月，以蒙古五部喀爾喀貝勒背盟，率師征之，皇太極射死其貝勒囊努克。

五月，出城設帳迎接蒙古科爾沁部奥巴臺吉，並以養孫女（舒爾哈齊子圖倫之女）號肫哲公主嫁與爲妻。明毛文龍派兵襲鞍山驛與薩爾滸，被守將擊退。

六月，與蒙古科爾沁部臺吉奥巴盟誓締好。

七月，以病至清河溫泉沐養。

八月，十一日，在由清河返回瀋陽途中，至靉鷄堡而死。大妃及二庶妃殉之。

【附註】

註一　《明世宗實錄》第四〇四卷，嘉靖三十二年十一月癸亥：「自庚戌虜闖近畿，乃設薊遼保定總督大臣。」

註二　申忠一《建州紀程圖記》載穆爾哈齊「壬戌生」，壬戌年爲一五六二年（嘉靖四十一年）。

註三　雅爾哈齊生年待考，暫附於此。

註四　毛鋼，《明嘉靖癸丑科進士題名碑》作「鋼」；《明世宗實錄》、《國榷》、《明督撫年表》均作「綱」。

註五　第三女莽古濟生年待考，暫附於此。

註六　「天命汗錢」始鑄年代待考，暫附於此。

註七　額亦都之死，《清太祖高皇帝實錄》係於六月甲申（十四日），《滿文老檔》則係於五月十四日，從後者。

附：明朝、後金與朝鮮歷史紀年對照表

公元	干支	中國		朝鮮
		明朝	後金	（高麗）
1368	戊申	太祖　洪武 1		恭愍王 17
1369	己酉	（朱元璋） 2		（王顓） 18
1370	庚戌	3		19
1371	辛亥	4		20
1372	壬子	5		21
1373	癸丑	6		22
1374	甲寅	7		23
1375	乙卯	8		辛禑 1
1376	丙辰	9		2
1377	丁巳	10		3
1378	戊午	11		4
1379	己未	12		5
1380	庚申	13		6
1381	辛酉	14		7
1382	壬戌	15		8
1383	癸亥	16		9
1384	甲子	17		10
1385	乙丑	18		11
1386	丙寅	19		12
1387	丁卯	20		13
1388	戊辰	21		辛昌（註一） 1
1389	己巳	22		恭讓王 1
1390	庚午	23		（王瑤） 2

公元	干支	中國		朝鮮（高麗）（李朝）	
		明朝	後金		
1391	辛未	洪武 24		恭讓王	3
1392	壬申	25		太祖	1
1393	癸酉	26		（李成桂）	2
1394	甲戌	27			3
1395	乙亥	28			4
1396	丙子	29			5
1397	丁丑	30			6
1398	戊寅	31			7
1399	己卯	惠帝 建文 1		定宗	1
1400	庚辰	（朱允炆） 2		（李芳果）	2
1401	辛巳	3		太宗	1
1402	壬午	4		（李芳遠）	2
1403	癸未	成祖 永樂 1			3
1404	甲申	（朱棣） 2			4
1405	乙酉	3			5
1406	丙戌	4			6
1407	丁亥	5			7
1408	戊子	6			8
1 09	己丑	7			9
1410	庚寅	8			10
1411	辛卯	9			11
1412	壬辰	10			12
1413	癸巳	11			13
1414	甲午	12			14
1415	乙未	13			15

公元	干支	中國		朝鮮
		明朝	後金	（李朝）
1416	丙申	永樂 14		太宗 16
1417	丁酉	15		17
1418	戊戌	16		18
1419	己亥	17		世宗 1
1420	庚子	18		（李裪） 2
1421	辛丑	19		3
1422	壬寅	20		4
1423	癸卯	21		5
1424	甲辰	22		6
1425	乙巳	仁宗（朱高熾） 洪熙 1		7
1426	丙午	宣宗 宣德 1		8
1427	丁未	（朱瞻基） 2		9
1428	戊申	3		10
1429	己酉	4		11
1430	庚戌	5		12
1431	辛亥	6		13
1432	壬子	7		14
1433	癸丑	8		15
1434	甲寅	9		16
1435	乙卯	10		17
1436	丙辰	英宗 正統 1		18
1437	丁巳	（朱祁鎮） 2		19
1438	戊午	3		20
1439	己未	4		21
1440	庚申	5		22

公元	干支	中國 明朝	中國 後金	朝鮮（李朝）
1441	辛酉	正統 6		世宗 23
1442	壬戌	7		24
1443	癸亥	8		25
1444	甲子	9		26
1445	乙丑	10		27
1446	丙寅	11		28
1447	丁卯	12		29
1448	戊辰	13		30
1449	己巳	14		31
1450	庚午	代宗（朱祁鈺）景泰 1		32
1451	辛未	2		文宗（李珦） 1
1452	壬申	3		2
1453	癸酉	4		端宗（註二）（李弘暐） 1
1454	甲戌	5		2
1455	乙亥	6		世祖（李瑈） 1
1456	丙子	7		2
1457	丁丑	英宗（朱祁鎮）天順 1		3
1458	戊寅	2		4
1459	己卯	3		5
1460	庚辰	4		6
1461	辛巳	5		7
1462	壬午	6		8
1463	癸未	7		9
1464	甲申	8		10
1465	乙酉	憲宗（朱見深）成化 1		11

續

公元	干支	中國		朝鮮
		明朝	後金	（李朝）
1466	丙戌	成化 2		世祖 12
1467	丁亥	3		13
1468	戊子	4		14
1469	己丑	5		睿宗（李晄） 1
1470	庚寅	6		成宗（李娎） 1
1471	辛卯	7		2
1472	壬辰	8		3
1473	癸巳	9		4
1474	甲午	10		5
1475	乙未	11		6
1476	丙申	12		7
1477	丁酉	13		8
1478	戊戌	14		9
1479	己亥	15		10
1480	庚子	16		11
1481	辛丑	17		12
1482	壬寅	18		13
1483	癸卯	19		14
1484	甲辰	20		15
1485	乙巳	21		16
1486	丙午	22		17
1487	丁未	23		18
1488	戊申	孝宗 弘治 1		19
1489	己酉	（朱祐樘） 2		20
1490	庚戌	3		21

公元	干支	中國 明朝		中國 後金	朝鮮（李朝）	
1491	辛亥	弘治	4		成宗	22
1492	壬子		5			23
1493	癸丑		6			24
1494	甲寅		7			25
1495	乙卯		8		燕山君（李㦕）	1
1496	丙辰		9			2
1497	丁巳		10			3
1498	戊午		11			4
1499	己未		12			5
1500	庚申		13			6
1501	辛酉		14			7
1502	壬戌		15			8
1503	癸亥		16			9
1504	甲子		17			10
1505	乙丑		18			11
1506	丙寅	武宗（朱厚照） 正德	1		中宗（李懌）	1
1507	丁卯		2			2
1508	戊辰		3			3
1509	己巳		4			4
1510	庚午		5			5
1511	辛未		6			6
1512	壬申		7			7
1513	癸酉		8			8
1514	甲戌		9			9
1515	乙亥		10			10

續

公元	干支	中國		朝鮮
		明朝	後金	（李朝）
1516	丙子	正德 11		中宗 11
1517	丁丑	12		12
1518	戊寅	13		13
1519	己卯	14		14
1520	庚辰	15		15
1521	辛巳	16		16
1522	壬午	世宗 嘉靖 1		17
1523	癸未	（朱厚熜） 2		18
1524	甲申	3		19
1525	乙酉	4		20
1526	丙戌	5		21
1527	丁亥	6		22
1528	戊子	7		23
1529	己丑	8		24
1530	庚寅	9		25
1531	辛卯	10		26
1532	壬辰	11		27
1533	癸巳	12		28
1534	甲午	13		29
1535	乙未	14		30
1536	丙申	15		31
1537	丁酉	16		32
1538	戊戌	17		33
1539	己亥	18		34
1540	庚子	19		35

續

公元	干支	中國		朝鮮
		明朝	後金	（李朝）
1541	辛丑	嘉靖20		中宗 36
1542	壬寅	21		37
1543	癸卯	22		38
1544	甲辰	23		39
1545	乙巳	24		仁宗(李皓) 1
1546	丙午	25		明宗(李峘) 1
1547	丁未	26		2
1548	戊申	27		3
1549	己酉	28		4
1550	庚戌	29		5
1551	辛亥	30		6
1552	壬子	31		7
1553	癸丑	32		8
1554	甲寅	33		9
1555	乙卯	34		10
1556	丙辰	35		11
1557	丁巳	36		12
1558	戊午	37		13
1559	己未	38		14
1560	庚申	39		15
1561	辛酉	40		16
1562	壬戌	41		17
1563	癸亥	42		18
1564	甲子	43		19
1565	乙丑	44		20

續

公元	干支	中國		朝鮮
		明朝	後金	(李朝)
1566	丙寅	嘉靖 45		明宗 21
1567	丁卯	穆宗 隆慶 1		22
1568	戊辰	(朱載垕) 2		宣祖(李昖) 1
1569	己巳	3		2
1570	庚午	4		3
1571	辛未	5		4
1572	壬申	6		5
1573	癸酉	神宗 萬曆 1		6
1574	甲戌	(朱翊鈞) 2		7
1575	乙亥	3		8
1576	丙子	4		9
1577	丁丑	5		10
1578	戊寅	6		11
1579	己卯	7		12
1580	庚辰	8		13
1581	辛巳	9		14
1582	壬午	10		15
1583	癸未	11		16
1584	甲申	12		17
1585	乙酉	13		18
1586	丙戌	14		19
1587	丁亥	15		20
1588	戊子	16		21
1589	己丑	17		22
1590	庚寅	18		23

續

公元	干支	中國		朝鮮
		明朝	後金	（李朝）
1591	辛卯	萬曆 19		宣祖 24
1592	壬辰	20		25
1593	癸巳	21		26
1594	甲午	22		27
1595	乙未	23		28
1596	丙申	24		29
1597	丁酉	25		30
1598	戊戌	26		31
1599	己亥	27		32
1600	庚子	28		33
1601	辛丑	29		34
1602	壬寅	30		35
1603	癸卯	31		36
1604	甲辰	32		37
1605	乙巳	33		38
1606	丙午	34		39
1607	丁未	35		40
1608	戊申	36		41
1609	己酉	37		光海君（註三） 1
1610	庚戌	38		（李琿） 2
1611	辛亥	39		3
1612	壬子	40		4
1613	癸丑	41		5
1614	甲寅	42		6
1615	乙卯	43		7

續

公元	干支	中國		朝鮮
		明朝	後金	（李朝）
1616	丙辰	萬曆 44	太祖 天命 1	光海君 8
1617	丁巳	45	(努爾哈赤) 2	9
1618	戊午	46	3	10
1619	己未	47	4	11
1620	庚申	光宗 (朱常洛) 泰昌 1	5	12
1621	辛酉	天啓 1	6	13
1622	壬戌	（朱由校） 2	7	14
1623	癸亥	3	8	仁祖(李倧) 1
1624	甲子	4	9	2
1625	乙丑	5	10	3
1626	丙寅	6	11	4
1627	丁卯	7	太宗 天聰 1	5
1628	戊辰	思宗 崇禎 1	（皇太極） 2	6
1629	己巳	（朱由檢） 2	3	7
1630	庚午	3	4	8
1631	辛未	4	5	9
1632	壬申	5	6	10
1633	癸酉	6	7	11
1634	甲戌	7	8	12
1635	乙亥	8	9	13
1636	丙子	9	崇德 1	14
1637	丁丑	10	（註四） 2	15
1638	戊寅	11	3	16
1639	己卯	12	4	17
1640	庚辰	13	5	18

續

公元	干支	中國		朝鮮
		明朝	後金	（李朝）
1641	辛巳	崇禎 14	崇德 6	仁祖 19
1642	壬午	15	7	20
1643	癸未	16	8	21

【附註】

註　一　一三八八年（戊辰）五月辛昌代辛禑立，翌年十一月恭讓王又代辛昌立。

註　二　端宗卽魯山君。

註　三　光海君爲廟號。

註　四　是年皇太極改後金爲淸。

後記

拙著於一九七八年十二月寫出初稿，後又幾經修改。在著述過程中，承蒙白壽彝、楊向奎、謝國楨、商鴻逵、王鍾翰、李燕光、齊治平、張宿林、劉德麟、趙展、李鴻彬諸師友誠摯指教關切和俯囑寶貴意見。並承中國人民大學清史研究所李鴻彬、中國歷史博物館劉如仲、中國第一歷史檔案館劉桂林、民族畫報社叢永泉、瀋陽故宮博物院鐵玉欽等友人提供照片，愛新覺羅·溥傑先生題寫書簽，謹致謝忱。

著　者

一九八一年十二月